海外漢文古醫籍精選叢書·第二輯

2011—2020年國家古籍整理出版規劃項目

中國中醫科學院「十三五」第一批重點領域科研項目

——我國與「一帶一路」九國醫藥交流史研究（ZZ10-011-1）

蕭永芝◎主編

新鐫海上懶翁醫宗心領全帙 叁

（越）黎有卓 撰

北京科學技術出版社

圖書在版編目（CIP）數據

海外漢文古醫籍精選叢書・第二輯・新鐫海上懶翁醫宗心領全帙　叁/蕭永芝主編．—北京：北京科學技術出版社，2018.1
ISBN 978－7－5304－9225－3

Ⅰ．①海…　Ⅱ．①蕭…　Ⅲ．①中醫典籍—越南　Ⅳ．①R2-5

中國版本圖書館 CIP 數據核字（2017）第207165號

海外漢文古醫籍精選叢書・第二輯・新鐫海上懶翁醫宗心領全帙　叁

主　　編：蕭永芝
責任編輯：張　潔　周　珊
責任印製：李　茗
出 版 人：曾慶宇
出版發行：北京科學技術出版社
社　　址：北京西直門南大街16號
郵政編碼：100035
電話傳真：0086-10-66135495（總編室）
0086-10-66113227（發行部）　0086-10-66161952（發行部傳真）
電子信箱：bjkj@bjkjpress.com
網　　址：www.bkydw.cn
經　　銷：新華書店
印　　刷：虎彩印藝股份有限公司
開　　本：787mm × 1092mm　1/16
字　　數：400千字
印　　張：34.25
版　　次：2018年1月第1版
印　　次：2018年1月第1次印刷
ISBN 978－7－5304－9225－3/R・2386

定　　價：**980.00元**

海外漢文古醫籍精選叢書·第二輯

新鐫海上懶翁醫宗心領全帙　叁

（越）黎有卓　撰

110

新鐫海上医宗心領全帙卷之八

導流餘韻卷　　小引

適有客人臨余敝寓於書篋中得所撰述一集誦讀效遍倏然問曰蒼昊之大有可名乎規矩之巧有可議乎余郎領會其人之借喻乃是集之濫觴歟席前答曰書不云乎天之運上乃操其樞紐也而雨暘寒暑必資四序之代行工之巧思乃用其杞梓也而徑直方圓必從繩墨之規正昔黄岐聖神不過照明陰陽盛衰邪正虚

寔勝負生尅此外無别論也第事物自粗而精文明以
辰而漸譬之欠缺不齊天之齊也然而不有人不成天
不收其全功必有人以裁輔其造化之不足故蒼頡而
下劉張朱李王太僕立齋景岳馮氏諸先輩相繼而興
衍繹而彙編之乃以人之氣稟古後不同淳漓虛異得
不立令方以療令人其間孜究斟摶評断分明説理八
神談形及体有綱有目括而不遺至要至秘一以貫萬
以公之天下令同受五福而登遐壽之年其濟人之仁

識活潑無餘藴矣又何缺漏處而敢為沽高嗜異有别説話也哉余惟曰医學療人之活法不过以水火為根氣血為用甘温柔潤以補虚清凉香燥以理寔然此特其綱領耳而病情貿乱莫狀戹言中剟補綴成章叢中毓緒能無一簣之虧乎亦或後人識認未真義理差錯臨症施治一遇变症即乱想糊心而卒意增損攻補混投終負斃命之責有所耳目其可罔于懷乎余儒學中人矣志而医一目方書即襟懷之義理無非疇昔之所

存不免反覆玩味索隱求情期以医理到底爲䏘事故
不耻魯魚之陋於前輩之論閲有未尽處即贅讀而緝
編之於後人之加藏有未合處亦辨折而考正之何幸
賁未賁之古文備未備之前論曾子蝸一貫之止文公
續麟筆之書余是編中居千百之一二以此自用其於
轚鼓弄斧之醜態又何足辞明公以是攻擊寔深愛余
正謂抑其驕成其美也余亦曰寧得罪於先輩不寧負
於所學也客於是不言且含頷曰中理中理是爲誌

黎氏别號海上懶翁原引

導流餘韻卷　目次

目次終

導流餘韻卷

海上懶翁黎氏纂輯

後學唐鄅武春軒奉較

醫意醫理論

医道肇自軒岐問答垂訓于千古雷公炮炙伊贄湯液箕子洪範越人問難仲景傷寒士安甲乙啟玄子傳註䥲仲陽診脉李辰珍本草綱目其中天地陰陽造化人身疾病安危闡發殆盡夫医之為道理與意而已景岳云医者理也散之則為萬殊會之則總歸一理經曰知其要則一言而終不知其要者流散無

窮此是真陰真陽誠医中之至要也至理也然理外之見更有意焉循經守常不惑者理觸類旁通無窮者意理者体也意者用也理之外思而得之謂之意意之至神而明之存乎理許嗣宗精於医或勸其著書貽後世答曰医者意也吾意所解口莫能宣矣此医之意非言語間可以形容也故曰不通天地人不可以言儒不通天地人不可以言医又曰學易而後可以言医陰陽之理医之理也又曰以儒而医古今之理医之理也大哉

職司人命定攻補於一指判存亡于一息若非學貫陰陽理窮今古採本求源納流成海則不可僥倖於毫釐也盖医之能出八鬼神幹旋造化惟此理此意也方法繩墨者不外於理應變無窮者莫神於意故有無書可讀無方可法之語誠理外之意也耶

論人身中有一太極

天地間胚胎胞卵形化氣化（有齒嚼物者為形化無齒呑物者為氣化）昆虫草木有覺有生（人為靈䰟萬物為覺䰟草木為生䰟）雖各禀一偏然無非一點太極具在其中而後能化

能生爲有形有質也況人身爲小天地稟陰陽之全体具五行之化育豈無一點太極儼然先立以爲發生之根本乎自難經戍論誤指命門寄居於右腎印定後人耳目茫茫然不知太極爲立命之本將至尊至貴閒置于他地幸而諸賢迭出葦其弊正其端使養生司命者知所鄭重經曰遇症之虛亟保扎方以培生命又曰命門知扎辰居所衆星拱之此明指太極在腎中明矣書曰医家不知太極之真体不窮水火無形之妙用而不

知重用六味八味其於醫理尚欠太半旨哉仲景八味凡猶兵家之八陣构連保絡觸處皆然何施不可識術生之至寶立命之神册人之求生豈能外此乎哉

論氣虛火虛血虛水虛症見畧同法可通治

按古法於氣虛者則以四君補中治之血虛者則以四物歸脾養荣治之氣血兩虛則以八珍十全治之火虛者用八味水虛者用六味水火兩虛用八味此古法從症異治也懶常考方書曰後天脾肺氣虛症見言語輕

微四肢無力形体瘦弱面色枯白皮聚毛落外畏風寒
内怯生冷共土虛不能藏陽而久熱或易泄易脹較之
先天火虛者腎虛不能納氣氣無歸源之力亦見氣虛
而言語輕微命門火衰於下則蒸腐之力無能脾胃運
納之職皆廢安得不四肢無力形体瘦弱子虛則盜傷
母氣故肺虛而面色枯白皮聚毛落真火不能内充故
陽虛而外怯風寒内畏生冷火虛不能安其位少火變
為壯火浮遊于三焦豈不為久熱乎脾喜煖悪湿下無

火力何能温之燥之故見易脹易泄此氣虛火虛症見
畧同也後天心肝血虛症見陰熱蒸蒸形体黑瘦煩渴
頻飲頭目昏暈身重關節疼痛氣逆上衝乾嘔胸中悗
濃口中涎溢喉乾咽痛或喉中如梅核咯之不出嚥之
不下及婦人經閉血火熾之先天水虛者水衰不能制
火火得妄行是爲雷火故陰熱蒸蒸榮衛焦乾而形体
黑瘦腎主五液津液乾耗故煩渴頻飲此内水乾枯求
外水以自救也至於頭目昏暈身重關節疼痛氣逆上

冲乾嘔胸中悩濃口中涎溢喉乾咽痛此皆虚火上炎之兆喉中如梅核咯之不出嚥之不下亦由陰火上炎之假象寔非痰隔之症也腎水衰不能生血而生痰故婦人經閉血火此血虚水虚症見暑同也余每臨此症只憑脉似可辨如右關寸無力知是脾肺氣虚左關寸無力知是心肝血虚左尺無力是水虚右尺無力是火虚然脉乃氣血之波瀾自非心領神會何能毫釐不謬倘以症合藥左右逢源甚難顯確余有經驗一法於四

條中自可通治何者真火爲陽氣之父真水爲陰血之母書曰克足空虛者氣血也化生氣血者水火也又曰治諸病以水火爲根以氣血爲用易不云乎太極動而生陽靜而生陰天一生水地二成之人生以真陰真陽爲先天立命之本爲有形之機真陰真陽卽真水真火也陰陽者体也水火者用也故曰水火爲陰陽之徵兆至於血氣乃後天有形之血氣也又爲水火之用書云小病必由氣血之所傷大病必由水火之爲害治小病而

捨氣血治大病而捨水火殆猶緣木求魚耳故凡用氣血藥而氣血不見日長者不知氣血之根也是以滋腎水重熟地而不用芎歸補命火乃肉桂而非芪术奈何養生者槩以氣血為陰陽水火為心腎用四物以補血滋陰四君以補氣調陽坎離凡以調水火抑不知芎歸辛竄僅可調榮難補真陰真水參苓术草纔能益衛難補真陽真火余臨此症效十年来寤寐求咸得一心印為至平至穩之捷法起死回生之要領大凡治小病逆

病稍虚病宜從氣血藥治之治大病久病大虚病宜從水火藥治之又如以水火藥治氣血病雖未能建功於目前然根本培植一病除則百病隨愈更受益於無窮已如以氣血藥治水火病或稍應或全不應宜急改轍務求根本爲事以水火藥投之無不響應書曰寧以不足之法治有餘則可以有餘之法治不足則不可正謂此也又如病症蜂起奇形怪狀難名而本屬大虚者切不可拘見多岐惟以水火之真藥投之則假形之症冰

消尾解真象之虛不求自見從而治之活人捷法

論陰虛發熱陽虛下陷

夫陰陽者虛名也寒熱者陰陽之徵兆也陽性本熱本升陰性本寒本降及其病也陰失本寒而發熱陽失本升而下陷豈非因所虧而失其常性乎蓋以人身陰平陽秘精神乃治病安從來偏有少偏則此盛彼衰陰陽相乘之故陰性本寒安能作熱因已之已虧而陽往乘之陽欲燥陰而盡化為熱陽性本升豈甘下墜因已之不固而陰往乘之陰欲挾陽

而同歸于下經曰濁氣在上則生䐜脹清陽在下則生飧泄四字各有深義當追思之則陽乘陰陰陷陽自了然矣盖濁陰爲陽所乘陽者熱也火也熱則氣欝而生䐜脹清氣爲陰所陷陰者寒也水也寒則無火而生飧泄朱丹溪治陰虛内熱或生䐜脹以四物滋陰養血恐熱久傷陰加黄栢降火玄參伐火使熱退陰彊而脹自消李東垣治氣虛下陷以參术培盃中卅恐陽藏於九地易生飧泄用升麻柴胡發之以敷春令使脾氣散精

肺調水道而瀉自止昧不知此一見陰虛發熱䐜脹必用消導行氣不知燥能耗血陰愈傷則脹愈甚故曰以血藥而治脹滿世所罕知其陰虛內熱誤行攻下則陰亡而斃愈速一見陽虛飧泄大用滲利之藥不知水無氣不行滲利則治節愈虧而水道愈閉能使地氣上升天氣下降爲不治之治其陽虛惡寒誤行發散則陽愈虛而陰愈泄必至陰陽兩亡至哉陰陽相乘之妙理寒熱假形之幻真医不求源難免執局之見

辨帶下病源病症病名與治療旨

按帶下一門方書有曰赤帶白帶又曰赤濁白濁白淫諸症通在帶下一門其病情混而不辨使學者多岐治功罔效以白帶之方而混投白濁之症指遺精之源而通稱帶下之病如獵而不知兔也觀諸内經曰帶脉乃奇經之一廻身一周如束帶然總束諸脉使不妄行統攝一身無形之水下焦腎氣虛損帶脉漏下故病曰帶下（昧者見尿道出曰帶下）然病之本非本於帶病任脉之病也經

曰仁脉起於中極之下以上毛際循腹裏上關元至咽喉上頤循面仁脉自胞上過帶脉貫臍上其病所發正在過帶脉之分淋瀝而下故曰帶白濁稠粘者謂之帶下屬心胞手厥陰火陽出於胞宮精之餘也故所下稠粘由脾腎之虚滑者多閲諸家書劉河間曰中焦湿熱滛氣不清則為白帶冊溪云赤屬血白屬氣仲景云白為氣虚赤為有火然白者多赤者火東垣云血崩久則亡陽故白滑之物下流未必全拘於帶脉錦囊云婦人赤白

而稠粘者曰白淫與男子之白濁全係相火如雷電之攪而不澄清屬足太陰太陽（治當升補為主）又云思想無窮所願不遂意淫于外與房勞過度發為白淫則所下白物淫衍亦如精狀男子因溲而下女子陰中綿綿而下景岳云淫濁出膀胱之水濁（所下不甚稠粘）由膀胱之濕熱者多医学正傳云白物淫如白精之狀不可誤作白帶係元云婦人下而稠粘不甚者曰白淫與男子白濁同也医要云淫濁之症與帶下不同帶者精之屬也淫濁水之

屬也簡易云濁病莖中痛如刀割火灼而小便自清此
竅端有穢物淋瀝不斷大抵精敗者多湿熱者少士林
三書云濁有赤白之分者何也精者血之所化濁去太
多精化不及赤亦未变白也故成赤濁虛之甚也總之
心傷于慾腎傷于色医宗說約云便溺泛濁如米泔水
此三焦症也如膿泔而臭穢特甚者湿熱症也愚按先
哲發端同異教人不免多歧大要女病則曰帶下白淫
或曰赤帶白帶總爲一症所下之物稠粘是也男病則

曰遺精白濁又曰赤濁亦是一物所下不甚稠粘是也至於治療之旨病原於思想無窮鬱鬱不伸與房勞過度而得之總由命門不固蓋腎爲胃之關精血之海陰陽之宅凡病此者精枯血竭陰爍陽消本原深重故藥餌之攻不能與情竇爭勝此帶濁之所以不易治也又婦人性偏多憂思鬱怒損傷心脾肝火辰發血不歸經所以患赤白帶也法當清上寔下清濁自分理脾養血濕熱自解再爲温補下元使水升火降而帶自除眛者

泥於常套依法療治以牡礪龍骨地榆阿膠艾葉之類
澁之和以四物加以升提殊不知根本損傷以致腐敗
若止澁之益加其滯升提之愈增其鬱惟以水火之真
藥投之如左尺脉弱此真陰真水虧竭宜六味凡加補
澁藥以救先天精血更間服歸脾湯以補後天心肝如
右尺脉弱此真陽真火虛衰宜八味凡加補澁藥以救
先天陰陽更間服補中益氣湯以滋後天脾肺虛甚者
峻投精血之品如此堅心調服勿圖速效暮李朝張更

增其惑愈此余經治愈馳之旨用法甚當治功甚效何假異方奇品而後可濟哉

補神論

道經云甲戊庚乃天上之三奇精氣神乃人身之三寶以精血對言則精陽而血陰以神氣精血對言則神氣爲陽精血爲陰以神氣輕重對言則神司變化氣主出入非变化則出入熄經云真神失守而不彰則天命匪長神更重於氣也其化源則血生精精生氣氣生神此以精者陰血化生之菁也神者元陽元氣凝

聚之真也然血無精則不化精無氣則不行氣無神則
不用更以神為之主宰經曰主不明則十二官危亦此
意也試覓人之暴病卒死者雖飲食如常形容肥壯
而情志却糢糊了此真神已先離散而陰精已竭故能
致於弦絶一旦之暴厲也凡症見煩燥寔為精神耗竭
之机漸至手足無措言語無倫神明昏乱則不可為矣
凮鑑家云睛如魚目速死之期又曰擧足頭先過步步
履蹉跌長短不一神不附体死期在邇此可見人之壽

矣無不專以神爲召况医司人命可不保真神以爲珍重養生之旨務乎按古人立方惟補心安神鎮心藏神養心温神蓋以心藏神補心亦以補神耳且心統乎血補心則血旺而能生精生氣生神其用藥則不越茯神遠志棗仁栢子蓮肉神砂硃砂數品而已倘病猶未甚則此等方藥可以安之藏之温之若机在陰亡陽脱神去魂離命懸危者以如此尋常藥餌而圖其必濟未之有也余臨症每見危人之速無不在於真神已先去於

乎昔也書云神無形可見目者神之舍也此捨目之外則神無所指矣不然人身無處不有神毛髮有神則明潤而無焦乾短赤皮膚有神則潤澤而無甲錯瘦黄牙齒有神則瑩徹晶瑩声音有神則音韻悠揚指甲有神則鮮明紅活脉譜云病雖危篤而脉有神者可治此人身外而形骸内而經絡無處不倚重於神也医家鑽鑰豈可徒以精血爲事而真神最是生死之關奚可忽哉余每竊求之精血之外更鄭重之欲補其神寔無其藥

偶因讀方書有曰水火者人身之本神明之用也及見景岳理劳論曰水火不交則神色敗始猛然省悟曰心雖藏神若非陰精上奉則水火未濟神明昏乱𩕳心養心補心徒爲安神之計不過抑其亢助其偏也若至於真神衰敗近蹈危崖徇不急求陰根於陽陽根於陰之法而以水中補火火中補水之方則何以使真神克裕而能藏之舍之於心以爲立命之本乎願有志於性命之學者要在探本窮源細講真机深求妙旨而保養真

神衰者補之脫者挽之失者守之以爲濟生之要領也耶

辨龍爲陽物本是畏寒而升何又悪熱而走

書云龍者火也火性熱夏至一陰生水底冷而天上熱龍爲陽物故隨陽上升而雷電振作冬至一陽生井泉温而天上寒故龍亦隨陽下伏而雷始收声人身腎中相火亦猶是也（人在相感火二字）平日不能節慾以致命門火衰腎中陰盛龍無藏身之地故遊越於上而不歸是以上焦煩熱諸症見矣善治者以八味温腎之藥從其性

而引之歸源使行秋冬陽伏之令而龍歸大海此至理也無異議也又書云陰虛火旺之症乃腎中真陰衰損真水乾枯火無水制而相火上炎善治者補水以配火用六味壯水之主以鎮陽光而火自熄較之於前甚可疑也既曰陰虛火旺是無水也則此辰腎中全熱矣前言以相火爲龍則龍得熱同類相從必貪於滎旺而妥

其窟宅何反惡熱上升是豈一龍有辰惡熱而升有辰畏寒而走之理哉非也惑人在腎中相火亦猶是也

此陰虛火旺之一句使人妄指相火爲龍余初年讀水火論每以此横於胸中浪死淹影久矣及閒玩内景圖說見一點太極爲命門居中左邊一小黑圈是真水之穴右邊一小白圈是相火之穴始能深悟其旨且云命門爲真君主乃一身之太極無形可見兩腎之中是其宅也如天君無爲而治右竅相火無形之火火火也猶如宰相代天行化三焦是其臣使禀命而行周流於六腑五臟之間而不息左竅乃真陰真水無形之水也

上行夾脊至髓中爲髓海泄其津液注之於脉以榮四末內注五臟六腑以應刻效隨相火潛行於周身而不息此可見人身中相火與真水隂陽互爲其根火爲水主水爲火源可相合而不可相離要均平不宜偏勝猶如天秤此重則彼輕故曰水之不足因見火之有餘火之有餘緣於水之不足凡書曰真陽曰元陽乃命火之別稱也前言腎中隂盛龍畏寒而上升乃指命火而言也非右竅相火也倘不以命火爲龍何書云補命火乃

肉桂而非芪朮後言水衰火炎乃天秤不得均平而偏勝此指真水與相火而言非命火也豈有一火以八味温腎而歸以六味凉腎而亦歸之理哉第以浩理玄微難解徒以煩文不能辨析使學者多岐而有鹿馬之失大要讀書取義非難辨理為難然辨理非難得於理外之見為尤難也

辨服藥節次

服藥法古人云治心肺之病必濃煎小劑食後徐徐嚥服以養之蓋其位在上而近不厭頻而少也治腎病者所居最下宜作凡呑

服以直達下焦而始化所謂偷關之法若急症須投煎
劑必食前多服頓服始能達及下焦然余以此不能無疑
經曰飲食入胃遊溢精氣上輸于脾脾氣散精上歸于
肺肺主治節百脉朝會于肺始能分布五臟六腑肺爲
肉市故肺字從肉從市經曰五味入胃各歸所喜亦必
上會此市而後可歸也若云治上病食後頻而少嚥乃
能速及上焦治下病食前多服頓服及凡藥始能直達
下焦之理如此則上焦之藥不至於胃下焦之藥不輸

於脾經過病界而自分布也書云胃乃分金之爐為虛語乎倘信有是理則治頭宜倒懸治足宜久立治手宜側卧哉余一心疑竇久矣第以先哲成規不敢啟喙及見誨庵先生誠掌中火字始能形于筆紙以敷布藥之議或問服食藥餌以何為良法余曰惟於半飢半飽辰服甚為穩當盖藥力之能通達者全仗中氣以運行若太饑則胃氣饑安能施化太飽則食前猶阻反緩見功試思人至氣絕之後灌以巴黄觔(音兩)許雖入腹而猶置

於紙木器中安然不動豈能通利一物耶且草木之能靈惟賴無形之氣味也同氣相求能達病所有形渣滓不過併入大腸從䰰門而去豈能傳踪影於肉裏經絡哉

辨寃熱吞酸酸痛各有深義

古人立言取義甚有深意第以學者鹵莽不能深求昧於至理如書曰寃熱者循煩熱而更甚也以熱中憔悴鬱鬱不伸如含寃之狀医學傷寒賦云移熱傳于手經如寃家相據此無詧之攄援也如書云吞酸者其病症與治法甚詳但病狀無從

查考惟景岳有云吐酸者乃湿中生熱呑酸者乃虚火内鬱余始悟得病情盖呑酸者乃虚火逆冲氣隨火上而噯胃汁亦隨氣升而溢於咽門吐之不能不得已乃呑之其味覺酸昧者曰凡病人呑物皆酸此為呑酸不知内經謂之五病者乃心熱口苦肝熱口酸脾熱口甘肺熱口辛腎熱口鹹若以此為呑酸何不具有呑苦呑辛呑甘呑鹹等名目乎如書云酸痛者取酸之義極有深理方書病机或寫作痠字此不究酸之意而強以從

病字名之余初辰亦不知所指偶因疾走爲横木絆住脚臁跌倒痛入骨髓哭中還可笑笑裡冷淚來燃燃濃濃似有不勝之苦猶人食酸物可快亦可驚毛髮茸動余始暗想得酸痛之理其在是矣或曰這般似不甚閙經旨彷彿間亦足濟事何必深求余曰不然凡士之讀書取義要得理外之見可不細心講究窮源溯流觸類旁通一以貫萬倘以彷彿爲無餘蘊則熱有蒸蒸之骨熱有翕翕之表熱有心虛乍涼乍熱有逼陽上熱下寒

豈可共寃熱爲欝火之症乎至於吞酸本是虚火内欝豈能同吞物皆酸於肝熱之症乎酸痛者病在精髓非如風傷筋寒傷血熱傷氣濕傷肉之比也盖医家治療皆曲學偏見知藥不知病情無以神其治知症不知辨形無以窮其狀豈可以彷彿爲能事哉

辨補中湯用當歸

一補中湯純用氣藥其中間入當歸一味血藥後之註解錯認多端惟顧生一書云凡用氣藥不可無血藥此僅窺宫墻而未能升堂入室盖東

垣製補中湯為提醒脾家之計耳用白朮補脾之陽恐胃陽過亢翻成燥槁之土不能生物故間入當歸一味以補脾之陰使土具坤柔之德以益化機如此用之升提則陽有陰而不走用之驅邪則寒不傷營用之治勞傷則熱不傷陰先哲立方陰陽互用精妙入神類如此後之學医者可不貫徹此理而混投之可乎

辨補火更重熟地

一治陰虛火旺之症用六味以補水制火此壯水之主以鎮陽光誠然矣何則火虛妄行

之症端於命門火衰腎中陰寒龍無藏身之地畏寒而冤故用八味補火引火歸源而安其窟宅其要只在桂附溫腎使龍得煖而歸正當取重於桂附矣今則君熟地臣萸藥而桂附反下為使既曰腎中陰盛猶偏於補水恐桂附之熱力不能敵地萸之陰柔何以為益火之用哉不然陰陽之理陽根於陰陰根於陽陰陽互藏其根水火互為其用水為火源火為水主故真陰虛者就於火中補水命火虛者就於水中補火書云水中補火則

其明不熄火中補水則其源不竭況肉桂之香竄鼓舞大附之通經達絡向非蒸地駕驅山渠監制則横行表裏之捷態斬關奪旗之梟雄安肯甘心下歸於腎以制陰寒温龍窟而為冬至一陽生之候乎

論百病損傷皆根於腎

經曰知其要者一言而終不知其要者流散無窮蓋言知要者求本之要也又曰小病必由氣血之所偏大病必由水火之為害凡克足空虛者氣血也化生氣血者水火也水火者生身之本神

明之用也故曰治諸病以水火為根氣血為用人知氣
血為陰陽水火為心腎亮知氣血更有氣血之根水火
更有真水真火之源陰陽更有真陰真陽之所蓋先天
如朝廷後天如司道執政在先天布政在後天又曰一
身之政令總在乎命門命門為北辰之樞司陰陽之柄
此可見人之百病雖外因内襲種種不同然不過發病
之端及至損傷終歸於腎書云百病皆生於心皆根於
腎景岳云陽邪之至害必歸陰五臟之傷窮必及腎信

不誣矣且身中一圈太極卽腎中一點命門夫先天旣曰命門乃立命之門爲人身之至寶求生者當加意於火之一字若人無一點先天火氣盡屬死灰矣医貫云命門爲十二經之主腎無此則無以作彊而技巧不生矣膀胱無此則三焦之氣不化而水道不行矣脾胃無此則不能蒸腐水穀而五臟不榮矣大小腸無此則変化不行而二便閉矣肝胆無此則将軍無決斷而謀慮不出矣心無此則神明昏而萬事不能應矣肺無此則

治節不行而百脉不能灌溉矣至哉臟腑之功能終不越手命門而人之疾病雖傳变多端豈能外乎臟腑故曰治大病而捨水火真循縁木求魚誠見百病綱維皆其總統之矣夫百病之最重者無如風癆臌膈若真火固注丹田則虛風何由驟起甘温滋補精血則劳症何地可容真火既完元氣自長則健運如常中滿之臌症更無慮矣釜下有火遊溢精氣則水精四布燥澁之膈噎何患成哉此絶生之大症憑之循可挽回況害人之

百病疑之奚難頓釋医貫譬之走馬燈拜者舞者行者走者惟此一火耳火旺則動速火微則動遲火熄則萬機皆寂誠逼真之妙言也余自悟得太極先天之真体深知無形水火之妙用而重用六味八味立起沉痾易於反掌及無形之異病難名之假症惟以水火之真藥救之全不旁顧支離取本求源無不氷消瓦解如此一想則百病之損傷無不歸根於腎先師曰以治一病之法旁推可以治百病治百病之法究竟根本猶治夫一病

願同志者奉此真言印作医家開鍵則活人之計無餘蘊矣

論痰無補法亦無攻法

按方書有云痰無補法不知創自何人立言之深究若是何後之群議不察来由一槩以朦朧指之甚爲未辨盍覓神農三千七百七十二品絶無一品設爲助痰之需况於補乎倘欲補之寔無其藥或曰凡有痰症惟宜攻之逐之爲事耳只恐痰未尽除而辛香已散其氣亢燥已耗其血氣血两虚痰必愈甚余曰誠至言也若虚而多痰勢所必補則求其比

源而補之蓋痰之化無不在脾痰之本無不在腎凡有痰症非此則彼脾虛者不能運化五液凝結而爲痰治惟以溫補中氣使之健運而痰自除腎虛者水不生血水泛爲痰治惟以水中補火火中求水補而逐之其痰自化或者又曰如此豈非痰之有可補乎何勞別論余曰不然此養正而邪自除以補爲消之至理余之所言只欲明辨書理古人曰痰無補法誠無其藥也余曰痰無攻法欲其善撫也蓋痰乃人身津液之氣所化水穀

之質所成循如氣血之奴婢本得於有生之初亦是養生之一物耳書云老人不可速降其痰虛人不可尽去其痰正謂此也蓋善治之則為良民不善治之則為寇盜此不得已而為之若悪其為盗而尽絕之則治國可無民乎書云痰本不能生病因病而生痰耳又曰痰乃人之津液隨邪之所在而成病之名惟於中風卒倒痰涎壅盛者只宜暫吐（以通關体）而氣壯大寔而痰盛者亦只宜降火抑氣使痰自消切不可指其為病而吐之下之逐之

攻之以蕩滌無遺為快㭍何異乎絶氣焚衣之智氣死衣亦灰矣願學者貫融書理痰無補藥而有補法之如是耳

評君心論　愚按趙氏医貫一書謂身中別有一主非心也証之經曰主不明則十二官危是心不能離十二官之中此心亦官也倘以心為君主何不云十一官危且譬之朝廷皇極殿是王者嚮明出治之所也乾清宮是王者向晦宴息之所也指皇極殿而即謂之君身可乎蓋元陽君主之所以為應事接物之用者皆從心上

起經綸故以心為主至於攝真養息而為生生化化之根者獨藏於兩腎之中故尤重於腎而其寔非腎亦非心也窃謂趙氏立論反覆獨尊命門為君主歷陳氣血之根生死之關生人之本保命之源真假之象闡發殆盡濟世一片善心誠有功於医學者不淺矣先師馮氏力排此說有曰自古聖賢皆以心為君主蓋謂萬物之靈皆伏此心之神明但腎主智心主思心之氣根於腎也卧以八陰心之通於腎也水火不相離之謂也心之能神明若非真陰上奉其能之乎則知心為主而腎為之

根也猶聖人在上而必以民為邦本心其命門尊卑之分昭然矣以愚見之先師此說似乎過於執中之見而趙氏之說亦不可泥蓋官之一字未必顯明所指如稱心為君主之官是此心之官司君主之用亦猶脾胃之官司倉廩之事其肝之將軍胆之中正大小腸之傳送膀胱之州都三焦之臣使各司乃職以明化源之機此君乃職也豈以既稱為君而不可稱為官乎蓋先哲立言恐人不明而以人事比之亦猶先天太極圖天尚未生

盡屬無形何為畫一奇一圖又涉於形迹哉此不得已而開示後學之意也僊經曰借問如何是玄牝嬰兒初生先生兩腎未有此身先有兩腎故腎為臟腑之本十二脉之根呼吸之主三焦之源而人資之以生焉人若無此則不能以有生又見人身中臟腑表裏配合則肺共大腸心共小腸心胞絡共三焦肝共胆腎共膀胱脾共胃獨命門無有配者誠理外之見難窮者意豈不别有一點明為有生之祖即指為君亦可指為官亦可渾

渾然一塊肉要明理耳何假深求

補中湯辨誤

愚按補中湯專為虛人感冒而設也蓋補其中中氣旺則邪無容地此正氣得力自能推出寒邪也以補為攻之至理且虛人元陽無不下陷以此升之亦升陽可以解表之義又勞傷發熱亦由中氣虛穀氣不行胃脘不通而為內熱以此補其氣氣壯則運行健虛熱自除亦補土藏陽溫燼培灰之妙旨奈何今之用者無辨陰虛陽虛內傷外感不問虛寔舉手便云補

中医者病家自以為至平至穩之法盡不思所宜之中還有許多所忌更有昧者誤認為補虛之方病後用之謂補共無病辰以為健脾補胃飲食之需殊不知愈升則氣愈降愈降則氣愈虛表無氣衛媒入風邪中被陰乘易生飧泄至於增損之法不知創自誰家欲純補者則去升柴要不知補中方旨亦藉升柴以敷發榮之春令使勾萌甲柝遂此一陽生或有不敢擅去者則用蜜炒將升柴輕清之性已被井泥留住則佐助參芪之力

誰其鼓舞又用陰虛火旺之症嘔逆上寔之機恐其上升加入牛膝以為下降殊不知補中以升為降清陽升則濁陰自降若執持兩端一升一降將參芪著落於何地又於陰虛熱盛之症加入黃栢以瀉陰火豈知補中本是陽虛之方何干於陰火況黃栢瀉腎火亦瀉胃火胃受苦寒徒受傷耳土虛則火無藏身之地又見腰痛混投補腎之杜仲見陰虛兼加補水之熟地見轉筋妄用木瓜見脚痛乱增牛膝此皆違越方法牽意妄行難以枚舉

書云後天之陽虛補脾肺

四君四物八珍辨誤

四君是也後天之陰虛補心肝四物是也奉世皆以爲氣家血家諸症之冠冕無徃不宜此不知立方之旨自愚見之其中各有宜忌之多端豈能一槩如胃火壯寔脾陰益虧則參朮奚可混投人參雖稱退虛火之聖藥若体虛火炎熱甚傷氣則參亦宜暫緩炙草本爲温中能留住諸藥使土受其益倘中虛而氣不運似非所宜又云四君湯爲小兒脾胃之聖藥然益之下有損承之只

恐孤陽無陰之弱質何堪苓滲朮燥之久需況土乾則阜積爲痹母影裏傳来如血因火動吐衄妄行則川芎何能收攝如陰亡陽敗崩脫難堪惟獨參續於垂絕若血由寒而滯温之非地芍之所長血因虛而枯淤之乃川芎之所短又曰四物湯爲補血之必需此似是而非也蓋陰藥惟以純静柔潤爲良能用之者使陰静而血生耳此養其陰而血自生謂之養血則可也謂之生血則不可也至如補血生精則糜鹿茸膠河車乳汁𪐴𪐴

有情庶可建功然化源更在日用資生之五味故曰補血每以胃藥收功此深義也又云氣血兩虛用八珍湯若膠柱混投何能獲效經云無陽則陰無以生無陰則陽無以化如氣虛多血虛少則君參朮而臣歸熹然苓之傷陰滲泄芍之酸芎之散亦可暫停血虛多而氣虛少則君歸熹而臣參朮然川芎之香竄耗氣朮之燥苓之滲合當少避如兩相等虛惟偏補其氣而血自榮蓋氣藥有生血之功血藥無益氣之理本陰陽之妙用也

愚自新製培土固中方以爲治純陽之輩最平最穩補胃氣而不燥潤脾陰而不滯誠爲補陰四君子可供久服之需可無增氣之害與新製後天六味湯後天八味湯以爲後天脾肺心肝之用扱之氣分則無辛香耗散之虞扱之血分無寒涼陰凝之弊方淺效深藥同功異願同志者採之勿罪我苦心於法外

辨有辰補腎不若補脾有辰補脾不若補腎

按先哲云補腎不若補脾蓋以脾胃爲後天之化機一

身之祖百脉之源水穀之海五臟六腑皆受灌輸病則十二經皆病故曰欲察病當先察胃氣欲治病當先顧胃氣胃氣無損諸病無可慮而取重在脾也又曰補脾不若補腎盖以腎為先天之根本真陰真陽並焉為有生之基生身之本神明之用臟腑之祖十二脉之根呼吸之主三焦之源故曰遇症之虚亟保扎方以培生命而取重在腎也是皆先哲深窺經旨闡發玄秘以提醒聾瞶然融通者寡偏執者多未免得此失彼得於脾胃

者專以參芪歸朮為事得於水火者惟以地茱桂附為能使活人之計難於圖全以余膺見医之療病有是症則用是藥雖大寒大熱俱能益人脾腎兩家均是資生資始為用有辰可重責於脾有辰可專功於腎盡見書云胃彊則腎充而精氣旺胃敗則精傷而陽事衰此辰則宜重責於胃也書曰人非一點先天火氣無以運行三焦神其变化盡屬死灰此辰則宜專功於腎也書云人身之有脾胃猶兵家之有餉道餉道一絕萬衆立散脾

胃一敗百藥難施此百病當以脾胃為主也書曰腎虛不能化食譬如釜中水穀下無火力其能熟耶臟腑何以灌輸何以禀受此化機更重腎元為之祖也又如陰亡陽脫之際惟宜參附挽回胃氣虛極者急加白朮以托住中氣切不可襍入一毫陰藥雖八味之有桂附終歸臣使之功當一線微陽垂絕之際救胃乎救腎乎又如久服氣血藥而氣血不見日長此不知氣血之根本父母真陰為血母真陽為氣父根本不固焉能望枝葉

之發榮此尋源救本填虛補損之要先天乎後天乎故愚曰有辰補腎不若補脾有辰補脾不若補腎醫者要當隨機莫可偏執大凡補虛之法有大虛有小虛補脾之際當思及腎補腎之辰要瞻胃氣蓋脾腎均爲有生根本人之始生本乎精血之源人之旣生由乎水穀之養非精血無以立形体之基非水穀無以成形体之壯且水穀之海本頼先天爲之主精血之海又必頼後天爲之資豈可偏輕偏重哉

論補陽接陰補陰接陽法

補接之法寔為扶危挽脱之良規方書多未講究馮先師始發明其義曰元陽欲脱之際即加補益然草木之性亦假人正氣以發生元氣既虛雖得峻補則少旺復衰衰復峻補務宜接續不可間斷陽長救陰陰長救陽不可少偏少緩要得陽先生而陰後長勿使陰氣勝而陽乃亡此治療機關玄秘起死回生之至法也余奉而行之多得扶心歷應於手乃變為補陽接陰補陰接陽之別法雖不敢自謂青出於

蓋亦可謂術生之術無遺計矣蓋人之生也禀陰陽之全体以有生偏則病離則危絶則死且陰陽之理互藏其根陽中不可無陰陰中不可無陽如病根在陽虛而陰全惟補其陽使陽共陰平病在陰虛而陽全但補其陰使陰共陽秘循爲易也若陰陽偏損而相離陽偏損者則先救其陽陽旺又接其陰恐無陰則陽無以歛也陰偏損者則先救其陰陰旺又接其陽恐無陽則陰無所統也此當細心詳察曲意調停方能必濟若陰陽兩

相虚極之機陰亡于下陽脫于上此辰勢難偏補藥難兼用歟補陽則香燥之需陰精陰血何堪於消燥歟補陰則柔潤之品元陽真火益困於陰霾塞懼熱畏寒之兩難也爲計者或峻用陽藥猶顧贍於陰或大投陰劑更屬意於陽使陽中有陰陰中有陽方爲兩得但以氣味相須使之同隊始能建功余新製補阳接阴方補阴接阳方可能兼治大要十分保重阳氣方可七八分接補阴血蓋無阳則阴無以生也書云一分阳氣不尽則不死故補血之法每以胃藥收功此阳生之至德其可不鄭重耶始通補陽分三分亦爲無損過補陰分一二分必变大害此陽生陰殺之理也余每臨危症惟以救阴救阳爲主務要不離不偏阳衛阴阴鎮阳互藏其道其根互爲其用以平以秘而後已此余心得法外之理願公之以畢

臟腑經驗内景圖引格肺経心経肝経脾経腎経大腸小腸胆経胃経膀光三焦

按内景圖引本象與所主所應精且備矣至於病机虚寔與命藥似爲混襍一臟有此症他臟亦有此症投之左可左投之右可右既以爲虚又以爲寔與其命藥温凉補瀉氣味乖張不切病情第以古哲成書不敢删定余因習卧既久凡病頭真机藥切対症者不避叠蛇願悉陳之庶使孝者有所主見免於多岐

見症用藥寔虚

肺經　三　在德爲義應乾故曰三連西北也申酉

如肺經見症則爲喘急氣逆咳嗽咳血氣短足痿傷風流涕鼻塞声重肺主音声開竅於鼻外屬皮毛風邪傷表肺氣先受之故見此症善嚔鼻紅鼻淵流涕不止鼻生息肉小便閉氣不行或頻或遺氣熱乾渴氣虛水竭皮聚毛落皮膚痛痒或麻氣虛則麻小便洒然毛聳熱傷氣氣虛也氣因水泄而然故夏熱多有此症

其用藥補氣以參芪益氣用紫菀收耗散之金氣納藏源補而斂之五味凉而補潤燥清火用麥門補中能瀉虛火

用沙参瀉寔火用黄芩泄氣用陳皮保肺氣定熱喘用天門瀉火邪喘咳與火浮於肺而發咳用桑皮導水使氣降用澤瀉赤苓車前散寒氣用生姜温氣止咳用欵冬降氣用蘇子杏仁破滯氣用枳梡治痰用貝母蘿蔔子提諸藥入肺經用桔梗

心經　三性礼應離故日中虚正南也午

如心經見症經曰邪不能犯心脆當之若犯心卽死則身熱汗血或乍熱乍熱之不久責心之虚喜笑譫語發狂善忘恍惚驚悸舌強舌胎顔色焦

枯癲癇過汗發驚發痓及胸間汗出與大驚後及先貴後

賤先富後貧而得病者

其用藥補心氣用棗仁補心血用當歸清而補用蓮子寧

養心神定驚止忘用遠志安神用茯神開竅醒心用菖蒲

瀉火用黄連凉血用犀角生地温血用肉桂鎮心驚用神

砂清心用牛黄

肝經　三性仁應震故曰卯盃正東也卯

如肝經見症則目赤脇痛引小腹善怒氣逆筋急拘攣筋

瘈瘲筋病手足掉搖爪甲枯而青鬱熱內熱而外寒直視頭眩眼花呵欠項強嘔吐酸水酷嗜酸物疝痛陰縮淋溲其用藥補血用當歸生地補母用熟補陰斂氣用山茱補氣用生酸棗壯筋用牛膝杜仲木瓜斂血瀉氣用白芍行氣用川芎散氣用陳皮枳梂清雷火用丹皮瀉火用犀角伐氣用青皮下氣用萸茱平氣瀉火用柴胡平木鬱用桂枝木得桂而枯也溫用木香肉桂涼用菊花緩用甘草

脾經　三性信應坤故日六叚西南也辰戌丑未

如脾經見症則膨脹水腫黄疸消中飲食不爲肌肉善飢善渴唇燥口瘡中滿泄瀉不能食或食而不化腸鳴積聚食已四肢倦怠或少食而飢四肢無力熱鬱昏暱善憂不寐脾痰盛稠黄神醉氣乏嗜卧肉痛面黄足腫身熱口甘及陽氣下陷小兒慢驚

其用藥補氣用參芪補後天元陽以助乾健用白朮溫中和中用炙草滲土濕伐木邪用茯苓益中氣用山藥蓮肉薏苡益智和脾用竜眼大棗溫中用煨姜炮姜官桂丁香

砂仁祛中寒用乾姜附子胡椒醒脾氣用棗仁清痰用牛夏止瀉用豆蔻扁豆行滯氣用陳皮枳桃消中滿用沉香木香平壞埠用蒼朮厚朴消穀氣積用麥芽神麯消肉菓積用山查（瀉以寒諸氣寒皆能傷脾）

脾陰（陰得陰強）　血虛見症則夜劇晝靜飢不欲食悗懷涎溢大便乾澁或因憂思不寐而致虛脹屢用辛香行氣之藥而不效者宜補脾陰（見下臟脹）急用歸蒸以補血白芍以斂陰棗仁以醒其氣如七味凡（玄二）左歸凡（日七四）歸脾湯（坤五十）

俱宜選用補氣之中須兼潤藥

脾陽陽得陽強氣虛見症則夜譫晝劇飲食不化痰盛体

倦肌热五心热宜補脾氣補中要得同陽須用白朮乾薑附子丁

香砂仁如四君湯坤十茯兔凡日九五大健脾凡日十六異功散

坤十參苓白朮散星八百三俱宜選用與八味凡玄一以助命門補

陽土與胃同宮是爲六臟又云以心胞絡爲六臟命門無對今之治者徒知喜濕惡

燥爲健脾之品不知胃陽更有脾陰土具坤柔之德燥槁

不能生物補中湯坤一独重當歸此至妙之理也

腎經命門與腎同宫是爲六臟　二性智應坎故曰中滿正北也　子

如腎經見症則口消或消渴咽痛此水衰也虛熱骨痛骨烝足

痿身重耳鳴耳聾腰痛背冷外畏風寒內怯生冷泄瀉久

瀉晨瀉久痢水腫面黑面青䀮白眼昏不能遠視乃無耶火也

中青瞳人散小便頻而少或利或虛秘或病後夜多小便

大便燥結此真水衰男子遺精白濁女人帶下白淫腹大莖中

腫痛陰縮濕痒陽痿心下懸懸如飢飢不能食或食後飽

飢氣從臍下逆奔而上喘咳顴紅頰腫頭面腫毒上熱下

寒確以渴而能飲爲水衰不能飲爲火衰齒早落齒痛咽

痛恐惧致病病後失音小兒顀音垂頰骨顇音華瘠也天柱倒五軟

五遲一切大病奇病諸虛百損皆根於腎命門爲立命之

根也

其用藥補真陰真水用熟地山茱補真陽真火用肉桂附

子峻補精血强陰壯陽榮筋補骨重子悅顔爲有情之品

用鹿麋茸膠河車固精用鹿麋角霜添精壯陽益火用枸

杞蓯蓉鎖陽補腎陽止精滑固腎氣止泄瀉與精滑夢遺

便利便泄用故紙治亡陰小便無度用益智壯筋補骨止
腰痛滕疼用牛滕杜仲接骨續筋用續斷滋腎陰治顱解
用龜甲温腎氣用沉香砂仁栢子仁茨實濇精用竜骨牡
蠣治有汗骨蒸用地骨皮清無根虛火用玄参伐火用知
母黄栢滲水用猪苓澤瀉滲而有潤用薏苡茯苓車前
懶拨補腎藥品猶補脾藥品凡辛香燥濕皆曰脾家藥滋
補精血皆曰腎家藥使昧者不知辨析卒意混拨一欲補
腎則採取本草少有益精補血之能者則加之臣使重於

君主增加勝於本方陰陽混雜氣味乖張方無統一藥難建功愚不辭管見逐類分辨使有此症方可用此藥蓋草木本陰陽之氣各得一偏辛甘酸苦本自生成補瀉寒熱豈能兼用古哲神而明之或借以氣或合以味陰中有陽陽中有陰因瀉爲補因補爲瀉使同隊相須品藥雖多而攻補則一故捷如影響何後人不能穷究自誇医者意也加減由人極爲可哂神上

大腸典肝逼此病宜平肝肝病宜辣通大腸

如大腸見症則腸鳴下血脹滿大便燥結寔爲熱閉虛爲血枯（大腸得血則潤也）痔漏腸癰利下赤白失氣甚臭（內有燥糞也）

其用藥補氣用白朮茯苓豆蔻補血則用當歸熟地蓯蓉潤燥則用麻仁牛膝行滯用木香葱白破積用枳殼檳榔草菓牽牛瀉火用槐花子芩石羔滑石實結用大黃朴硝巴豆澁固用訶子竜骨牡礪

小腸（主二便與脾相通此病補土土病宜通此）如小腸見症則小腹痛或脹急腸鳴小便淋大便瀉（不能秘別）其用藥用補以八味丸一玄

益下焦火滲以金匱凡去五補火子益金毋瀉以五苓散星百三一

焦經主中正與心相通此病戰慄顛狂宜補心心病怔忡宜溫此焦卽胆也

如焦經見症則氣上溢口苦善太息眼淚出不能眠易生驚畏其用藥補以棗仁凉以黃連竜胆竹茹滲水以木通瀉氣以青皮柴胡溫氣以生姜

胃經主倉廩　如胃經見症則飢而不能食由運化不健善食而瘦胃伏火邪卧不安息有声胃不和也腹善滿失食易生䐜脹形瘦腹大目黃牙床腫痛胃热也唇瘡口淡胃热流涎乳痛乳房屬陽明也

嘈雜嘔吐發狂登高而歌善伸數欠失氣陽瘻寒盛蹙起热盛恐生土尅水也其用藥温補用白朮蓮肉涼補用黄芩凡寒凉最能傷胃而愚以黄芩凉補何也此愚独得之見盍觀古方補中湯加黄芩蒼朮半夏益智則曰白朮益胃加黄芩神麯則曰益胃升陽與夫君白朮而安胎則意在言外可思而得之矣經曰脾惡濕而喜燥胃惡燥而喜濕又書云胃喜凉飲而惡热腸喜热飲而惡寒蓋胃陽不可亢而補中湯重用當歸以補脾之陰故開格之症端由胃

口乾枯是以黄芩爲胃家凉補之要藥亦猶白朮爲脾家温補之仙册但胃寒泄瀉與火虛者忌用

消穀用麥芽神麯温以丁香官桂肉豆蔻益智煨姜炮姜炙草伐火以石羔治痰以陳皮半夏瀉火毒以連翹凉解以白芍石斛引火下降以山梔升陽氣以升麻升清氣以葛根瀉寔以巴豆大黄朴硝行氣以木香破滯氣以枳梡厚朴止逆氣以藿香青皮

膀胱主卅都與肺相通肺病宜利此此病宜清肺　如膀胱見症則小便癃閉

與頻数然此症不可以寒熱分虛寔效者亦有下焦熱而
效秘者亦有腎氣寒而秘頻者亦有腎氣不能閉藏而然
秘者亦有肺氣不能下降而然
其用藥補火用八味一玄補水用六味二玄出水用益智溢水
用竜骨牡礪瀉水用猪苓澤瀉木通燈心車前瞿麦硇硝
清火用子芩滑石黄栢山梔硇硝治水脹小便寔秘之聖藥
三焦主使臣與腎相通腎病宜調和三焦三焦病宜補腎為主腎與命門相通津液胃火宜大補右腎
如三焦見症惟以腎中相火為根源火安其位則三焦傳

送敷暢火失其位変爲壯火則三焦病热命門衰相火敗則三焦病寒至於見症又以各臟所因凢噎膈水穀不入與胸間氣病責在心肺若脹满嘈雜嘔吐與不納不運責之脾胃如小便秘澁與淋病諸血病則責在肝腎膀胱大小腸藥從所在而治之此雖爲得病之名而其治又隷各臟如上焦病則用心肺藥中焦病則用脾胃藥下焦病則用肝腎膀胱大小腸之藥以治之然其要寔在命門一點真陽火安其位則萬象泰然臣使之官何憂不修乃職

上

右病机用藥各以管陳至於寔症虛症古法雖有條分然
病假象邪寔者猶可模擬正虛者則假者易乱其眞經曰
誐得標只取本治千人無一損正謂此也書云凡診疾病
當先察元氣爲主而後求疾病又云以本氣爲主外症無
足憑愚經驗有三要法一取形二憑脉三合症年少体壮
血肉充盈形之寔也年衰禀弱病后産病稚皃形之虛也
不問浮沉大小但切至骨而有力者脉之寔也無力者脉
之虛也症雖似寔而脉虛形虛此症之假寔症雖似虛而

脉寔形寔此症之假虚三者憑之則病無遁情虚寔判然

此治療之能事畢矣

論氣血相須方可建功

書曰氣藥有生血之功此特以陰陽之理而立言蓋陽生則陰長非卒指用氣藥諸品皆能生血也如血脫症用獨參湯皆主用於血藥似乎以氣藥爲生血之能然功究於崩潰之際神色夭然附子救脫回陽而只用獨參湯蓋人參雖是氣藥而潤澤之味厚焉乃能補陽兼補陰且因血脫而亡陰朮之燥附之悍何堪於靖養之秋故用人參爲兩得也如補血湯黃芪一兩當歸三錢倘專以氣藥爲生血之能何

不佐人參之補陽益陰使白朮之補胃生血而獨用黃芪蓋黃芪乃補衛氣之要藥軟綿之質存焉乃能生血而瀉陰火且補血湯乃治勞傷血虛發熱黃芪補衛氣而兼生血故可與血藥而同隊也一以中氣脫而用參一以衛氣虛而用芪以症從方用氣顧盼於血謂之補陽生陰亦可謂之補血蓋氣亦可要務氣血相須方可建功此古人立方神妙無比阳中有阴阴中有阳豈可槩以氣藥有生血之功不求其所因不知其所指而混扶之可乎

論火虛水衰症見畧同八味六味法當分治

覔形辨症剖判無差

經曰陰陽互藏其宅水火互爲其用故水中補火則其明不熄火中補水則其源不竭先哲仲景深窺玄妙立八味水中補火火中補水之通方則其脉兩尺俱弱水火俱衰其症神氣精血俱病方爲對藥矣若火虛水未虛水衰火盛者則八味之中桑有差減治有分岐豈得混用大凡火虛水炎水虛火炎亦皆顴紅眼赤喉乾咽痛舌胎唇裂喘逆咳嗽煩渴上熱諸症不究者或投八味或投六味倘有果驗亦不知得於水也得於火也或

不應手則亦治然不知失於水乎失於火乎蓋補火之方暫宜補水補水之方不宜補火書曰平日不能節慾以致命門火衰腎中陰盛龍無藏身之地而逆乎上焦以八味補火溫腎則龍自歸又曰勞傷津液虧竭以致真陰衰損火無水制相火獨炎而焚于肌肉以六味補水配火則火自降一以益火之源一以壯水之主是兩途也夫火虛而浮熱者乃命門龍火也畏腎陰寒而升故以桂附從其性溫其窟宅使之下歸夫水衰而火炎

者乃腎中右白圈相火穴與左黑圈真水穴勢如天秤此重彼輕由水之不足乃見火之有餘故蒸菜一隊陰藥而單補其水以配火則水火均平而熱自熄水虛而猶補其火則助熱為殃火虛而益補其水則隂翳愈甚余心得有一秘法察其脉右尺弱不如左尺乃真陽虛命火衰左尺弱不及右尺乃真水衰相火炎然脉乃氣血波瀾恐有一失要在觀形雖病症多端然火虛者必形体瘦面目薄弱或肥白泥滯水衰者必形体瘦黑或

顴頰常紅次又憑症雖有熱背同惟以渴而不能飮是無火也渴而能飮是無水也上熱下寒是無火也外熱而內煩燥是無水也又大便常泄內無火也大便常燥內無水也然無水無火中分則蒸葉桂附異治已冰炭矣此余之心願神會願公之以爲仲景萬世之遺德也

辨熱則傷氣熱則傷血

經曰陽邪化熱熱則傷氣故治暑諸方辛用補氣之藥此夏月火旺火尅金當保肺氣治之以清暑服生脉飮使人精力倍加是熱則傷氣明

矣經曰熱勝者陰必病故治熱從血藥此以熱能沸血使血妄行不得歸經毋溪以四物加知栢玄參伐火以養其陰使陰靜而血生是熱則傷血確矣嗟乎經義向背學者難免多岐何不曰熱則氣血俱傷治宜雙補熱症一也而病本有二焉倘熱傷血分偏用氣藥以治之則消陰之禍立至如熱傷氣分徒使血藥以治之則臧陽之機旋踵非也景岳曰非聖書不可讀非聖言不可法醫家之有內經猶儒家之有五經也此皆岐黃神聖

立法垂訓毫敢違背惟讀書要明理耳夫熱傷氣者乃外起之暴熱也如經曰陽邪化熱邪之一字非外來之指乎盖肺主皮毛不特暑邪凡六淫之客於人身初感皮毛肺先受害故症見咳嗽或惡寒發熱氣短倦怠熱傷血者乃内傷之久熱也如經曰熱勝者陰必病勝之餘意非以因於鬪而後勝乎盖心以統血藏神為用熱能沸血血散則神昏故外見眼睛如醉如癡或為譫語且經曰暴病非陰久病非陽如曰熱則傷氣已非陰矣

此暴熱也熱則傷血已非陽矣此久熱也又經曰久熱傷陰愈熱愈傷愈傷愈熱此蓋知非只暑邪一切初起之熱必皆傷氣久纏之熱卒爲傷血故熱中之渴有飲湯飲冷之分有頻飲浩飲之異至哉医理浩瀚要得理外之見方能縷析條分自可升堂入室余自家有要語曰暴熱則傷陽久熱則傷陰潤澤調停當爲心鑑能知此者醫道悉矣

辯不能節慾皆能致胃中陰盛

医貫五行論曰龍雷之火見於季春而伏於季秋以龍

為陽物（五月一陰生水底冷天上熱故隨陽上升而現冬至一陽生來復也龍亦隨陽下伏故雷亦收声）聲人身中相火亦猶是也平日不能節慾以致命門火衰腎中陰盛龍無藏身之地故逆於上而不歸是以上焦煩熱諸症作矣善治者以八味温腎從其性而引之歸源使行秋冬陽伏之令而龍歸大海此至理也然自愚見之不能無疑矣何者夫既云不能節慾繼云腎中陰盛多慾則損精未有真精竭於施泄而腎中真陰猶然獨盛損之下未復而益以承之理也若腎中陰盛必

水能制火火豈有浮越之理乎陰陽互爲其根精血已虛則真陽真火不能自全且後天有形之陰虛則上升有形之陽虛則下陷若先天無形之真水衰則無形之相火炎安得倒於後天以命門火衰而見腎中陰盛此無形之命門火衰乃有火虛則發之象凡色慾無度必真陰真陽並虛虛則寒乃見上熱下寒之症而似乎腎中陰盛故用八味雙補陰陽向使陰果盛而反用熱地補水則益其寒雪上加霜其欲使龍火之速滅矣決非

骨中陰盛之理遇此症者惟以真精虧損爲源頭處方當重用熟地以救真陰填精補髓精血海既充則龍藏海底而陰平陽秘矣勿以龍火畏寇宅之陰寒而見疎於陰藥深願學者於理外求之則桂附熟茱自有所向而成功也

論單熱亡陰危人甚速并治法

書曰世間之病死於寒而不死於熱此言凶於寒凉而吉於温熱也故曰分陽未盡則不死大凡病至於死無不四肢逆冷陽脫陰亡此不熱則無氣生死關頭在於有火無火明矣余每

見單熱症面黎舌黑喉乾咽痛肌熱如烙体似乾柴煩渴浩飲二便澁結或氣短而小便頻數神昏氣短狂燥妄亂欲扇不休或欲坐卧井泥較之亡陽症則危機甚速此殺人又在於熱於火何也原夫陽屬火而本熱陰屬水而本寒書曰陽虛發寒陰虛發熱此陽無力陰乘之而反寒陰不足陽乘之而反熱經曰寒之不寒責其無水（以寒藥治熱而熱不退者）蓋真陰衰竭癸水乾枯火無水養少火变爲壯火挾君相之火五志之火浮越熾盛燎野焚

原無所不至此辰玄府如爐內蒸骨髓外燥皮膚精血焦枯五液涸竭書云津液結則病津液竭則死又曰久熱傷陰暴熱傷陽故甚可畏者凡單熱之症乃真元陰先亡之兆也陰既虧則火無水制陽無陰維乃為無根之火無根之火豈能長明遂其炎上之勢力窮乃止則火無水制而氣亦絕矣益見火能消物火性急速而危人之機不獨於亡陽世間之病不獨死於寒也雖然以形症言之則如此大要學者最宜深明陰陽之理陰中

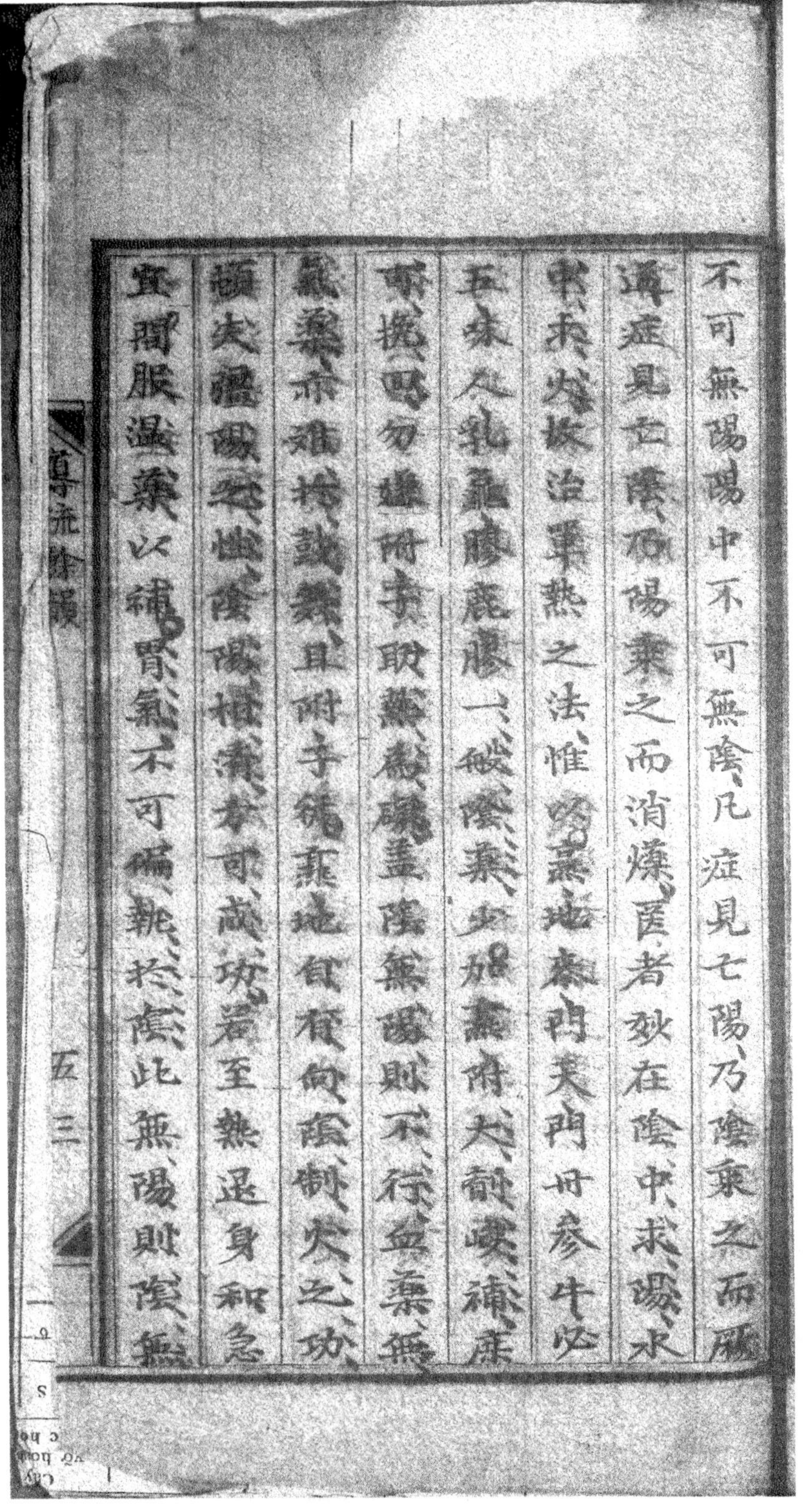
不可無陽、陽中不可無陰、凡症見亡陽、乃陰乘之而屬
導症見亡陰、乃陽乘之而消爍、匿者歿在陰中、求陽、求
中矣、然後治寒熱之法、惟以熟地、麥門、天門、丹參、牛膝、
五味、人乳、龜膠、鹿膠、一派陰藥、少加熟附、大劑峻補、庶
可攙用剛燥附子、取其熱熾、蓋陰無陽則不行、血藥無
氣藥亦難於生長、且附子能兼地黃、行向陰制火之功、
觀夫溫陽之藥、當陰陽相濟者可也、若至熱退身和急
宜調脾溫藥以補胃氣、不可偏執於陰、此無陽則陰無

導流餘議　五三

（此頁據中國國家圖書館藏本配補）

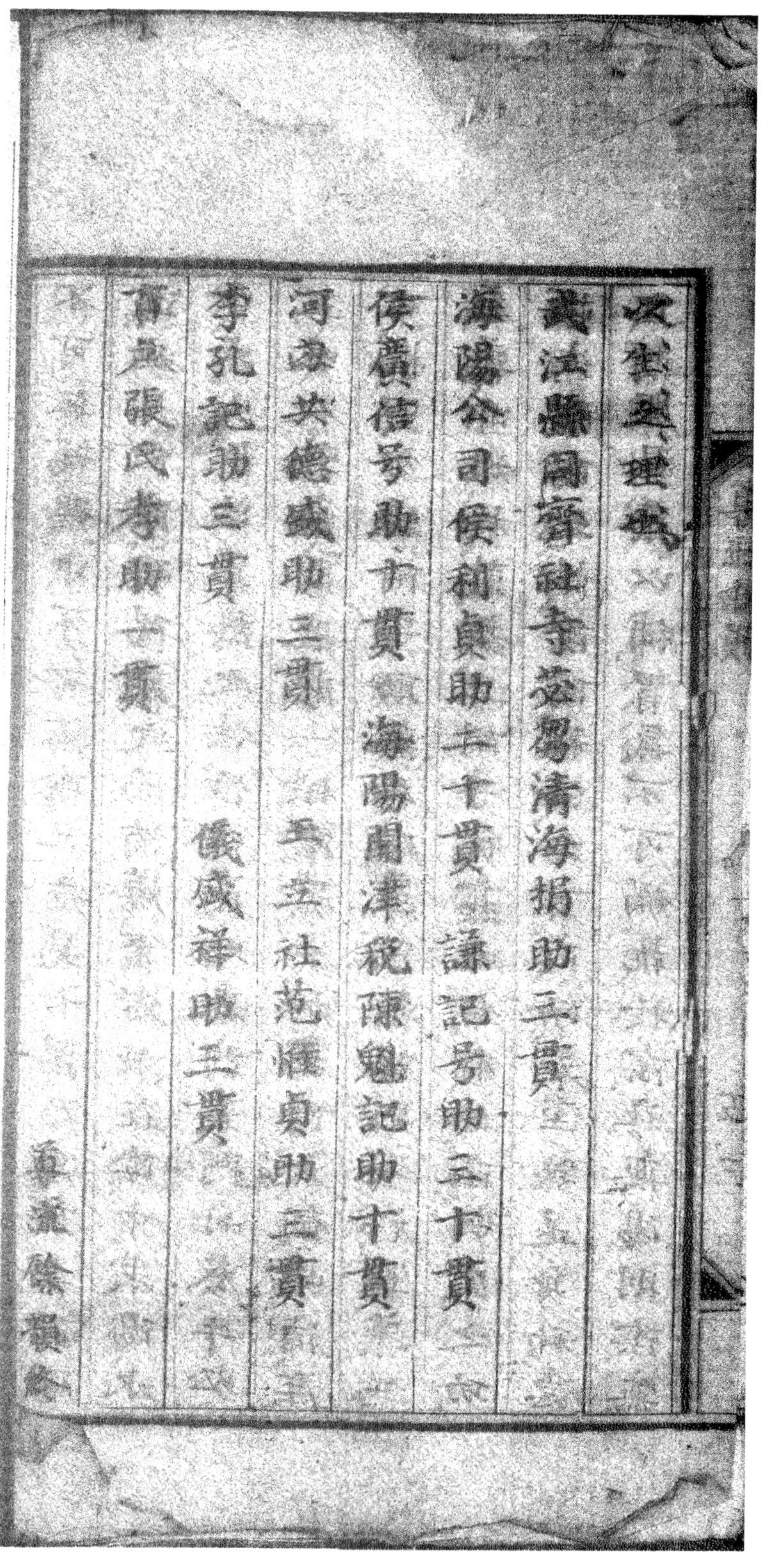
收集至理城
義江縣同齊社寺英局清海捐助三貫
海陽公司侯利貞助五十貫 謙記號助三十貫
侯贊信號助十貫 海陽關津税陳魁記助十貫
河海共德盛助三貫 五社范權貞助三貫
李孔記助三貫 儀盛祥助三貫
曹氏張氏孝助廿貫

（此頁據中國國家圖書館藏本配補）

新鐫海上醫宗心領運氣秘典全帙卷之九

海上懶翁黎氏纂輯　　唐鄘武春軒奉較

小引　夫人靈於萬物，爲聖爲神者，皆禀大造之資，共天地同其體也。蓋天道乃太極一塊渾全之氣，生出兩儀，而後生四象，變化無窮矣。人之生亦由一點命門之火，生出兩腎，而後五臟四体成，至如萬物昆虫草木，或以形化，或以氣化，則無非一點太極融結於胚胎胞卵之初，而後成形体也。天以度數星象陰陽升降而召之，人有骨節經絡氣血週流以應之，毫毛不爽者。故天氣南政，三陽司天，則人兩寸脉不應；三陰在泉則人兩足脉不應天氣北政三陰司天則人兩足脉不應三陽在泉則人兩寸脉不應由此觀之人之經絡臟腑灾殃疾病無非感天地不齊之運氣不正之陰陽而辰行度屬爲羣生之大厄也蓋運氣之周流非一歲所及於人身一辰一刻之短於萬物一毫一忽之微亦莫不存焉余少遭兵亂隱遁江湖後避居懽州結香山茅屋閉戶攻書將六七週星每見古人有曰三折肱然後爲良醫初辰以爲太過之談而恥笑及後所居晨夕嵐煙渠成多病始搜拾百家諸子蹈軒岐之門惟讀運氣一卷則茫然如夜何異乎水月鏡花止可玩之而不可取之徒使好事者乖淡而運氣之書反成畫餅矣又

得之張子和論曰不通五運六氣檢盡方書何濟反覆讀之而愈增其歎不免撫髀而長嘆者數四矣忽自省曰古之聖賢所學貫究其辞博其義約至微而不易顕致蹤其流則當窮其源乃取七政大統曆數諸書及甘氏占雲三才賦每於運氣歌訣者推衍再三自此豁然開曉不啻如有路可行有門可入有堂可踵也亦譬之煉汞燒丹凡聖脱胎而九鼎之功成矣將寶之以為私藏更念夫大道無私成已成物余既有拊髀之嘆豈忍使人更有拊髀之嘆乎乃不惜一厦之工夫遍取運氣等歌訣或案方書或存 占卧或增所見分門設目立成諸圖以收滋蔓揭要領使

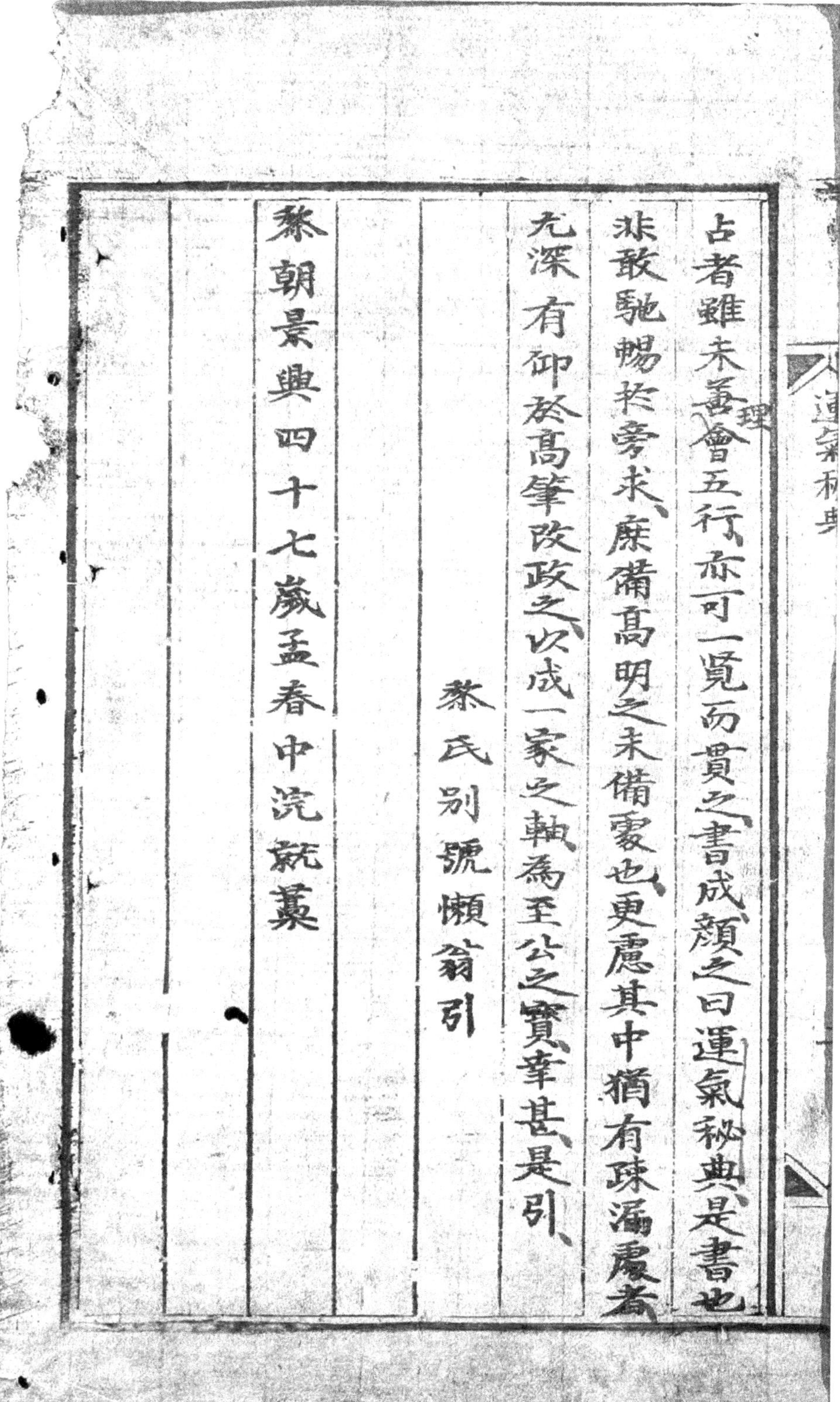

占者雖未甞會理五行亦可一覽而貫之書成顔之曰運氣秘典是書也非敢馳暢於旁求庶備高明之未備云也更慮其中猶有疎漏處者尤深有仰於高筆改政之以成一家之軌爲王公之寶幸甚是引

黎氏别號懶翁引

黎朝景興四十七歲孟春中浣就稾

學易而後言醫論

書曰學易而後可言醫然則易之道與醫之方有相關乎旨哉前人之立言也學易而後言醫者非學乎卦象爻辭蓋取陰陽相乘之理造化消長之端若不明制復之機何以彰否泰之象試觀先天後天圖於天地未分之際則渾渾一氣混茫而無極也○及陰陽始判從無極而為太極也◐故天一生水乾卦應之☰地二成之坤卦應之☷陽數奇故乾居西北陰數偶故坤寄東南乃為先天之數乾六坤二自此相因

爲六十四卦六十四卦相因爲三百六十四爻乾數週流一百十六陽爻零九數離卦繼之離九三坤數週流七十六陰爻零九數坎卦應之坎一三離居正南坎居正北乃爲後天之數以人道男女論之男子初生屬陽統乾之體女子初生屬陰統坤之體其數皆屬先天及陰陽交媾之後乾破爲離坤変爲坎離中虛以二陽包一陰其體已屬虛也坎中滿以二陰守一陽其體已屬實也此屬後天天包乎地陽包乎陰陽數多陰數少故曰陽

常有餘陰常不足凡人之百病靡不由於真陰有虧水虧則火而君火相火三焦心胞與五志之火熾烈使水不升而爲未濟之象故有志於修生延壽者當以乾何生寔乾破爲離如何虛損自然省悟懲忿窒欲以爲頤生之策使水升火降而爲水火既濟陰平陽秘火安其位萬象森然此可知易之道醫之理暗合符契似不相遠矣

集例

一望氣說本攟醫學以黃素玄蒼丹之氣臨於何方以定風熱燥濕寒應之惟恐救人甚畧蓋陰陽之

理以易稱者乃迭遷變易之義也故曰不變則不靈知照法以爲占斷誠死理矣余以甘氏占雲占風式依渾天方位圖又以五行生尅制化立爲占法以取吉凶

一占風角[illegible]圖乃四辰緊要法蓋天行疫厲孽生災厄靡不由於惡風惡氣所召也故立風角圖以備四辰占斷附占九宮八風法圖

一主運主氣圖乃萬年不易之法各立一局上列五運六氣下分二十四氣使一覽貫然

一客運客氣圖乃每年迭遷布成六十局備列干支條

分次例以便觀覽　一主運客運主氣客氣等說目乃
陰陽造化生成之數故立為諸說目使占者識透玄機
生生無窮之妙理　一主運客運主氣客氣諸起立法
雖照成書未明曲折故各起立法使學者深知陰陽秘典
一主運客運主氣客氣斷法會集諸家分為四條目別
有支派使占者井然　一總斷目集諸家占法於四條
中有未盡處更會集一目以備吉凶
一運氣秘訣乃法七政運氣交三才賦占斷立為一目內分

斷格、使學者一覽無遺、一六十甲子全圖、亦採諸家
斷法、分爲六局、以備年月日辰占斷、
一六十甲子全圖斷法、依七政占例、與甘氏三才大統
總法斷占、以具占斷、一五運主病、六氣主病、並照
壽世書法、甚有深奧、故錄之、以備醫理、

集例畢

目次

望氣說　風旗式

渾天方位　占雲圖　敬天臺　占法出鏡天圖

斷法　占吉凶辰例天德年德支德干德生氣三合六合病神死氣三刑六害生尅衰旺

占運氣秘訣　立成六十甲子全圖

六十甲子全圖断法　五運病机　六氣病機

正化對化説　正化對化圖　六律六呂圖

五音圖　五量五器圖　運氣相臨同化

論南北政　南北政指掌圖　南北政歌

北政年脉不應圖　南政年脉不應圖　天以六節之圖

地以五制之圖　運氣論

目次終

運氣論

古者聖人仰觀天雲之五色見黄黅玄蒼丹

之氣、經五方臨于十干之位、乃立為五運、又察五氣之色、上經二十八宿、下應二十八方位、乃立為六氣、故古人占天望氣、凡有災祥應在何方、則了然預知之矣、大抵天之有風雲、猶地之有山水也、山之氣蒸出為雲、水之氣聚化為風、雲起則風應、山動則水從、雖陰陽之體造化之用變化無窮、而其理則一也、故雲者乃陰陽升降之氣、試觀元極之辰、陰氣上蒸、陽氣下迫、鬱不兩立、乃起為雲為風、雨泄而後已、故雨後山澤之間雲煙騰之雨上，豈非羣陰之發泄乎？風者陰陽沖擊之氣，春末夏初，風火二氣相搏，飄飄旋轉而起，俗號里旋者也。如此豈非陰陽沖擊呼吸之所致耶？又觀鳥之飛，亦御氣也。葉墜空中，蟠旋不下，亦由氣塞也。故凡占雲者不可無風，占風者不可缺氣。每占雲氣之辰，又審風應之者，或是天德、月德、支德、干德、生氣等吉者，或是病神、死氣、三刑、六害等凶者，及三合、六合、生尅、衰旺、太歲、空亡等者，可以盡其吉凶之兆也。故知風雲由於一氣，占者奚

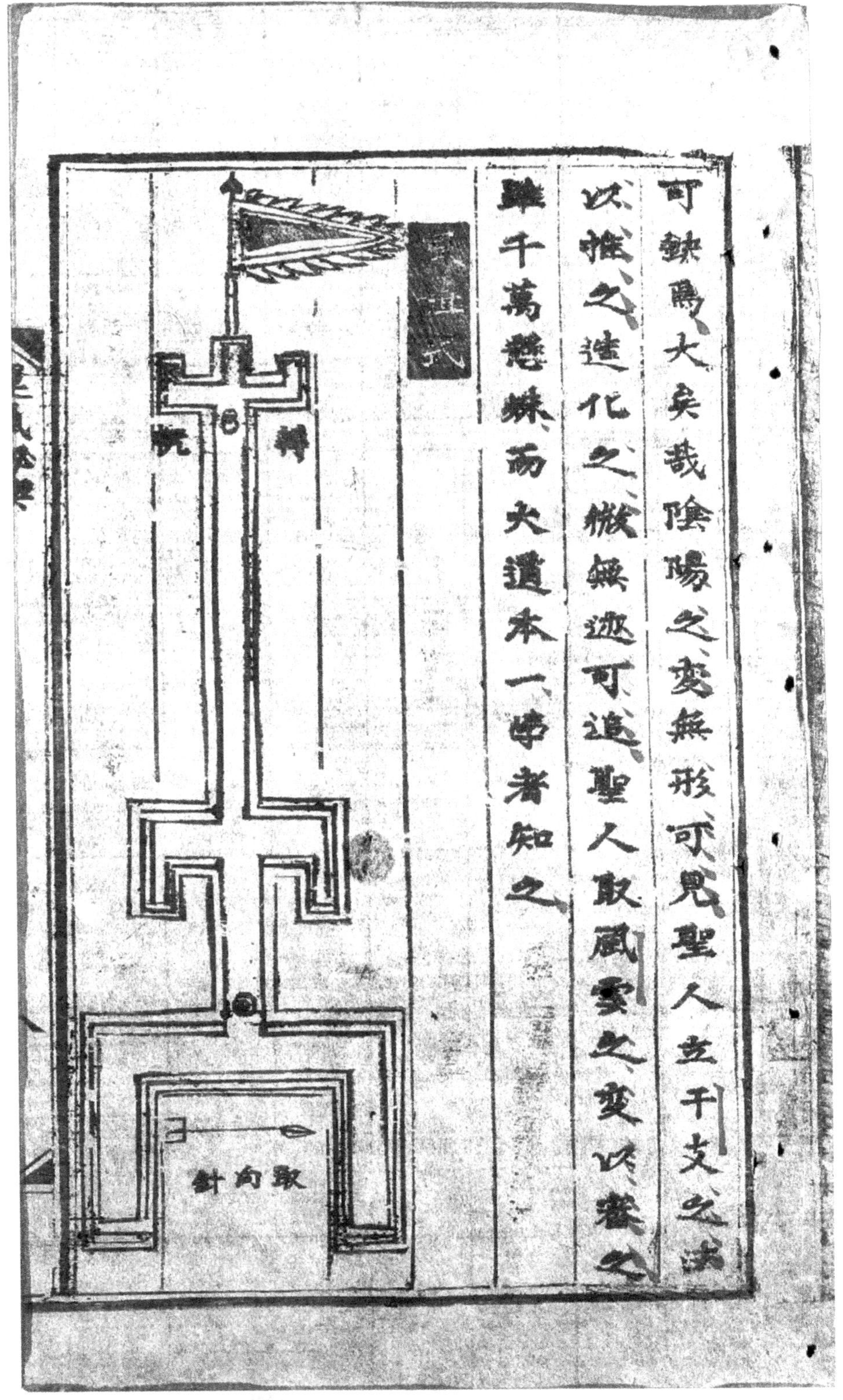

可缺焉大矣哉陰陽之變無形可見聖人立干支之法以推之造化之微無迹可追聖人取風雲之變以審之雖千萬態殊而大道本一學者知之

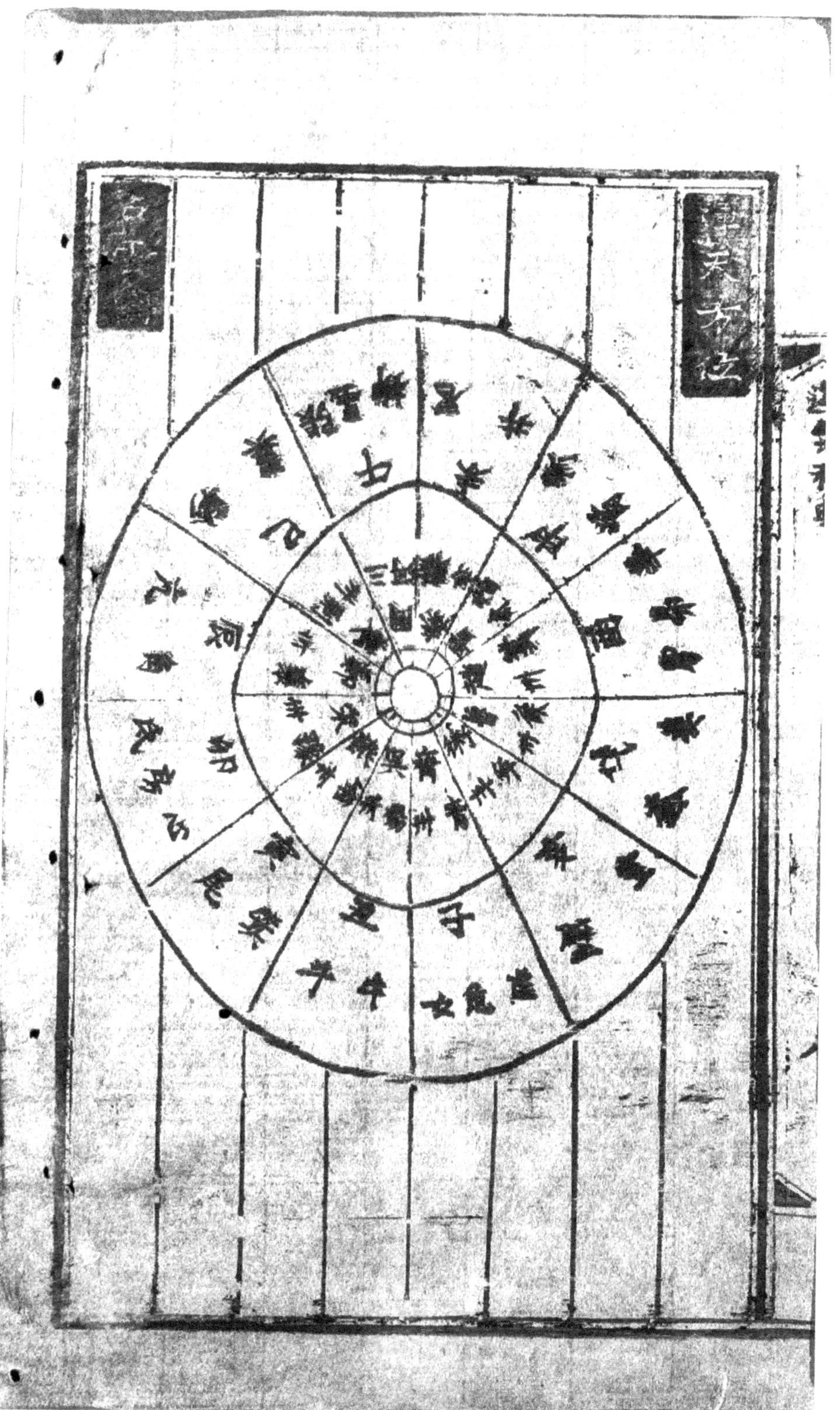

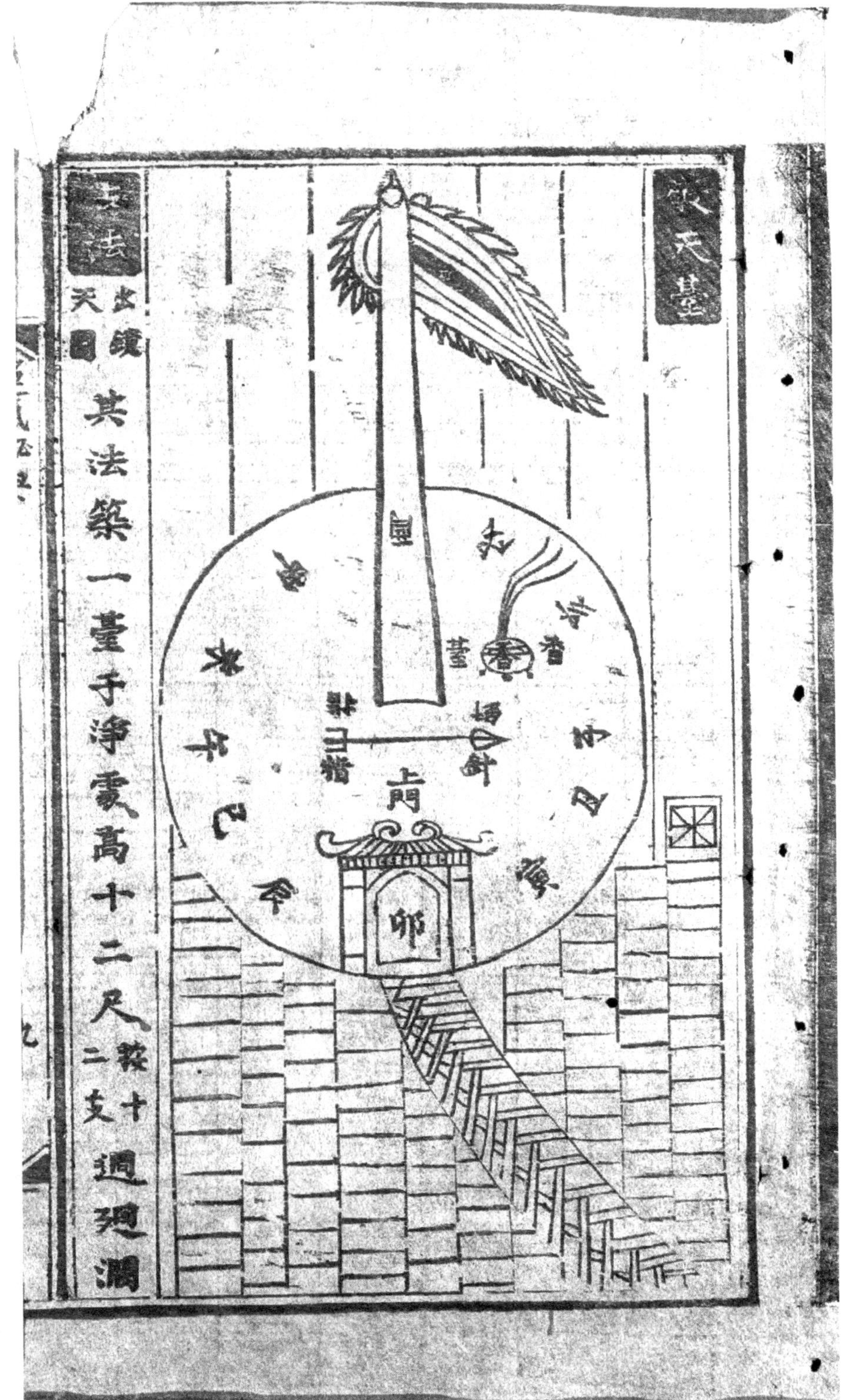

祭天臺
其法
出演天圖
其法築一臺于淨處高十二尺按十二支週廻濶
香臺
卯

二十四尺（按二十四氣）上設香臺（按此辰極背子向午）中央立風旗一座春夏旗杆高十五尺（春夏氣周旋）秋旗杆高二十尺（秋氣肅殺風氣高行）冬旗杆高十尺（冬氣周藏伏于陰尾氣低行）旗杆之下設取向針以定方向臺面周圍各設十二辰牌以明分野凡占每年當於正月初一日寅辰占者齋戒沐浴上臺焚香致敬而退立于中央遍觀五方雲氣或見雲在某方或重在何方頭向某方尾指某方（大而濃者為首小而淡者為尾）如何氣色或微或甚次又觀風旗所背則知風從此方來或是總

剋生氣之方或是刑害冲尅之方或太歲方乃合與氣現方生尅衰旺何如以審吉凶或吉中藏凶凶中藏吉或吉者生合而又吉凶者刑尅而又凶應在遠近其辰日占審已畢焚香再拜而退

斷法　其法云凡占蒼氣為風丹氣為熱黃氣為濕黑氣為寒素氣為燥又云其氣之色兼見者又當分其微甚而推之此皆其畧也大要占者先觀雲氣現於何方何色以審生尅如黃色氣現於子方是氣尅方則此方多疾厲次又觀此方是

何吉凶以爲制化如此方得生氣又乘旺相天德爲凶中之吉其災必退如此方有病神死神爲凶中逢凶發災發无甚次又看此辰是何風角以爲解救如此辰見尾徵子方來是爲風火火生土氣午又卯子其方愈凶如風從申方來是爲金風泄取雲氣而生子方是申与子合实發解又次觀太歲與此氣方如何生尅吉凶以判成敗如卯年占者子水生卯木則此方已有耗散之兆雖卯木被克黃色土卯与子有三刑其凶無解雖有來解之意而無來救之実如酉年占者是太歲泄雲氣而生子方此方之有灾可救也次又觀於遠近何方何局何日何辰如黃色應於土方土月土日土辰子方衰則子方受害於水月水日水辰遠則應在十二分野近則應在千里之內或應於日於辰又占日終日風清日

開四際晴光則皆為吉兆不必追究或天上暗有淺紅淺黄如微霞者乃是祥雲吉兆則此年不但萬物咸寧而禾穀亦豐登矣如占日終日陰雲冷風慘淡皆為凶兆雖天德月德及太歲生合亦為無用或陰雲之色蒼蒼如鉄氣則是不但疫厲灾傷國中必有刀兵之兆以上凡占或吉或凶宜潛心靜念於三日内皆如占日者其吉凶始驗若三日内有一天風大雨者則所占凶不成凶吉不成吉故名空亾也

占吉凶辰例

天德	甲乙德在亥 壬癸德在申	丙丁德在寅、庚辛德在辰戌丑未	戊巳德在巳
年德	子亥德在寅卯 申酉德在巳午	寅卯德在子亥 辰戌德在丑未	巳午德在申酉 丑未德在辰戌
干德	甲巳德在寅 丙辛德在巳	乙庚德在申 丁壬德在亥	戊癸德在辰
支德	子德在甲 卯德在癸	丑德在巳 辰德在戊	寅德在丙 巳德在丁
	午德在庚 酉德在辛	未德在乙 戌德在庚	申德在壬 亥德在巳
生氣	甲乙亥 庚辛丑	丙丁寅 戊巳壬癸申	三合 申子辰寅午戌 巳酉丑亥卯未
六合	子合丑 亥合寅 戌合卯 酉合辰 申合巳 午合未		病神 甲乙午 庚辛亥 丙丁申 戊巳壬癸寅
死氣	甲乙未 庚辛子	戊巳 丙丁酉 壬癸卯	三刑 寅刑巳、巳刑申 卯刑子 子刑卯

卯刑子　丑刑戌　戌刑未　六害子害未丑害午寅害巳亥害申卯害辰戌害酉

辰午酉亥自刑

主尅金生水　水生木　木生火　火生土　土生金　金克木　木克土　土克水　水克火　火克金

衰旺當權者旺失權者衰如春以木爲當權者旺木生木者衰餘以此類推假如甲子年金正月丙寅火初一日乙卯水戊寅辰土占忽於卯木方見一雲形頭向子水而尾向午火白色金帶蒼爲殺氣此辰又見風角自酉方來風聲嘶號哀慘之狀毛髮悚然斷曰卯方雖有年德年旺子德在卯子水木旺歲生太歲生卯木三吉倒然雲氣土形白色帶蒼兩月申之病神酉之死氣由色白屬申酉來尅

卯方兼有衰慘之兆且太歲又有刑卯方此等凶兆雖有三吉亦不能救也知此了然知卯方凶荒疾疫死者不可勝數矣若於夏火旺木衰其禍起速則應於宋國豫州近則應於千里之內其餘年月日辰以此推之爲例　又云濃爲雲淡爲氣雖淡而行動者亦爲遊雲雖濃而清淡者亦爲氣 出鏡天卷一

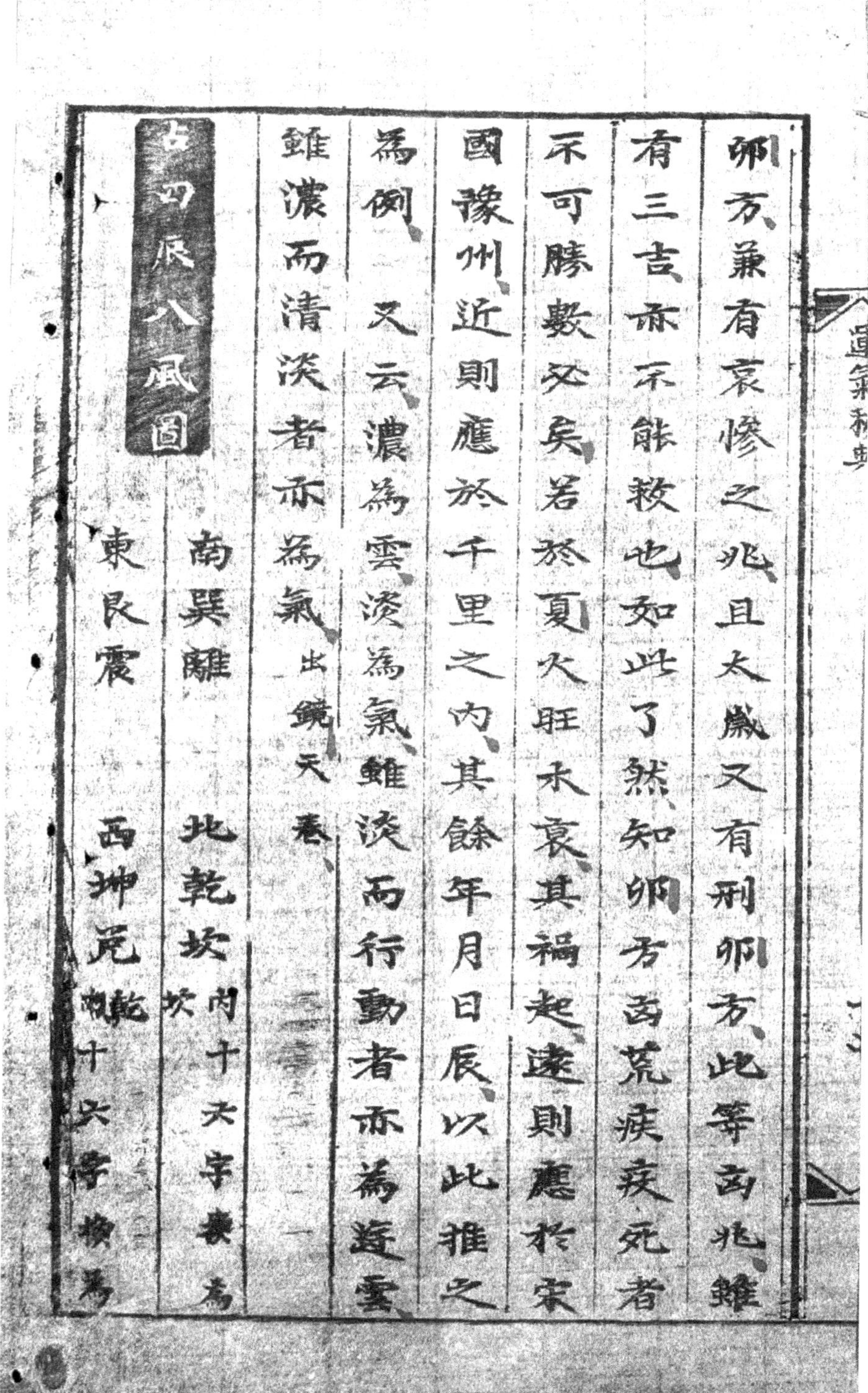

古四辰八風圖

東艮震　南巽離　北乾坎 坎內十天字表爲

西坤兌 [illegible]乾十六字換爲

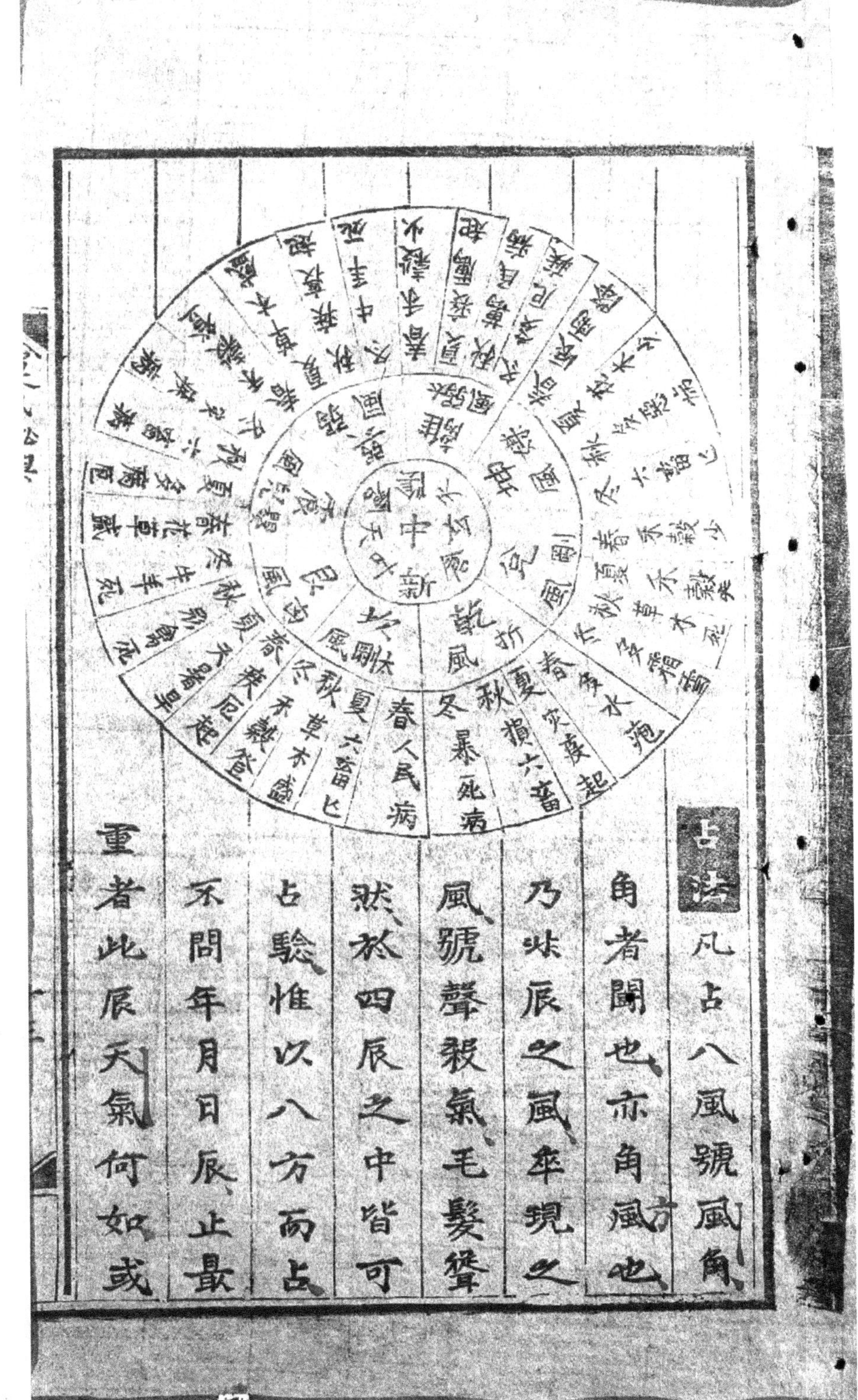

占法　凡占八風號風角，角者鬪也，亦角風也。乃此辰之風卒現之風號聲殺氣毛髮聳然，於四辰之中皆可占驗，惟以八方而占，不問年月日辰，止最重者此辰天氣何如或

日或夜而天氣光朗得吉風爲重吉雖遇凶風亦爲可救若天氣陰淫慘淡雖得吉風亦凶又如雨者不論凡四際無雲雨之狀而忽有風来如潮奔馬喊飛沙走石者名爲鬼愁風凡所向之方亦有刀兵疾厲凡人遇此多致卒倒暴死亦驗其風聲或如歌吹鼓舞之狀或如千馬萬車奔馳或如哀號哭泣之狀或如忿怒叱咤之聲或如鬭殺之聲各宜審其吉凶至如應期以風来長短遲速以斷遠近日期又以受尅者爲凶期應相生者

斷法

爲吉期應又如所遇之地所向之方則此方此地禍皆惟其

斷法

風角賦云要通天地變氣讀風角書又云上可行兵討賊護國安民下可知吉凶之兆趨避之方又曰明四辰之向背定八角之風雲

古四辰八風詩

春　乾風人民病，坎風尤爲災，艮來災變起，震動茂千花，
到方登百穀，離來損萬禾，坤宮辰雨降，兌位絶田歛。

夏　乾方六畜賊，坎方降疾災，艮爲天旱熯，震爲瘟疫來，
到方花草盛，離宮疾厄用，坤宮花葉火，兌位禾穀乖。

秋　乾方草木盛，坎風六畜傷，艮風影禽死，震爲六畜殃，
到宮多疾疫，離位人不祥，坤來多惡疫，兌位草木亡。

冬　乾風登百穀，坎風暴疫行，艮位牛羊死，震宮疫癘奮，
到乃牛羊厄，離爲疾疫生，坤來六畜死，兌至雪滿城。

占八風

玉灵樞經云：應辰而生，主生養萬物；不應辰，主殺害萬物。

夏至日，離風從南方来，名曰大弱風，其傷人也，内舍於心，外在於脉，其氣主熱。

立秋日，坤風從西南来，名曰謀風，其傷人也，内舍於脾，外在於肌，其氣主弱。

秋分日，兌風從西方来，名曰剛風，其傷人也，内舍於肺，外在於膚，其氣主燥。

立冬日，乾風從西北来，名曰折風，其傷人也，内舍於小腸，外在手太陽脉，脉盛則溢，脉結則閉不通，故善暴死。

冬至日，坎風從北方来，名曰大剛風，其傷人也，内舍於腎，外在於骨與肩背之膂筋，其氣主寒。

立春日，艮風從東北来，名曰凶風，其傷人也，内舍於大腸，外在脇腋骨下及肢節。

立夏日，巽風從東南方来，名曰弱風，其傷人也，内舍於胃，外在肌肉，其氣体重。

春分日，震風從東方來，名曰嬰兒風，其傷人也，内舍於肝，外在於筋，其氣主寒。

此謂之八風，聖人避之，如矢石然。

上賊風

經云：虚邪賊風，聖人避之有辰。如月建在寅卯（屬木），風從西方來（屬金），則沖對之金剋木；如月建在巳午（屬火），風從北方來（屬水），則沖對之水剋火；如月建在申酉（屬金），風從南方來（屬火），則沖對之火剋金；如月建在辰戌丑未（屬土），風從東方來（屬木），則沖對之木剋土；如月建在亥子（屬水），風從南方來（屬火），則沖對之水剋火，火反勝之。

如月建在酉屬金，風從東方來屬木，則沖對之金尅木，木反勝之，向上皆爲賊風，並宜避之。

附古九宫八風法

金匱八風篇曰：太一常以冬至之日居叶蟄之宫四十六日，明日居天留宫四十六日，明日居倉門宫四十六日，明日居陰絡宫四十五日，明日居天宫四十六日，明日居玄委宫四十六日，明日居倉果宫四十六日，明日居新洛宫四十五日，明日復居叶蟄之宫，日冬至矣。常如是而已，終而復始。

凡太一移宮之日，天必應之以風雨。以其日風雨，則吉，
歲美民安，少疾病。先之則多風，後之則多旱。
太一在冬至之日有变，占在君。太一在春分之日有变，
占在相。太一在宮中之日有变，占在吏。太一在秋之日
有變，占在將。太一在夏至之日有变，占在百姓。以上所
謂有变者，乃太一移五宮之日疾風折樹木、揚砂石。
宜以其所主占貴賤，又視風所從来而占之。風從其所
居之鄉来爲寔風，主生長萬物。風從其冲後來爲虛風，

傷人也主殺主害懶 按九宮占法在大統曆配九曜數五行太乙家以成日計奇門遁甲法從起起接其所占應最有係重如太一星乃是太陽日纏也六壬家以爲月將從冬至前一日起數移行九宮自叶蟄至新洛流布二十四氣以週一歲又起冬至九起宮之日不但中國休咎行兵破賊甚有靈驗如太一居五宮乃要在冬至春分秋分夏至等日此曆家以爲四綂日陰陽交會之辰吉凶之兆

○九宮八風圖

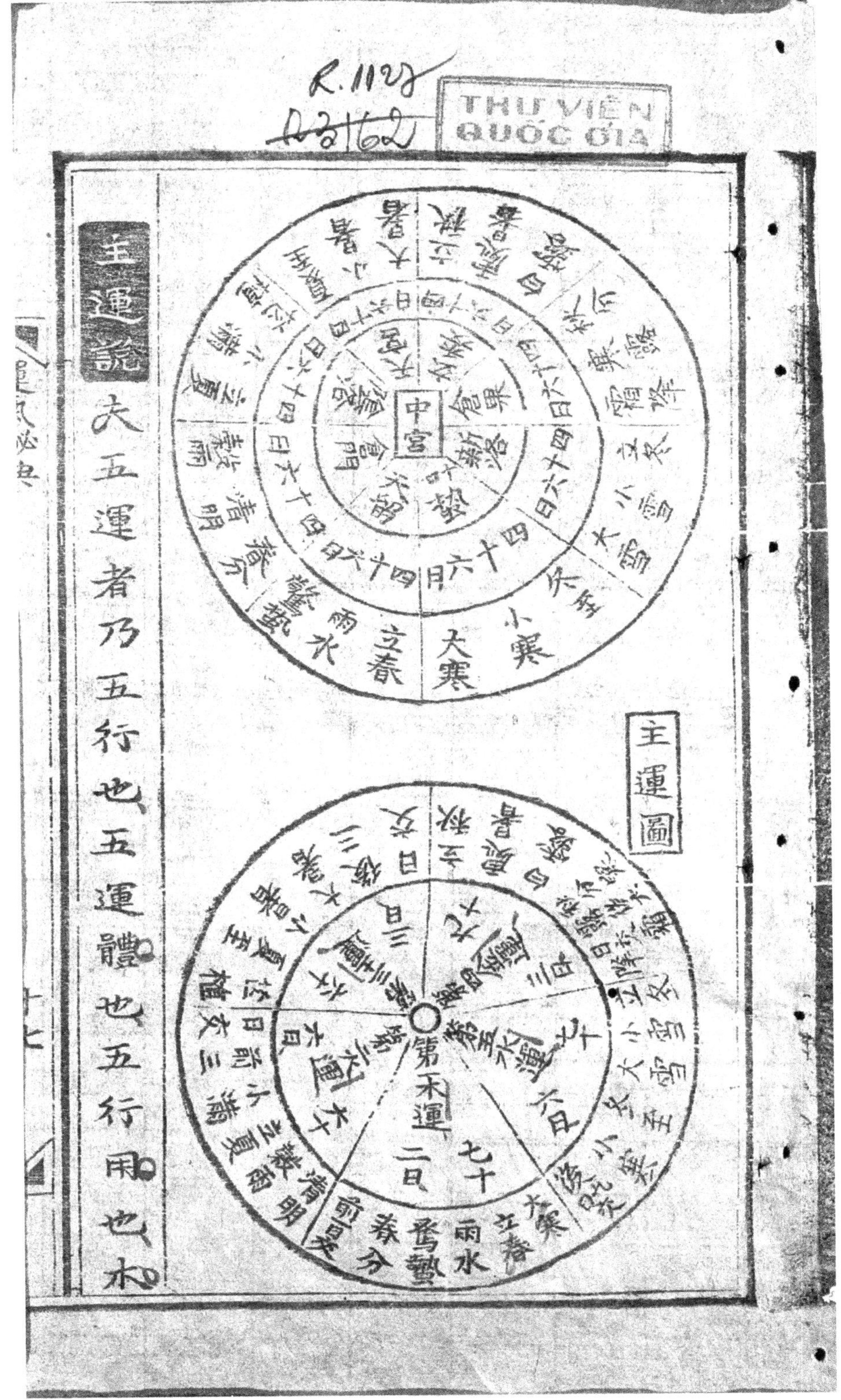

主運說

夫五運者乃五行也五運體也五行用也木

主運圖

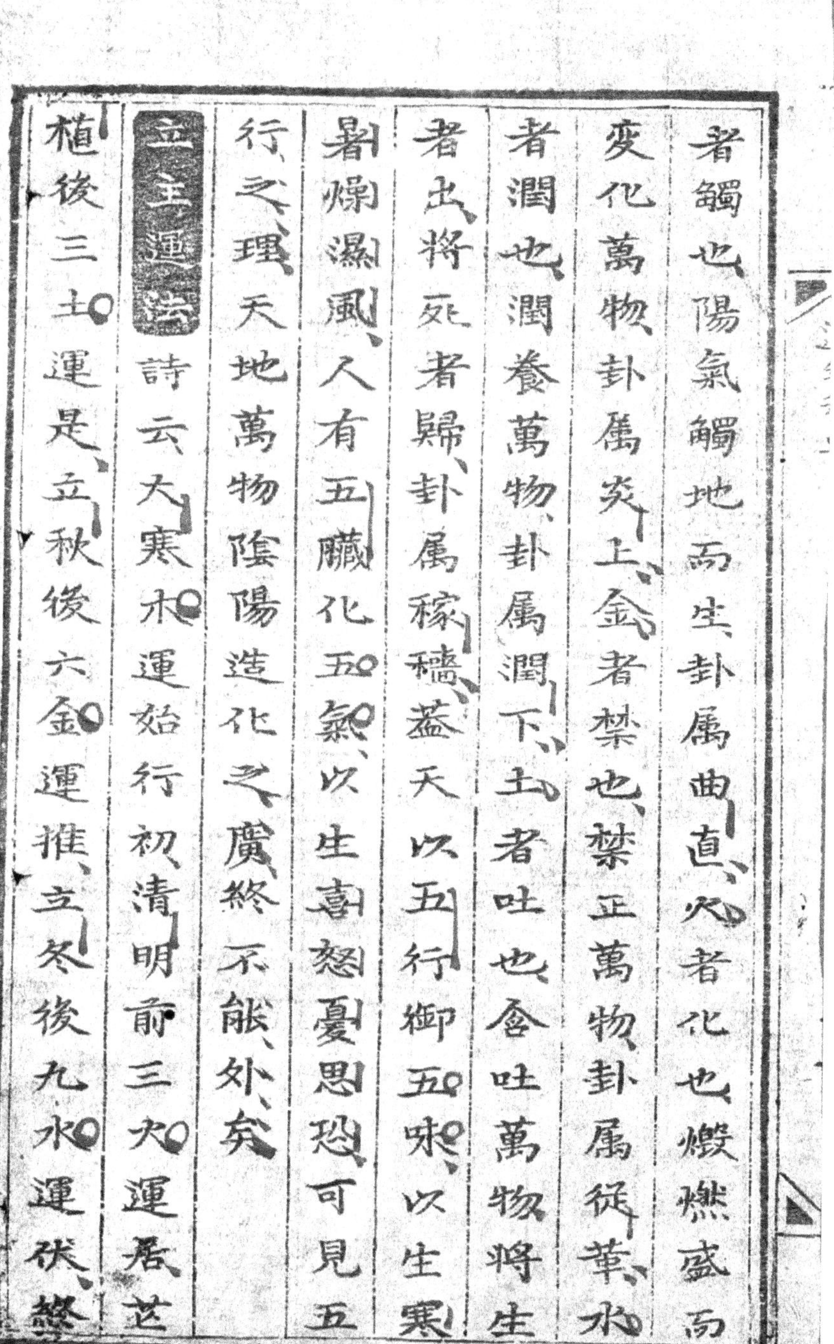

者觸也陽氣觸地而生卦屬曲直火者化也熾燃盛而变化萬物卦屬炎上金者禁也禁正萬物卦屬從革水者潤也潤養萬物卦屬潤下土者吐也含吐萬物將生者出將死者歸卦屬稼穡蓋天以五行御五味以生寒暑燥濕風人有五臟化五氣以生喜怒憂思恐可見五行之理天地萬物陰陽造化之廣終不能外矣

立主運法

詩云大寒木運始行初清明前三火運居芒種後三土運是立秋後六金運推立冬後九水運伏終

而復始萬年如。其法每年皆以大寒為第一木運清明前三日交為第二火運芒植後三日交為第三土運立秋後六日交為第四金運立冬後九日交為第五水運萬載不易

五運斷法

大抵五運乃不易之理惟以位相次于下終無変易而為春温夏暑秋凉冬寒故風以動之火以温之暑以蒸之湿以潤之燥以乾之寒以堅之為四辰同化而為天

地正氣、惟客氣加于主氣之上、如客氣大運、主氣木運乃主氣生客氣曰加、此爲天眞、不齊民多疾病、若見司天來克主運則順、客氣來克主運則不順、其治法順則隨之、逆則制之、勿伐天和、斯爲要道、假如主運是木、於卯年占、卯爲司天燥金、乃司天克主運也、如主運是木、於未年占、未爲司天濕土、乃主運克司天也、如主運是木、於酉年占、酉爲客氣燥金、乃客氣克主運也、如主運是木、於丑年占、丑爲客氣濕土、乃主運克客氣也、餘倣此、

主氣圖

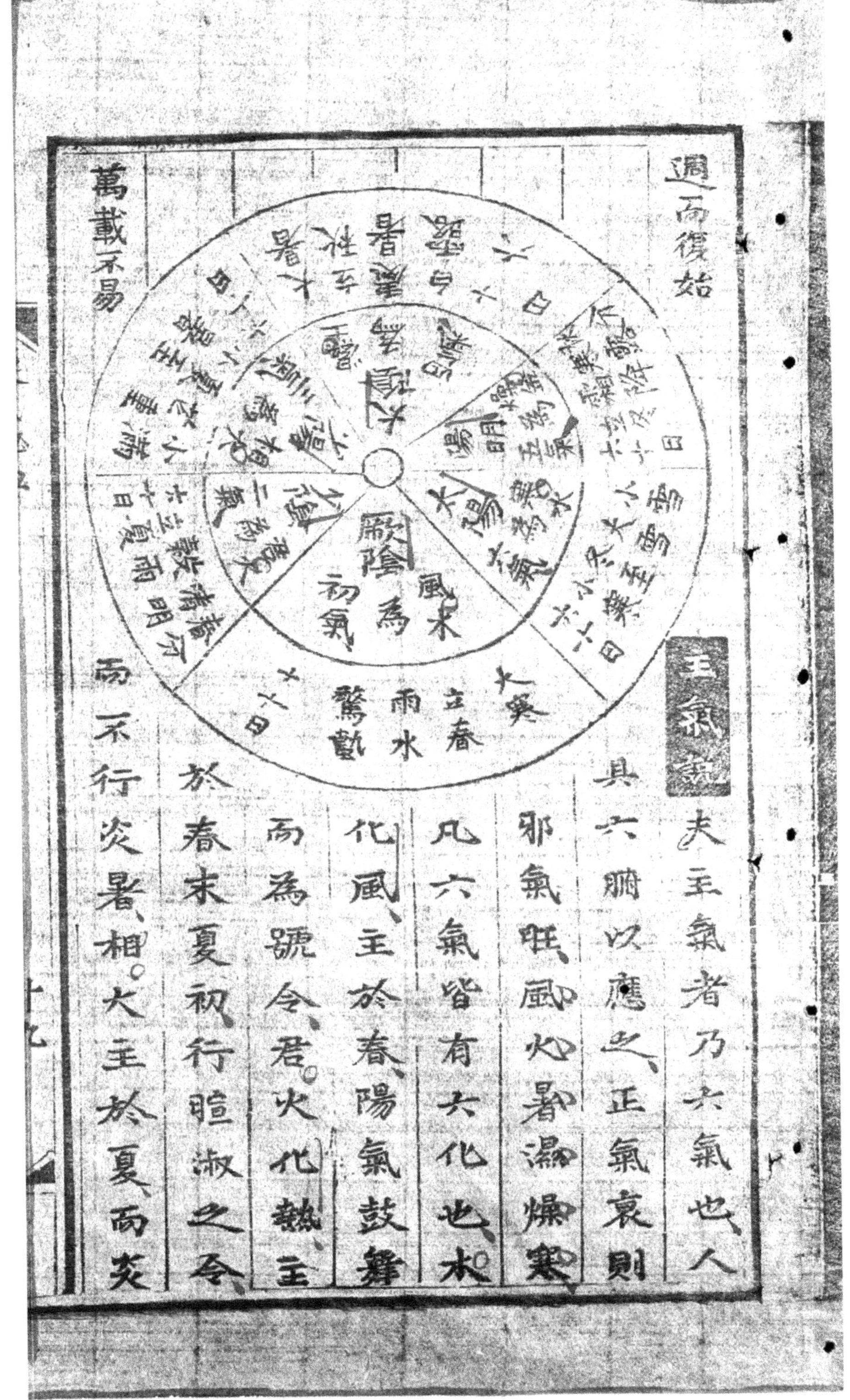

主氣訣

夫主氣者，乃六氣也。人具六腑以應之，正氣衰則邪氣旺。風、火、暑、濕、燥、寒，凡六氣皆有六化也。木化風，主於春，陽氣鼓舞而為號令。君火化熱，主於春末夏初，行暄淑之令而不行炎暑。相火主於夏而炎暑大行金化清燥清凉乃行金為丙婦帶火之氣故燥也水化寒嚴凛乃行土化濕與土潤燥暑濕化乃行蓋濕則土生寒則土死泉出於地中濕化風也故其神在天為風在地為木在人為怒神在天為熱在地為火在人為喜神在天為濕在地為土在人為思神在天為燥在地為金在人為憂神在天為寒在地為水在人為恐寒暑各有所先得其位則正非其位則邪

立土氣法 詩曰大寒厥陰氣之初春分君火二之陽

滿少陽分三氣、大暑太陰四相呼、秋分陽明五位是、小雪太陽六之餘、　其法皆以每年大寒日至驚蟄爲第一木氣、自春分爲第二火氣、小滿爲第三火氣、大暑爲第四土氣、秋分爲第五金氣、小雪爲第六水氣、週而復始歲歲不易、

主氣断法　大要主氣祇奉客氣之天而已、客勝主克則也從、主勝客則逆、二者有勝而無復矣、復乃子復母讐之義也、主勝則瀉主補客、客勝則瀉客補主、又云主氣臨客氣之下、天辰所以不齊、民病所由生也、假如辰戌年、初之客氣

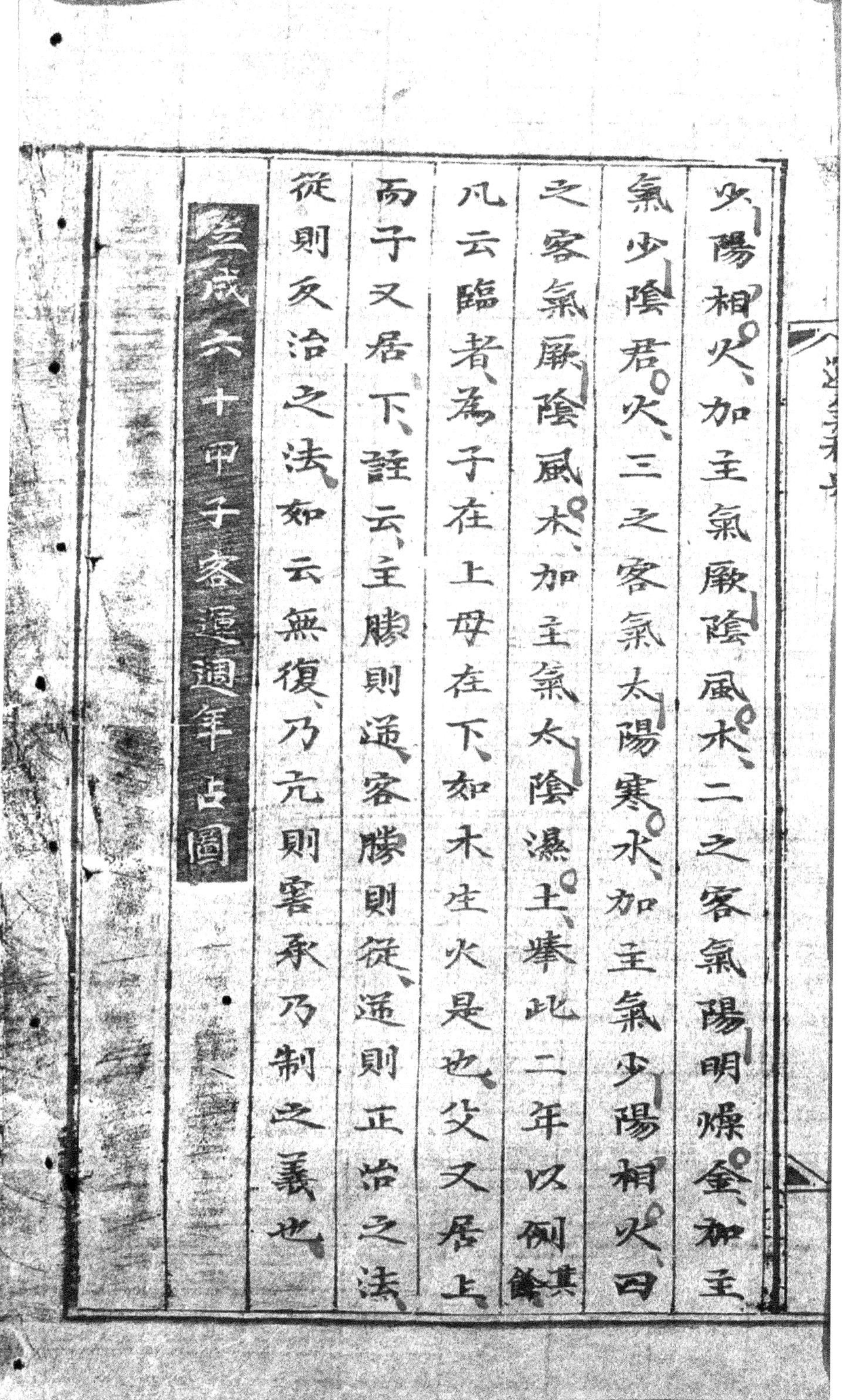

少陽相火、加主氣厥陰風木、二之客氣陽明燥金、加主氣少陰君火、三之客氣太陽寒水、加主氣少陽相火、四之客氣厥陰風木、加主氣太陰濕土、舉此二年以例其餘

凡云臨者、爲子在上母在下、如木生火是也、父又居上而子又居下、經云、主勝則逆、客勝則從、逆則正治之法從則反治之法、如云無復、乃亢則害承乃制之義也

歲六十甲子客運週年占圖

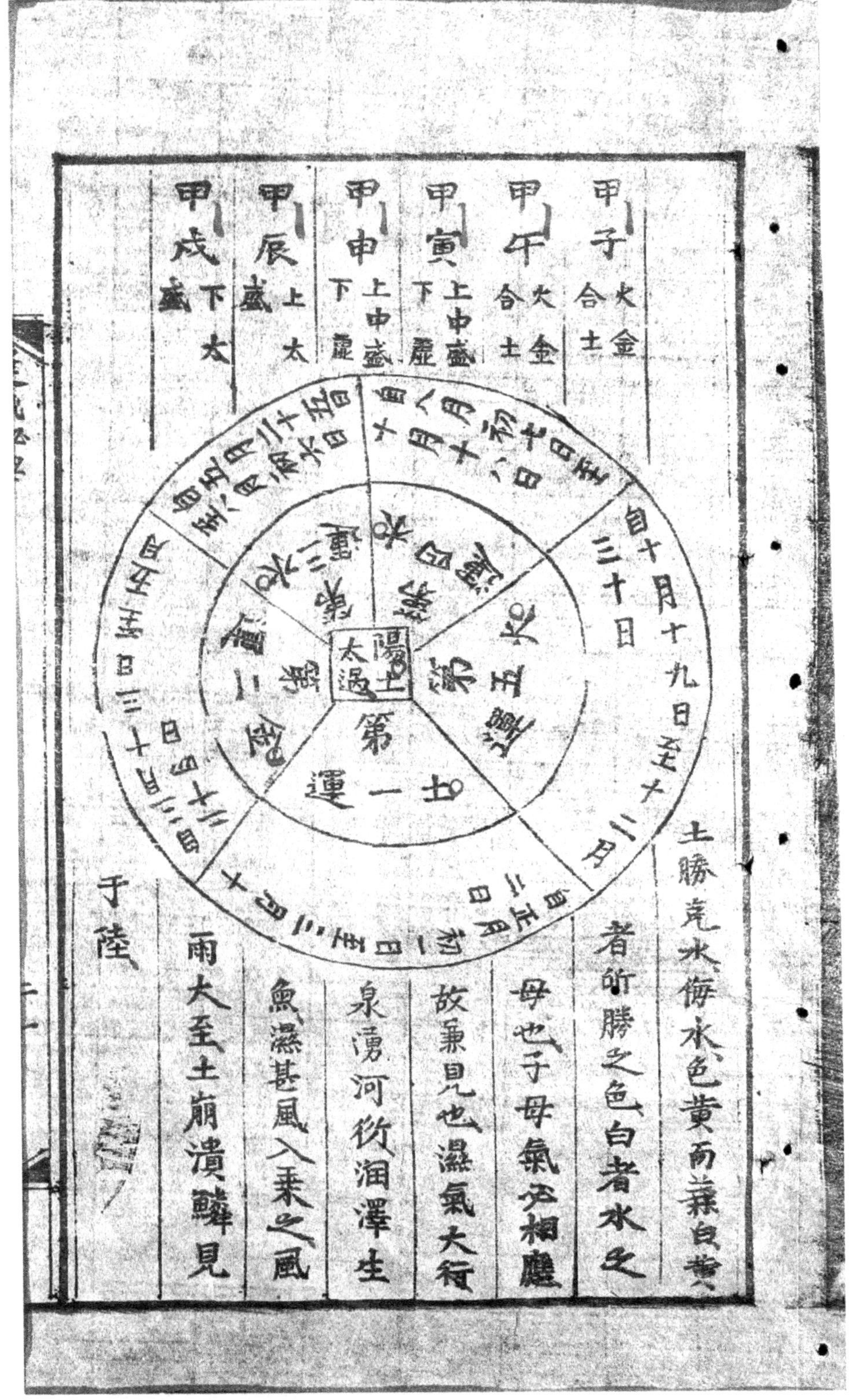
甲子　火金　合土
甲午　火金　合土
甲寅　上中下　盛　虛
甲申　上中下　盛　虛
甲辰　上　太　盛
甲戌　下　太　盛
陽土太過
第一運　土
第二運　金
第三運　水
第四運　木
第五運　火
自十月十九日至十二月三十日
土勝克水侮水色黄而兼白黄者所勝之色白者水之母也子母氣交相臨故兼見也濕氣大行泉湧河衍涸澤生魚濕甚風入乘之風雨大至土崩潰鱗見于陸

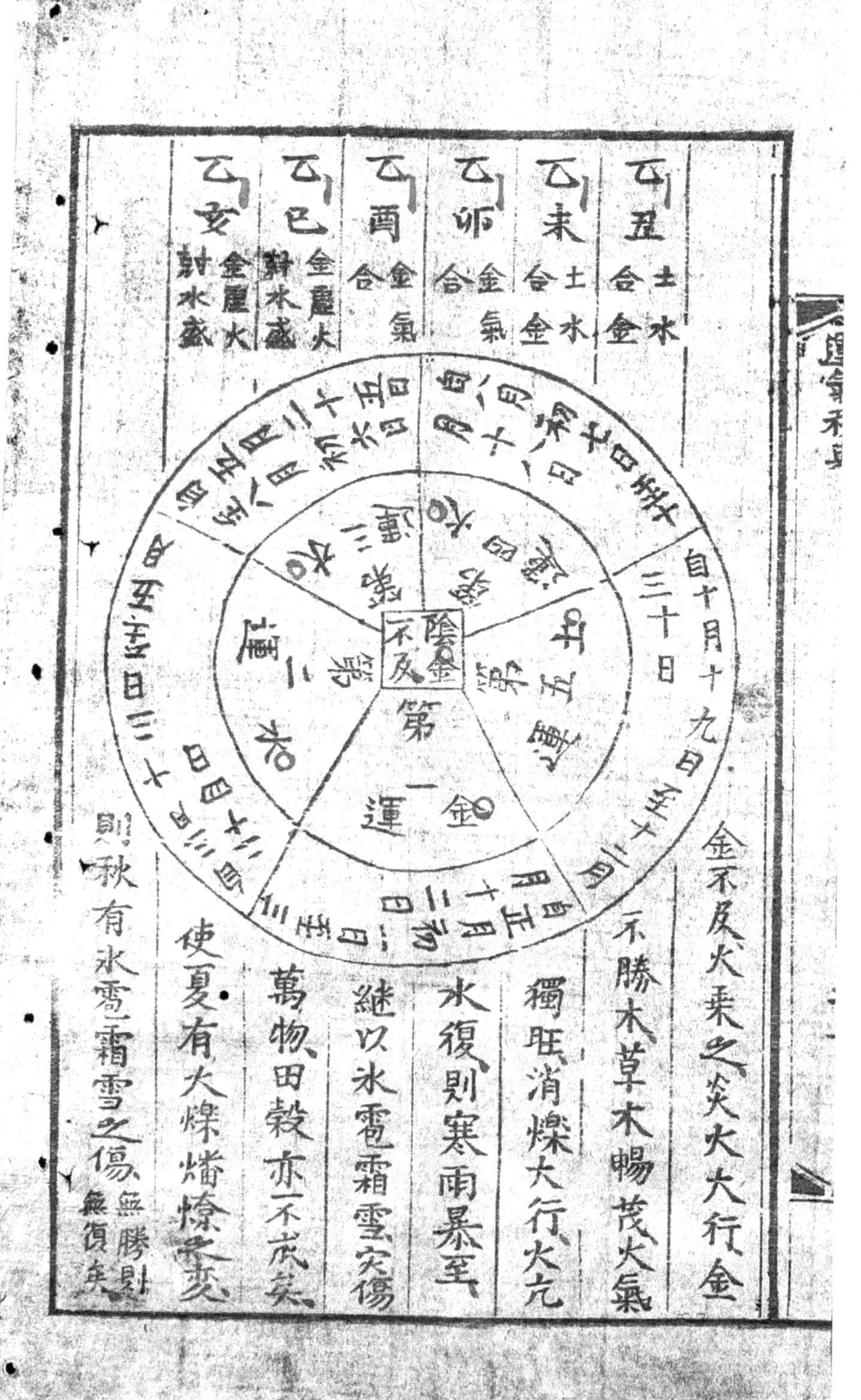
乙丑 土水合金
乙未 土水合金
乙卯 金合氣
乙酉 金合氣
乙巳 金虧火對水盛
乙亥 金虧火對水盛
陰金不及
第一金運
第二水運
第三木運
第四火運
第五土運
自十月十九日至十二月三十日
自正月初一日至三月十二日
金不及火乘之矣火大行金不勝木草木暢茂火氣獨旺消爍大行火亢水復則寒雨暴至繼以冰雹霜雪灾傷萬物田穀亦不成矣使夏有大爍燔燎之變則秋有冰雹霜雪之傷無勝則無復矣

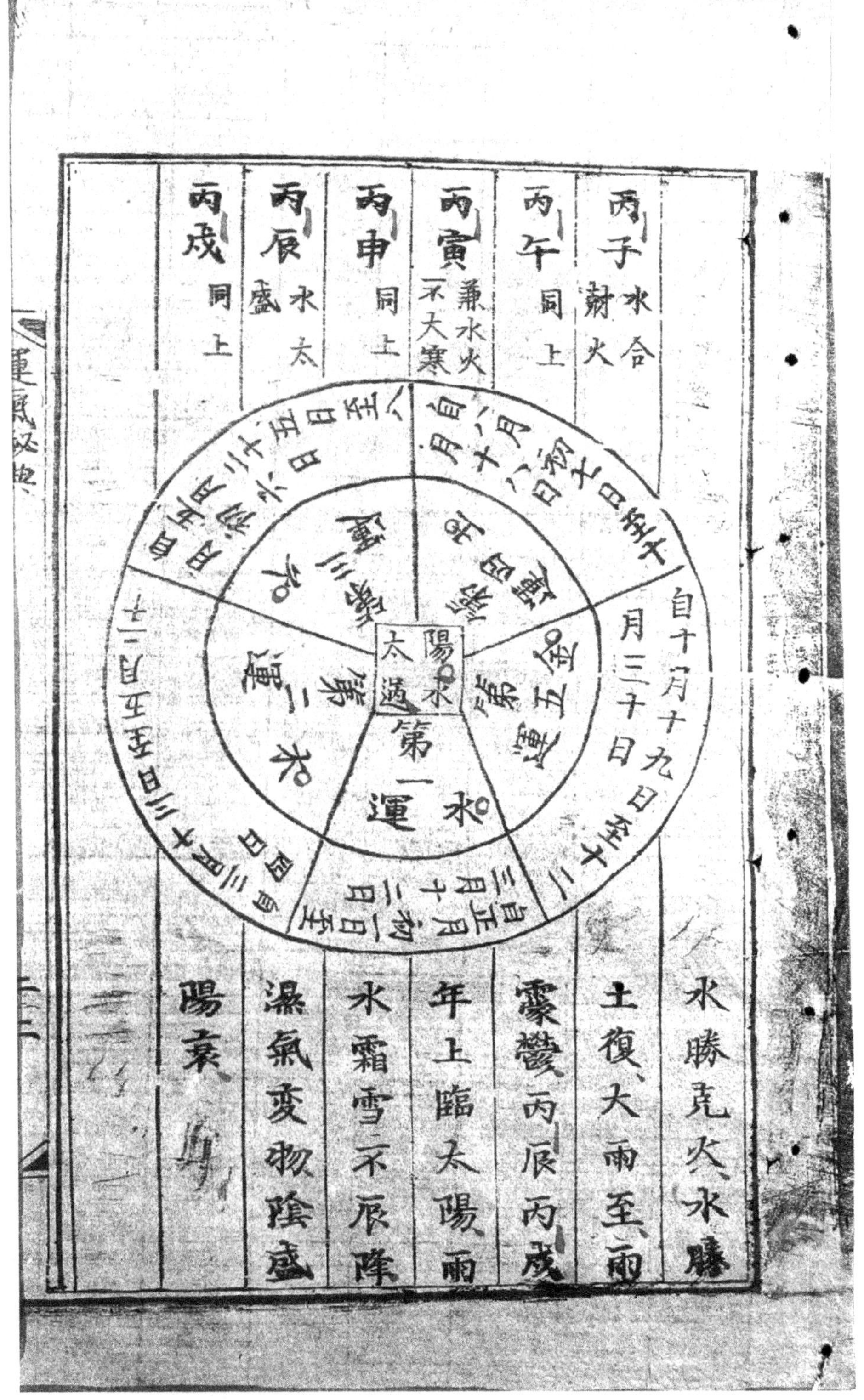

丙子　水合尅火
丙午　同上
丙寅　兼水火不大寒
丙申　同上
丙辰　水太盛
丙戌　同上
太陽水過
第一運
水勝克火，水勝
土復，大雨至，雨
霶霈。丙辰丙戌
年上臨太陽，雨
水霜雪不辰降
濕氣變物陰盛
陽衰

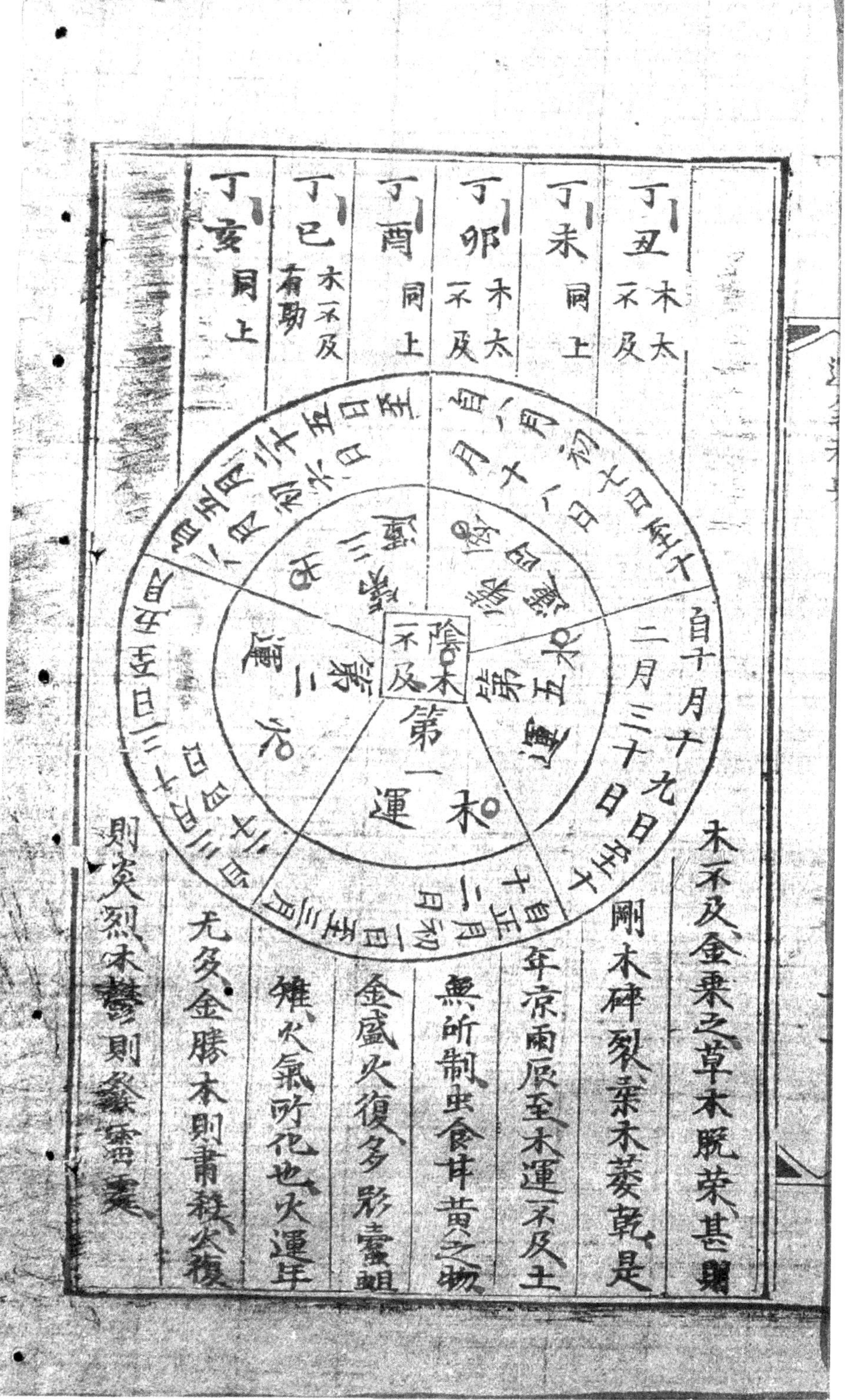

丁丑 木太不及

丁未 同上

丁卯 木太不及

丁酉 同上

丁巳 木不及有助

丁亥 同上

木不及金乘之草木晚榮甚則剛木碎裂柔木萎乾是年凉雨辰至木運不及土無所制虫食甘黃之物金盛火復多彩[illegible]雖火氣所化也火運年无多金勝木則肅殺火復則炎烈沐鬱則發[illegible]

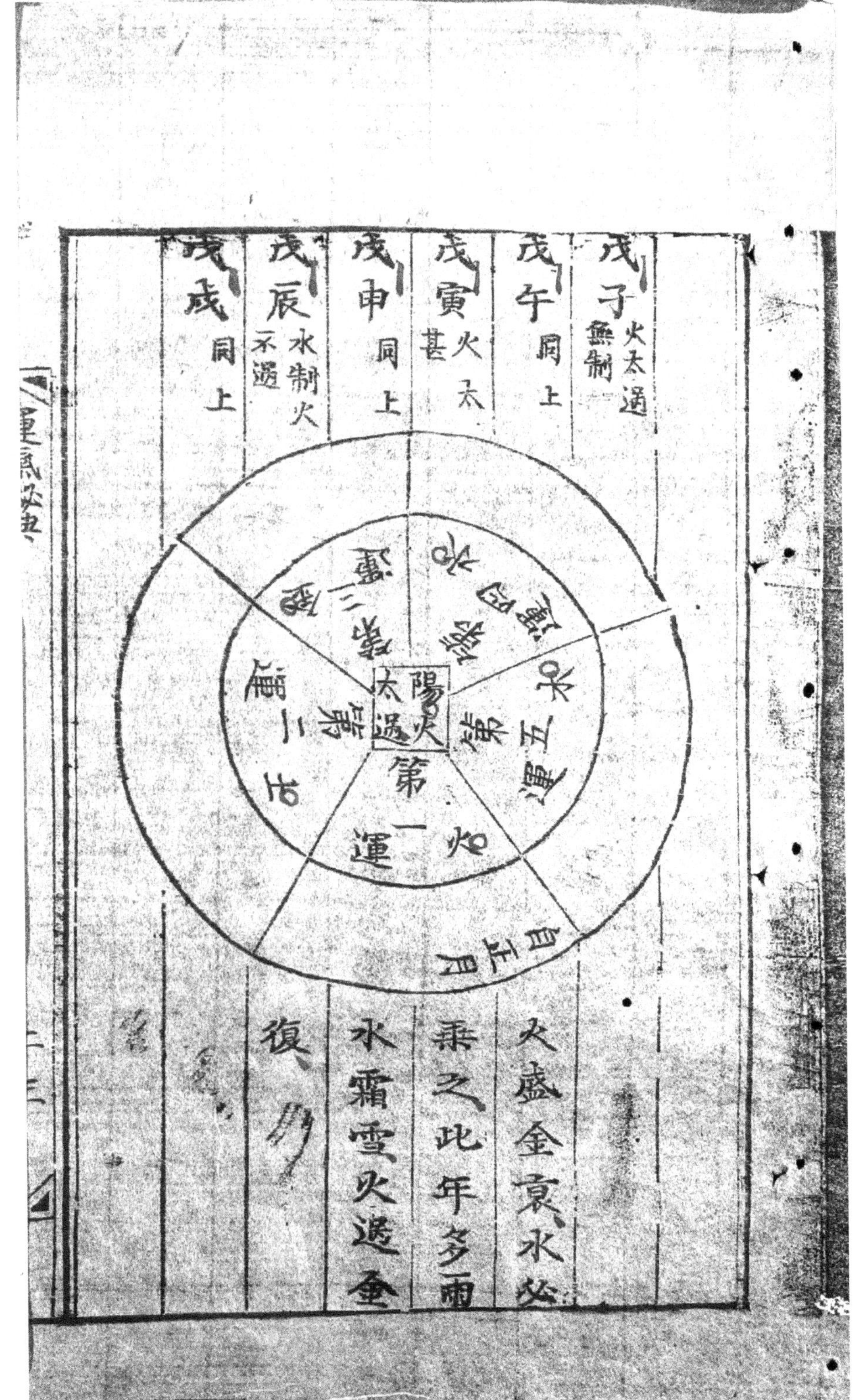
戊子 火太過無制
戊午 同上
戊寅 火太甚
戊申 同上
戊辰 水制火不過
戊戌 同上
陽火太過
第一運
第二運
第三運
第四運
第五運
自正月
火盛金衰水必乘之此年多雨
水霜雪火過金
復

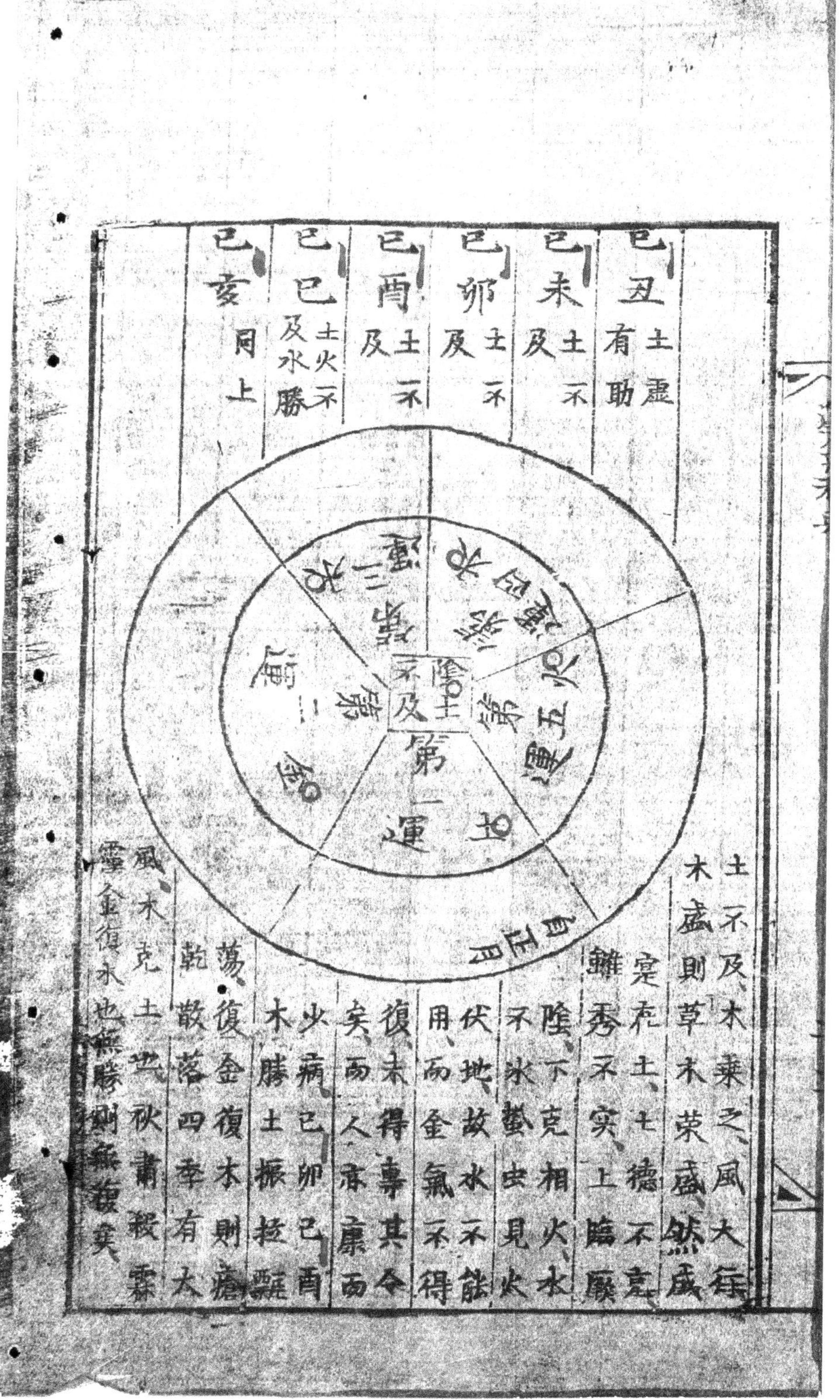

己丑 土虛有助

己未 土不及

己卯 土不及

己酉 土不及

己巳 土火不及水勝

己亥 同上

土不及、木乘之、風大行

木盛則草木榮盛然盛

定乃土、七德不定

雖秀不實、上臨厥

陰、下克相火、水

不冰、蟄虫見火

伏地、故水不能

用、而金氣不得

復、未得專其令

矣、而人病康而

少病、己卯己酉

木勝土、振拉飄

蕩、復金復木則瘡

乾、散落、四季有太

風、木克土出、秋肅殺霖

霪、金復水也、無勝則無復矣、

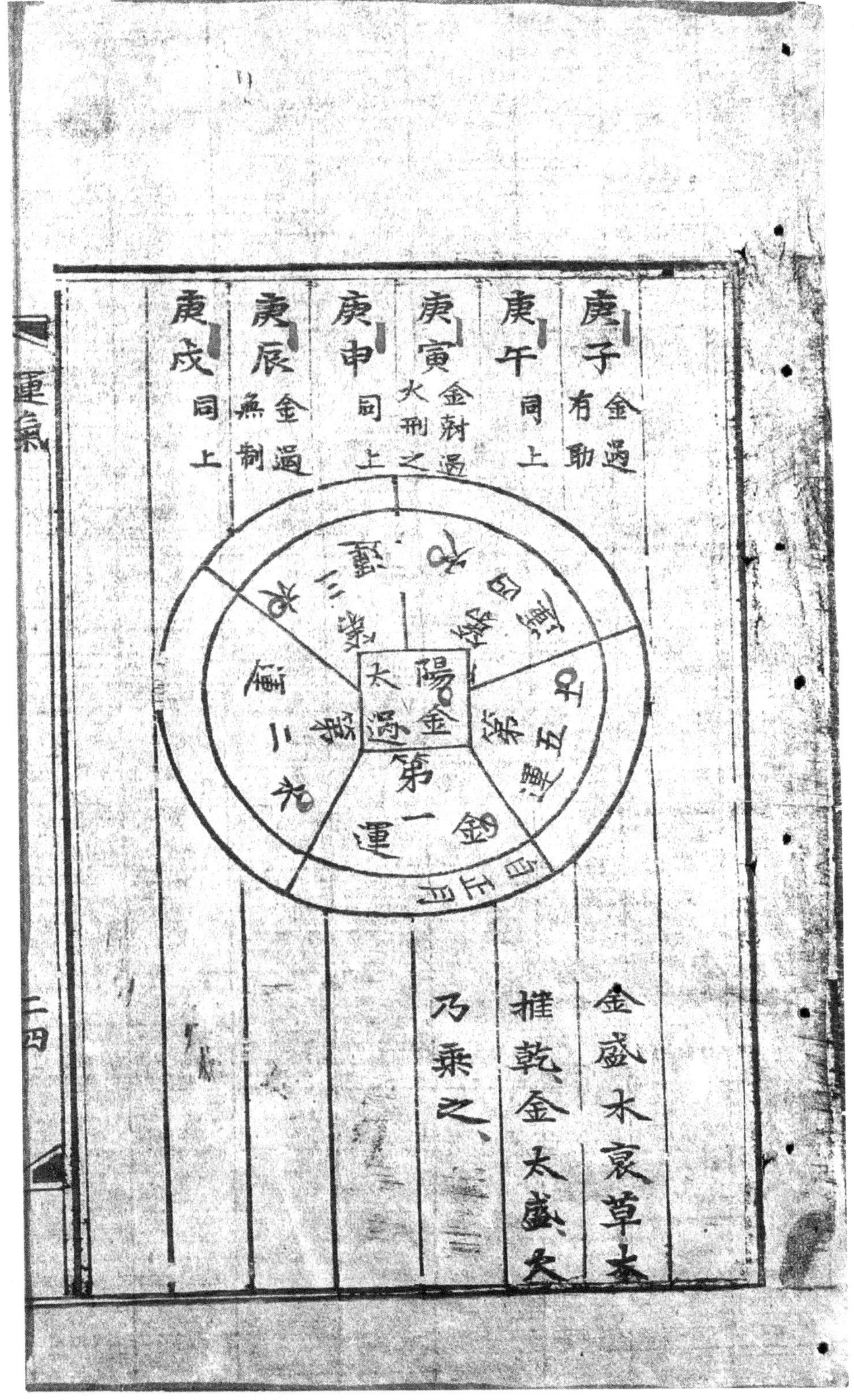
庚子
金過有助
庚午
同上
庚寅
金尅過火刑之
庚申
同上
庚辰
金過無制
庚戌
同上
太陽金過
第一運
金
第二運
水
第三運
木
第四運
火
第五運
土
金盛木衰草木
推乾金太盛太
乃乘之

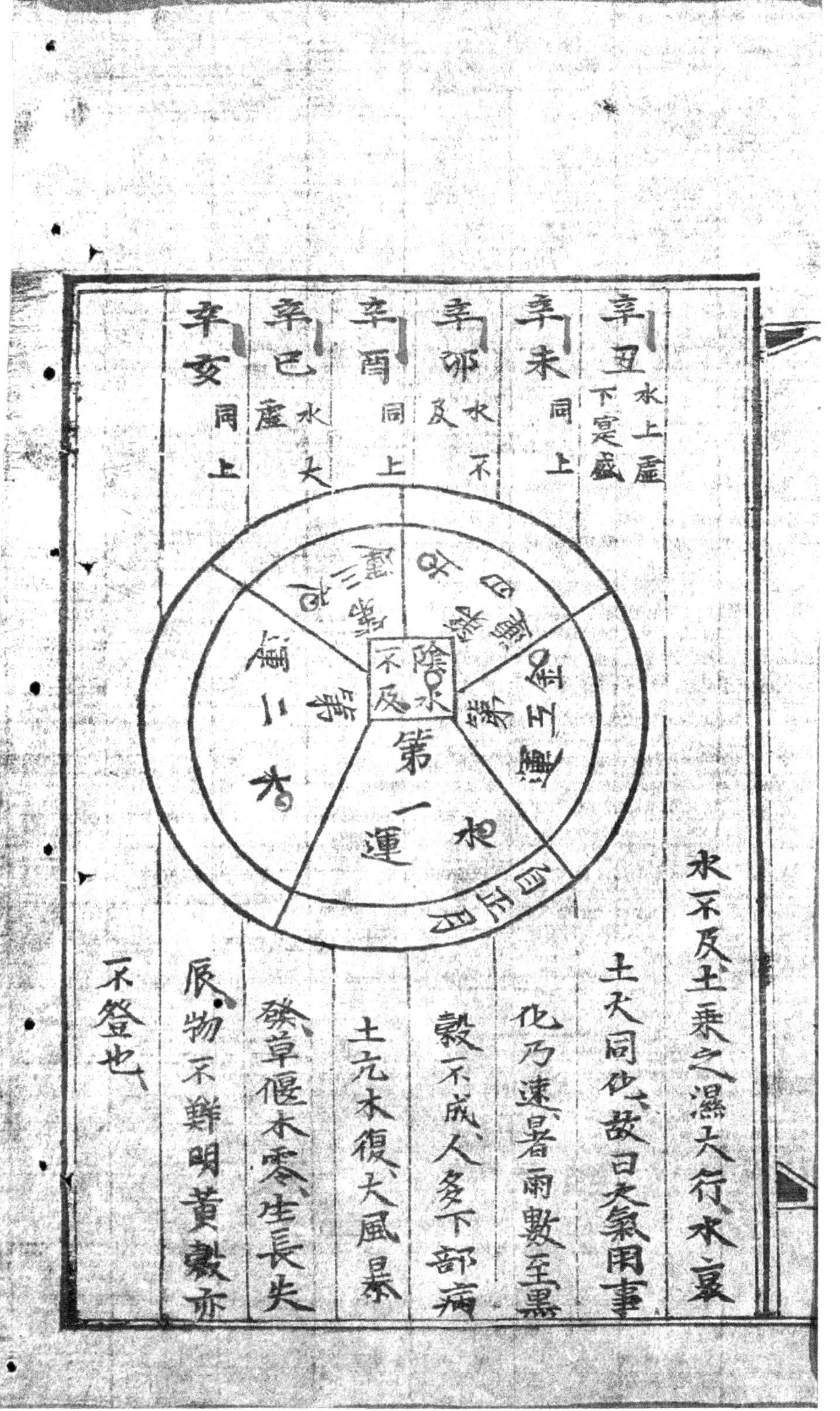

辛丑 水上靈 下寔盛
辛未 同上
辛卯 水不及
辛酉 同上
辛巳 水大靈
辛亥 同上

水不及土乘之濕大行水衰土犬同化故曰大氣用事化乃速暑雨數至黑穀不成人多下部病土亢木復大風暴發草偃木零生長失辰物不鮮明黃穀亦不登也

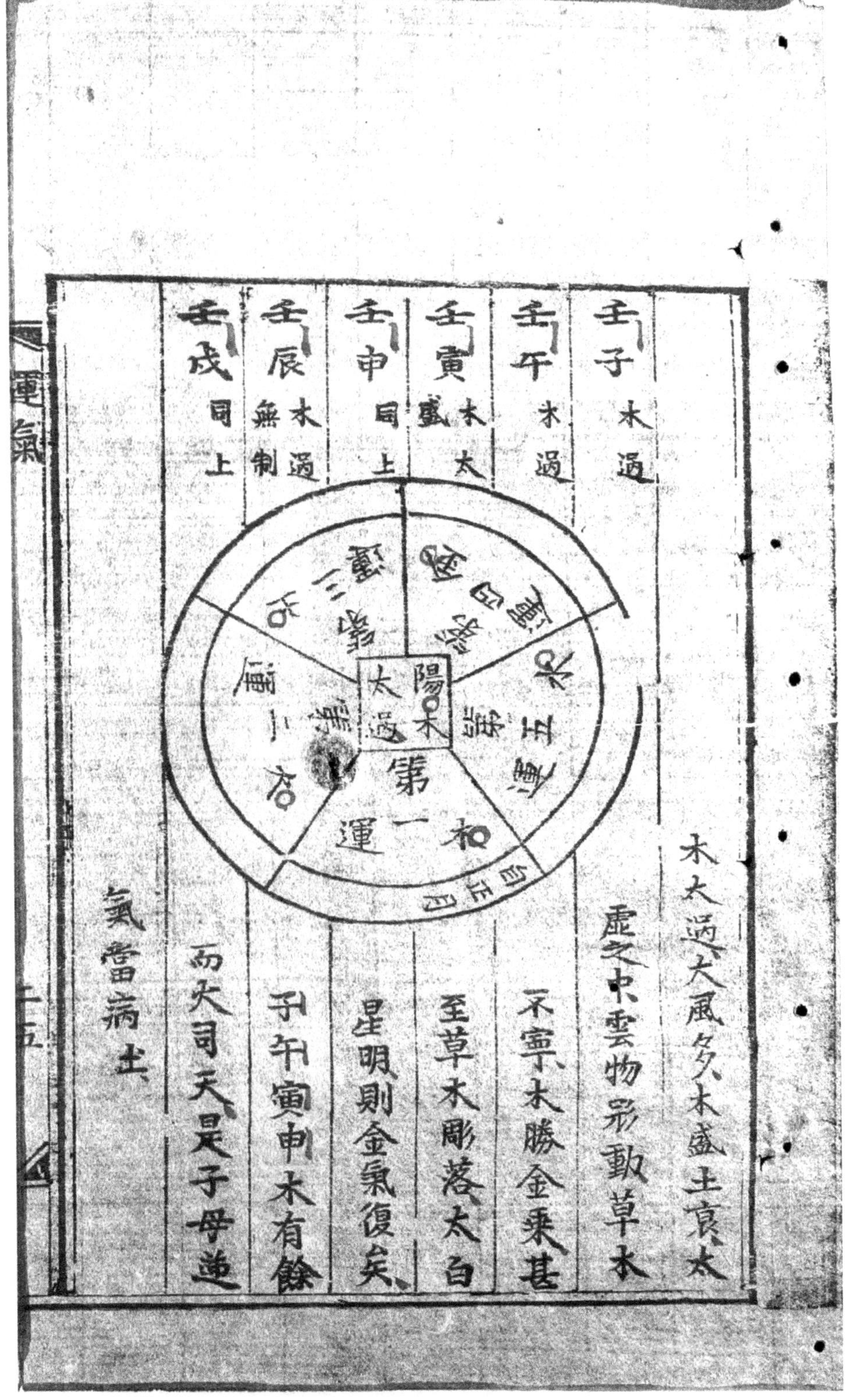
壬子　木過
壬午　木過
壬寅　木太盛
壬申　同上
壬辰　木過無制
壬戌　同上
第一運
陽木太過
木太過大風多木盛土衰太虛之中雲物飛動草木不寧木勝金乘甚至草木彫落太白星明則金氣復矣子午寅申木有餘而天司天是子母逆氣當病土

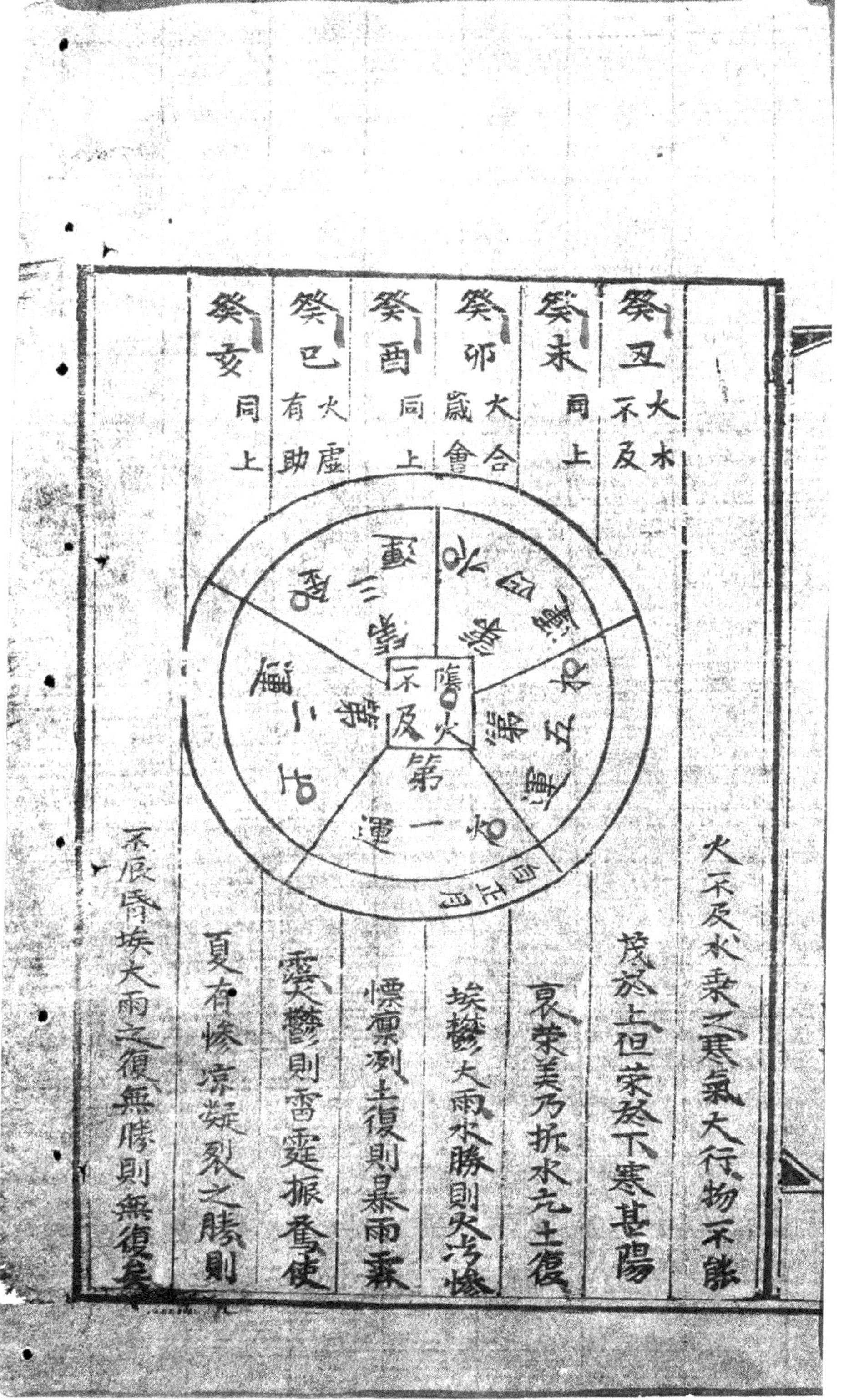

癸丑 大水不及

癸未 同上

癸卯 大合歲會

癸酉 同上

癸巳 火虛有助

癸亥 同上

火不及水乘之寒氣大行物不能茂於上但榮於下寒甚陽氣衰榮美乃折水亢土復埃鬱大雨水勝則火炎慘慄凓冽土復則暴雨乘霪鬱則雷霆振奮使夏有慘凉凝裂之勝則不辰時埃大雨之復無勝則無復矣

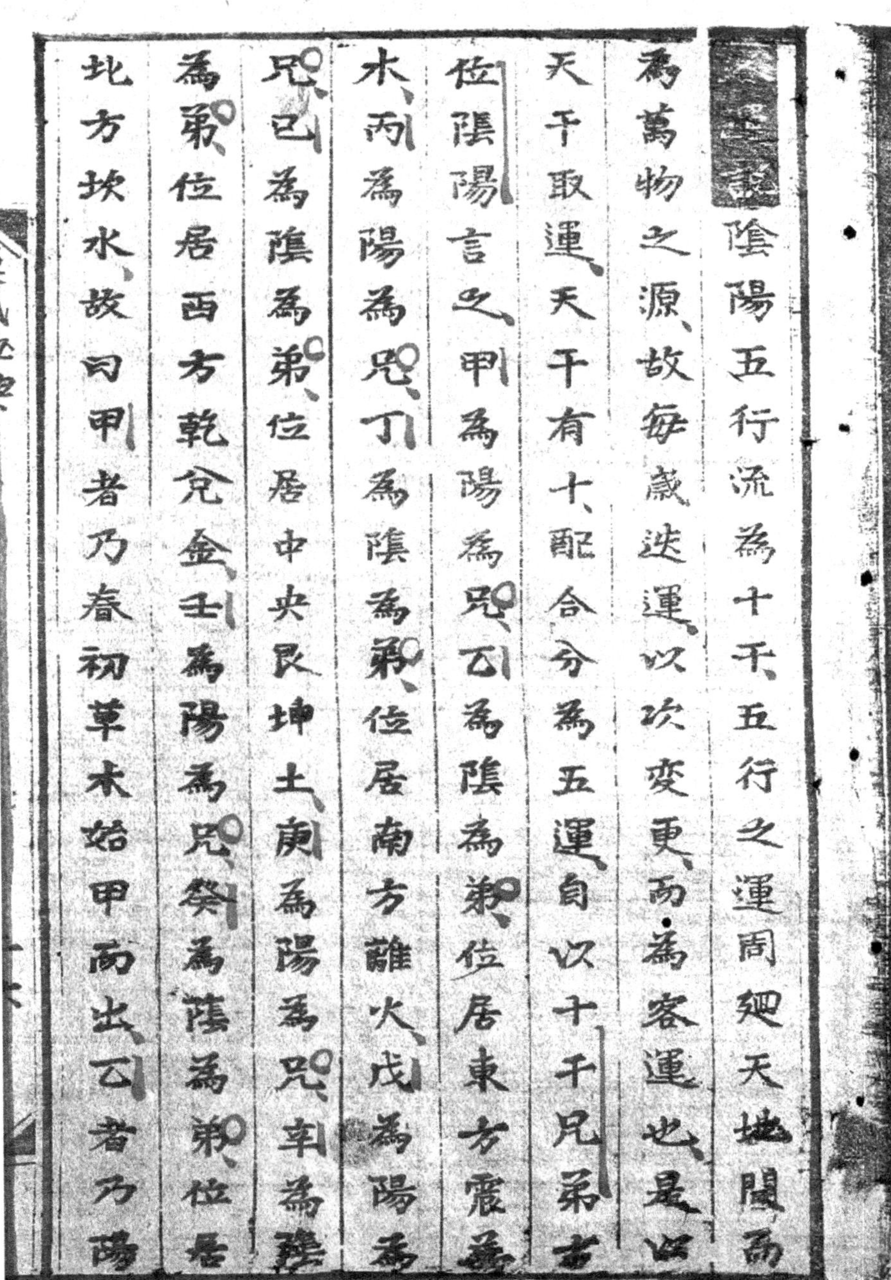

陰陽五行流為十干、五行之運周迴天地闔闢為萬物之源、故每歲迭運以次變更、而為客運也。是以天干取運、天干有十、配合分為五運、自以十干兄弟者位陰陽言之、甲為陽為兄、乙為陰為弟、位居東方震巽木、丙為陽為兄、丁為陰為弟、位居南方離火、戊為陽為兄、己為陰為弟、位居中央艮坤土、庚為陽為兄、辛為陰為弟、位居西方乾兌金、壬為陽為兄、癸為陰為弟、位居北方坎水、故曰甲者乃春初草木始甲而出、乙者乃陽

氣尚屈。丙者，乃萬物炳然著見。丁者，乃適陽強所爲而得壯者也。戊者，陽土也，萬物生而出之，伐而入之。己者，陰土也，無所爲而得私其己也。庚者，乃陽庚而該。辛者，乃陰極於此而更辛也。壬者，乃陽氣生也，任壬而胎與子同意。癸者，乃萬物閉藏，懷孕於下，揆然萌芽。（此天地之玄秘也）

土客運法

（出三才秘旨陰陽篇）

其法如夫婦配合，子孫生成之義言之。甲與己合而化土，（甲夫己婦，旺於寅，乃生陽火丙也，丙爲長男，火生土，土爲長孫，故土成）甲己之運。乙與庚合而化金，（庚夫乙婦，旺於巳，乃[illegible]陽土戊也，戊爲長男[illegible]

生金，金為長孫，故金成乙庚之運。丙與辛合而化水○丙夫辛婦，旺於巳，乃生陽金庚也。庚為長男，金生水，水為長孫，故水成丙辛之運。丁與壬合而化木○丁夫壬婦，旺於亥，乃生陽木甲也。甲為長男，木生火，火為長孫，故成丁壬之運。戊與癸合而化火○戊夫癸婦，旺於未，乃生陽水壬也。壬為長男，水生木，木為長孫，故成戊癸之運。曆家亦取生成之旺數，零以長男數為月建，故五虎詩以長男數為正月建。如甲己歲正月建丙寅，丙火生土，故土運；乙庚歲正月建戊寅，戊土生金，故金運；丙辛歲正月建庚寅，庚金生水，故水運；丁壬歲正月建壬寅，壬水生木，故木運；戊癸歲正月建甲寅，甲木生火，故火運。

五化詩云

甲巳化土○乙庚金○丁壬木○位盡成林，丙辛便是長流水戊癸離宮號曰心故甲己之歲土運統之乙庚之歲金運統之丙辛之歲水運統之丁壬之歲水運統之戊癸之歲火運統之又以五行相乘分為五歲每一運各主七十二日零五刻以週一歲

客運推法

其法以甲丙戊庚壬為五陽干為太過之年名曰先天大寒前十三日交歲氣以乙丁己辛癸為五陰干為不及之年名曰後天大寒後十三日交歲運

六甲年

土運太過則雨濕流行濕病乃生腎水受邪治當除濕以補腎。又云人應之病先傷腎後傷脾腎膝衰為病土勝克水人多腹痛陰厥体重煩寃秘結肌黃足痿四肢不舉

六乙年

金運不及則火氣乘旺反見熱化熱病乃行治當清肺以降火。又云人應之病金受火邪鼻

噫便血下注。又云病陰厥格陽，又反上行

六丙年　水運太過

為無根之火，頭脳口舌俱病，甚則心痛

則寒氣大行，寒病乃生，心火受邪。㊂當逐寒以補心。○又

云人應之病身热心煩，驚季上下陰厥譫語心痛，上半

身痛不甚，又則水自病腹大脛腫喘咳盜汗悪風。○又云

明盛陽衰，反克脾土，腸鳴溏泄食不化，若水侮土則心失

其戒，病渴而昏冒，

心肺衰為病。

六丁年　木運不及，則金氣乘旺，反見燥化，燥病乃行，治當清燥以補肝。○

又云人應之病金克木中清筋痛小腹痛，木失其命，不

能生火，病腸鳴泄瀉。又云人病肢廢尻瘧癰腫瘡瘍

六戊年　火運太過，則热氣大行，热病乃生。○又云人應

肺金受邪，治當降火以清肺。之病瘧欬

热則腹痛腸滿肩背痛身。○

热骨疼。又云先傷脾後傷心。

六己年　土運不及，則木氣乘旺，反見火化尻

病乃行，治當○又云人應之病体重腸滿肌

瘡脾以平木　肉瞤善怒，土虛水無所畏

六庚年　金運太過

則燥氣流行燥病乃生肝木受邪治當清燥以補肝○又云人應之病金勝傷肝肝病筋下痛目赤身瘍耳無聞甚則傷肺自病咳逆肩痛金病不生水致下部背病○又云先傷肝後傷脾

六辛年 水運不及則土氣旺反見湿化湿病乃行治當補腎以除湿○又云人應之病多下部病面色辰變筋骨拘攣肉瞤目視䀮又風疹外發腹心痛

六壬年 木運太過則風氣大行風病乃生脾土受邪治當平木以補脾○又云人應之病脾傷甚則多怒腹痛歲半後稍微脾脉則病益進又云先傷脾後傷肝

六癸年 火運不及則水氣乘旺反見寒化寒病乃行治當補心以逐寒又云人應之病火不及陰邪盛心氣傷筋滿肩背痛目昏胸腹太甚則脇腰相引痛又云人應之病瀉溏腹滿不食暴攣痿痺足不任地

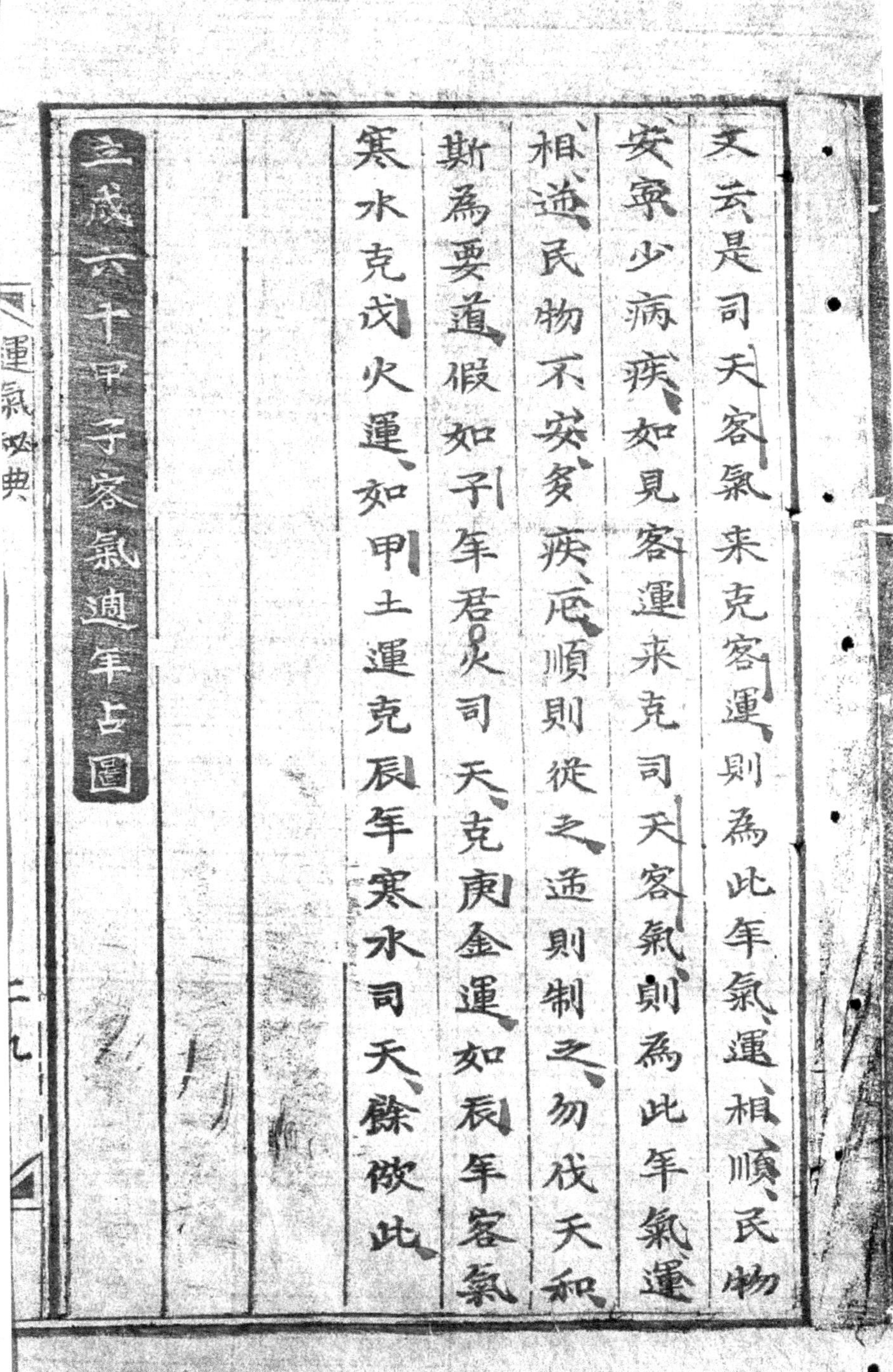

又云是司天客氣来克客運則為此年氣運相順民物安寧少病疾如見客運来克司天客氣則為此年氣運相逆民物不安多疾厄順則從之逆則制之勿伐天和斯為要道假如子年君火司天克庚金運如辰年客氣寒水克戊火運如甲土運克辰年寒水司天餘倣此

主歲六十甲子客氣過年占圖

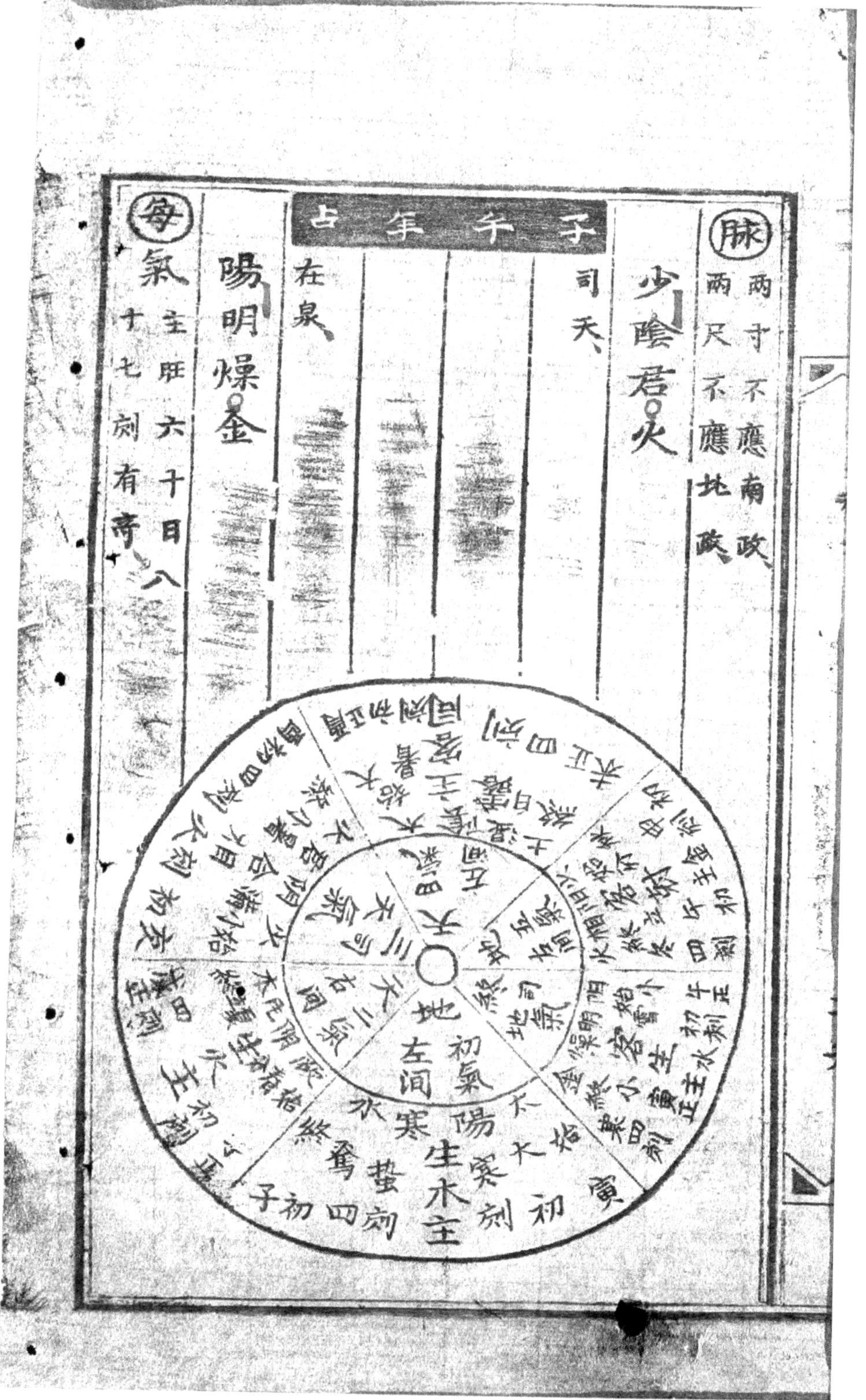
脉
兩寸不應南政
兩尺不應北政
少陰君火
司天
子午年占
在泉
陽明燥金
每
氣主旺六十日八
十七刻有奇

甲子是年土太過雨溼水盛木乘則大旺暴烈庚子三金合金太過君火司天刑之

甲午土主溼雨土太過旺木乘之先天太宮庚午金盛木衰草木乾枯金盛則火乘之同天太商

丙子水寒主此年多寒也歲半以後水克火人多內熱戊子先

丙午先天太羽歲半以後水克火人多內熱戊午先天太徵壬子壬午先天太角

初氣上年已亥大寒以前温煖此辰寒乃始蟄虫從前因煖而出此辰伏藏水乃氷霜復降風乃至陽氣欝民得寒病肌膚瘍腰痛至三月初炎暑將起中外瘡瘍少陰君火司天又值二之主氣故有是病二氣風木客加君

火主，陽氣布，風乃行，春氣生，萬物榮，辰司天，君火未盛，寒氣辰至，木火應辰，民氣和，人病淋，目瞑目赤，氣鬱于上而熱，君火為病也。二氣 客氣君火司天，加相火主，天政布，天火行，庶類蕃鮮，火極水復，熱極寒生，寒氣辰至，二火交熾，人病氣厥心痛，寒熱更作，咳喘目赤。四氣 濕土盛，溽暑至，大雨辰行，寒熱互至，人病寒熱，咽乾黃疸，鼽衄熱渴。五氣 畏火臨暑反至，陽乃化，萬物乃榮，民乃康。辰寒氣熱，陽邪勝，民病溫也。終氣 金客加水主，金主收燥令，行五行之餘火內格，寒氣放攀則霧翳，民病腫咳喘血敗節 膝筋下

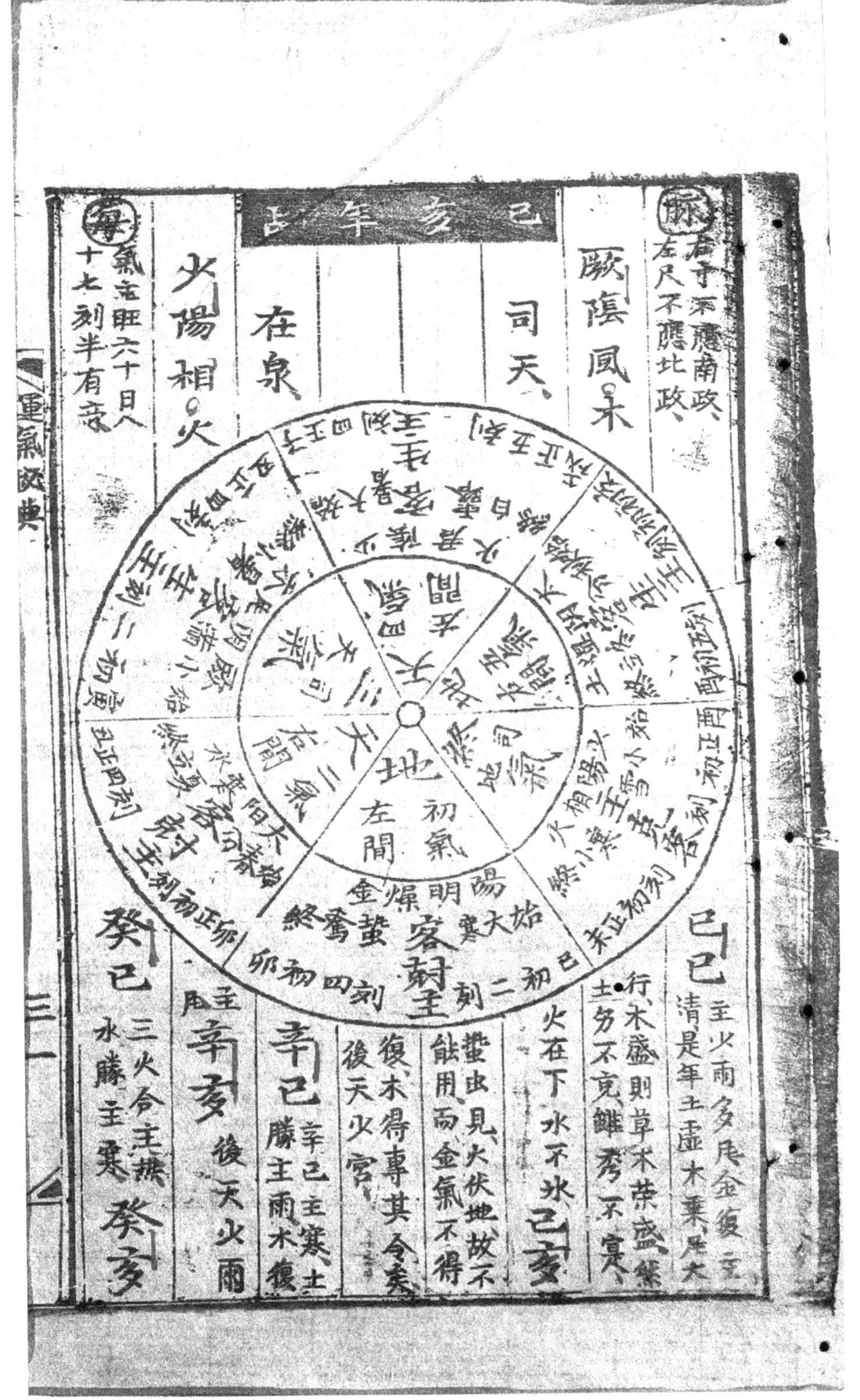
己亥年圖
厥陰風木
司天
少陽相火
在泉
右寸不應南政、左尺不應北政、
氣當旺六十日八十七刻半有奇
己巳
主火雨多尾金復主清是年土虛木蔂尾大行、木盛則草木榮盛、然土多不充、雖秀不實、
己亥
火在下、水不冰、蟄虫見、火伏地、故不能用、而金氣不得復、木得專其令矣、後天火宮
辛巳
辛巳主寒、土勝主雨、木復
辛亥
主風 後天火雨
癸巳
三火合主熱 水勝主寒
癸亥

土復主雨後天火微

乙巳

是年金虛火乘炎火大行金不勝木草
木勝殘秋氣復辰堅浩又戢不成火亢
木復寒雨暴至災傷萬物維以冰雹
霜雪火復主熱水復主寒後天火明

乙亥

丁巳木水合主居金勝主青

丁亥後天火角

初氣金用事，寒始肅，殺氣至，金旺傷肝，人多筋攣。二氣水用事，寒不去，有雪水冰，殺氣施化，霜迺降，寒雨效至，然以水客加火主，其氣必應，陽復化，客寒外加，火應則病熱中。三氣木司天用事，風辰拳，雨徵至，風木之病，出血耳鳴掉眩。四氣火客加土至，濕熱大行，人病黃疸胕腫。五氣客土生金燥溫交

飈涼氣乃布寒氣及体風雨廼行、人民少病、

終氣 相火在泉陽大代蟄虫見水不氷、地氣大發草𭣣

生人廼舒辰寒氣熱民病瘟疫

丑未年占

太陰湿。土司天、　太陽寒。水在泉、

脉 左寸不應南政、右尺不應北政、

每 氣 主旺六十日八十七刻五有奇

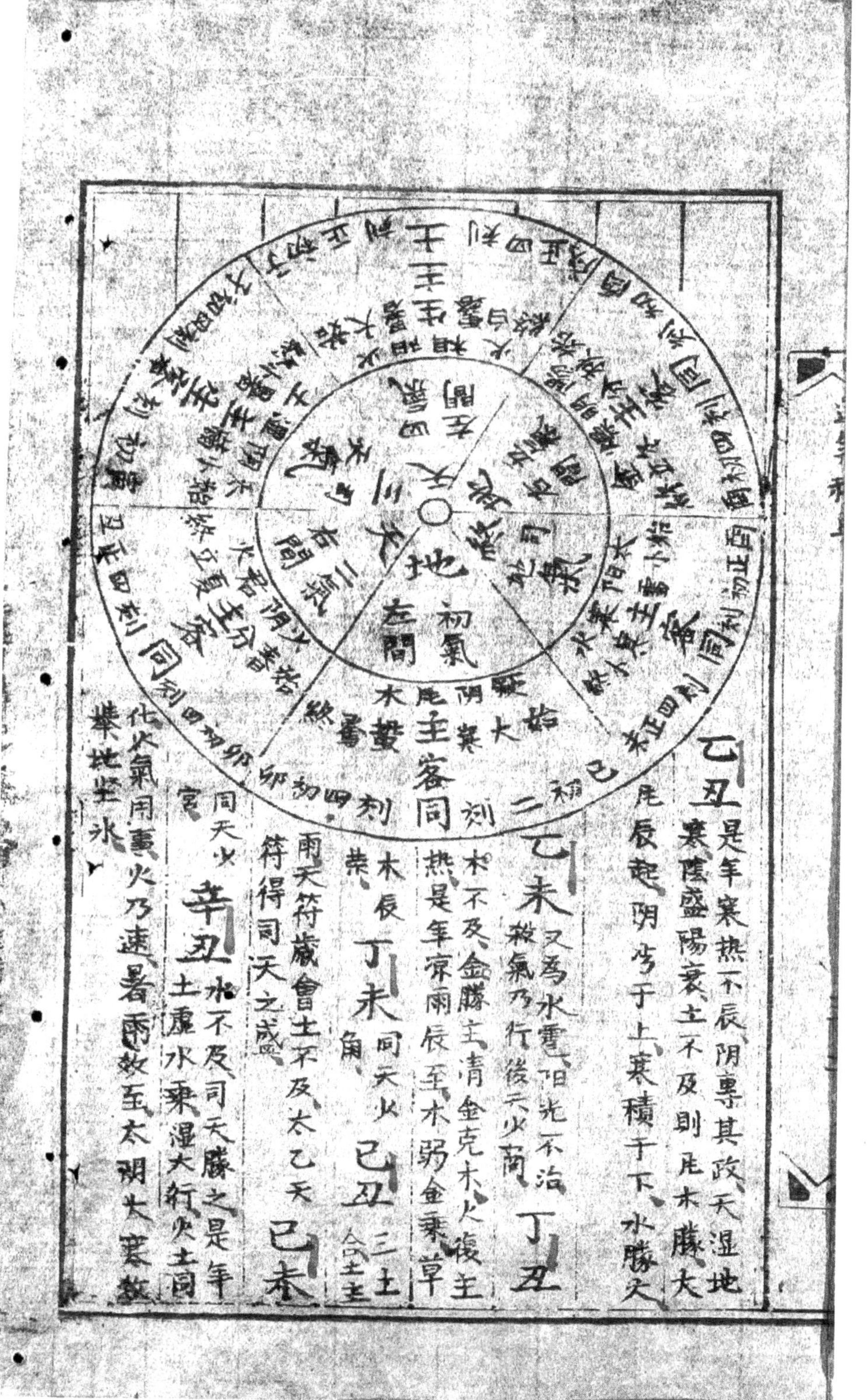

乙丑是年寒熱不辰，陰專其政，天湿地
寒陰盛陽衰，土不及則尾木勝大
尾辰起陰步于上，寒積于下，水勝火
乙未又為水霆，陽光不治 丁丑
殺氣乃行，後天火商
木不及，金勝之，青金克木，火復主
熱，是年凉雨辰至，木弱金乘草
木辰 丁未同天火 己丑三土
禁 角 今土主
雨天符歲會，土不及，太乙天
符得司天之盛
同天火 辛丑水不及，司天勝之，是年
宮 土盛水乘，湿大行，火土同
化，火氣用事，火乃速，暑雨數至，太陽太寒數
攀地坚冰

辛未　水不及、土主胃埃、霖雨、生長失辰、皆不辦明、同天少羽。　癸丑　癸丑、火主熱、火不及、水勝主寒。

土復木主雨、是年火虚水乘、寒大行、物不荣於上、但荣於下。　癸未　癸未寒甚、陽衰、荣美莫抗、後天少徵。

初氣客主皆風寒、廼去春氣至、風廼來、物以榮、濕土司天風濕相簿、風勝濕、雨後辰風傷肝、風復行民病血溢筋絡拘強、關節不利、身重筋痿。二氣主客皆君火、炎氣正、太陰司天、濕熱相搏、雨辰降、火盛氣熱、人病瘟疫大行、遠近咸若。三氣客主生火、司天之政布、濕氣降、地氣騰、雨辰降、雨後寒隨之、太陽在泉、起而用事、故地感於寒湿則民病身重胕腫胸腹滿、**四氣** 主客相火生湿土、土火合氣、溽暑土騰天氣痞隔然太陽在泉寒風隨發于朝暮、蒸熱相搏草木凝烟、以湿遇火湿化不流、惟白露陰布以成秋令、湿熱並行、民病腠理熱、血暴溢瘧、心腹滿熱、甚則胕腫、**五氣** 客主皆金、慘令行、寒露下霜早降、草木黄落、寒氣逼人民病皮腠、**終氣** 客主皆寒水、寒大舉、湿大行、霜乃積、蔭乃凝、水堅氷、陽光不治民病感寒

庚申年占 （脉）左尺不應南政、右寸不應北政 （每）氣主旺六十八日八十七刻半有奇

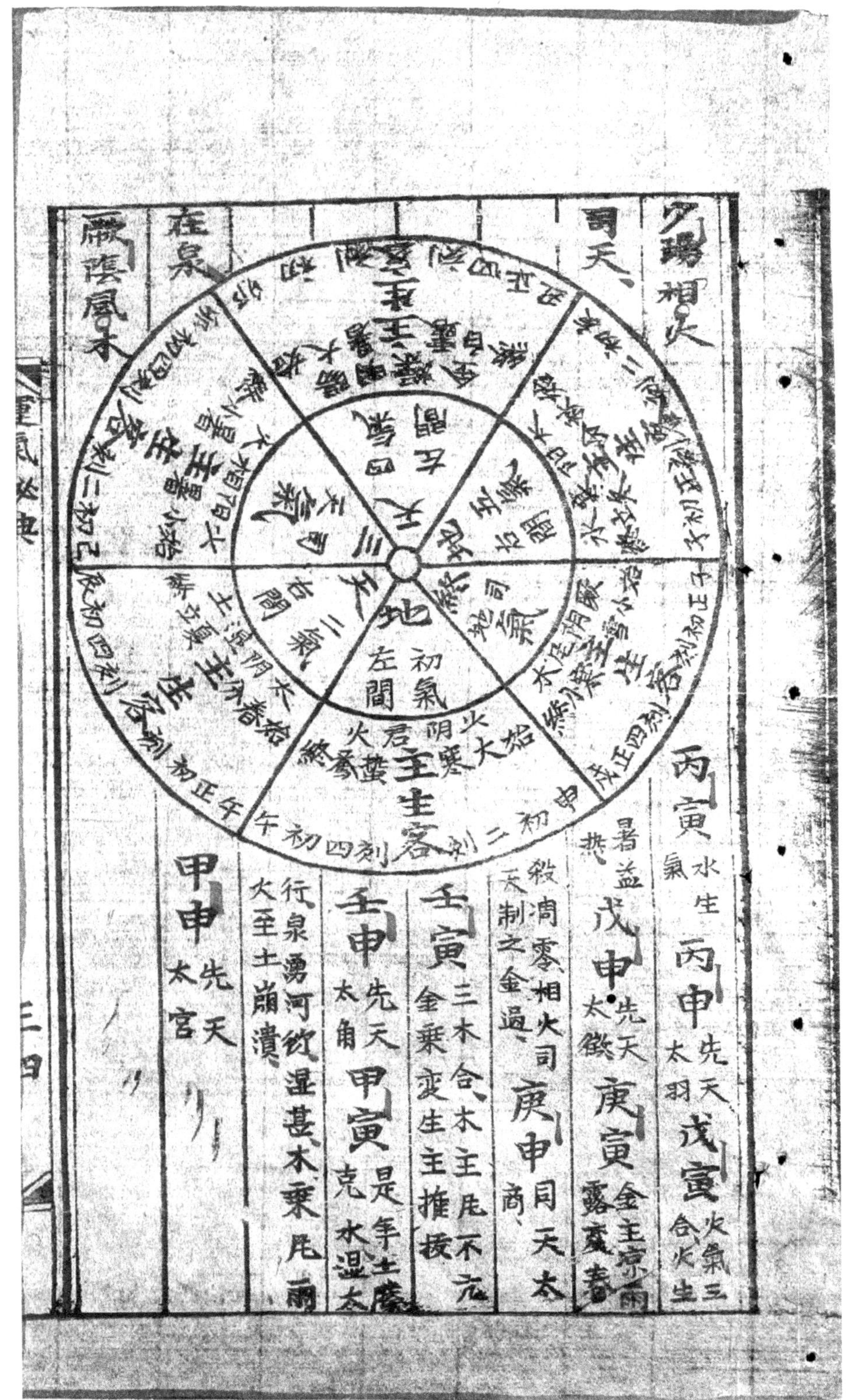

少陽相火
司天
在泉
厥陰風木
丙寅
丙申
戊寅
戊申
庚寅
庚申
壬寅
壬申
甲寅
甲申

初氣 君火司天兼相火風勝乃搖寒去而氣候大溫草木早榮寒來不殺君相二火氣合溫病乃起其病氣怫于上血溢目赤咳逆頭痛血崩筋滿膚腠中瘡 二氣 濕土用事主客氣君火反鬱白埃四起雲趨雨府風不勝濕雨乃零主客相生民乃康濕熱爲病熱鬱于上嘔逆瘡發于中胸溢不利頭痛身熱昏憒濃瘡 三氣 主客皆相火炎暑至雨乃涯二火交熾發爲病熱中耳聾血溢衄渴嚏欠咽痺目赤善暴死 四氣 客金主土涼氣至炎暑

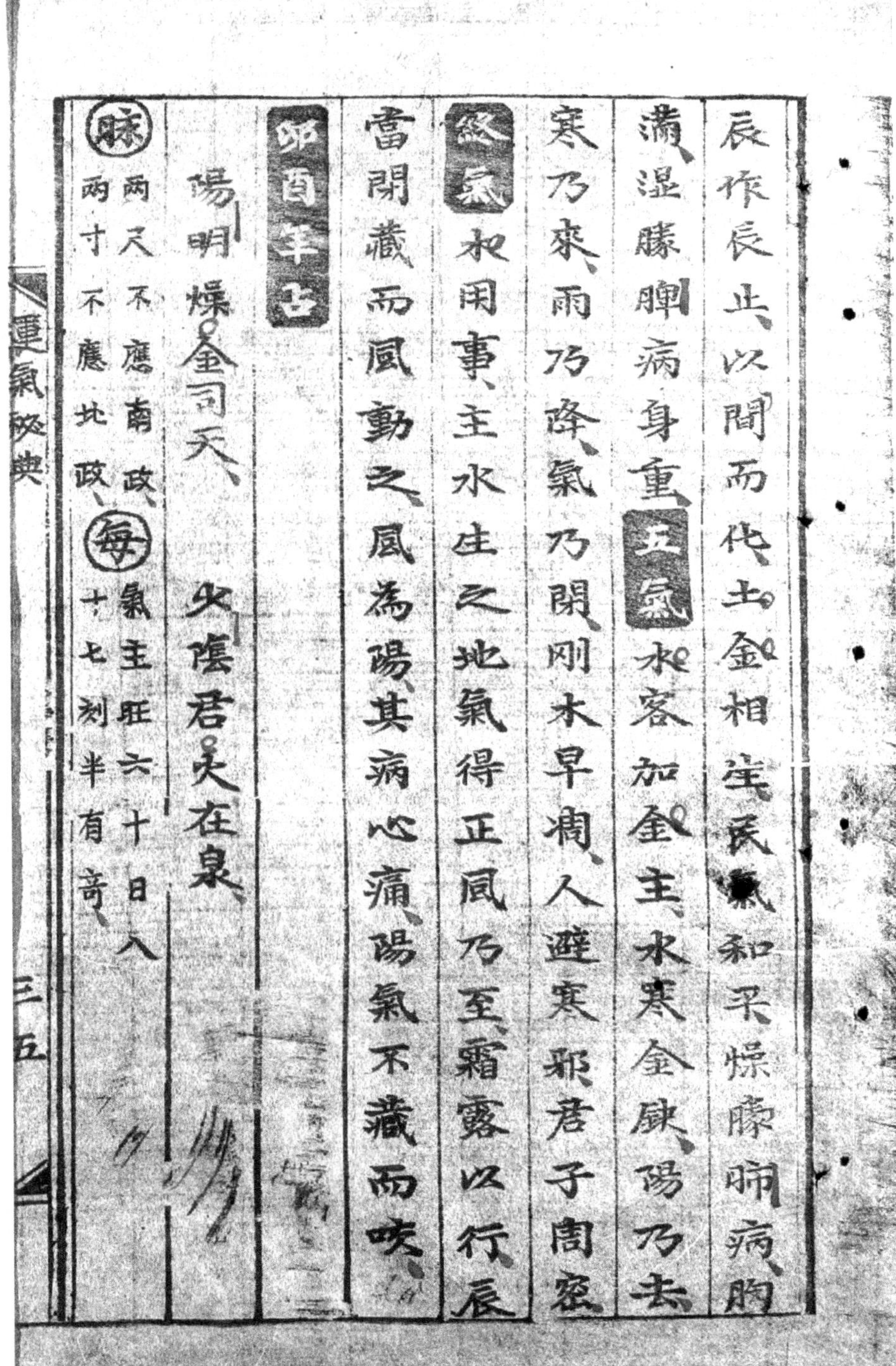

辰作辰止，以間而化。土金相遇，民氣和平，燥勝肺病，胸滿，濕勝脾病，身重。

五氣　水客加金主，水寒金缺，陽乃去，寒乃來，雨乃降，氣乃閉，剛木早凋，人避寒邪，君子周密。

終氣　水加木用事，主水生之地，氣得正，風乃至，霜露以行，辰當閉藏而風動之，風為陽，其病心痛，陽氣不藏而咳。

卯酉年占

陽明燥金司天，少陰君火在泉。

歲　兩尺不應南政，兩寸不應北政。**每**　氣主旺六十日八十七刻半有奇。

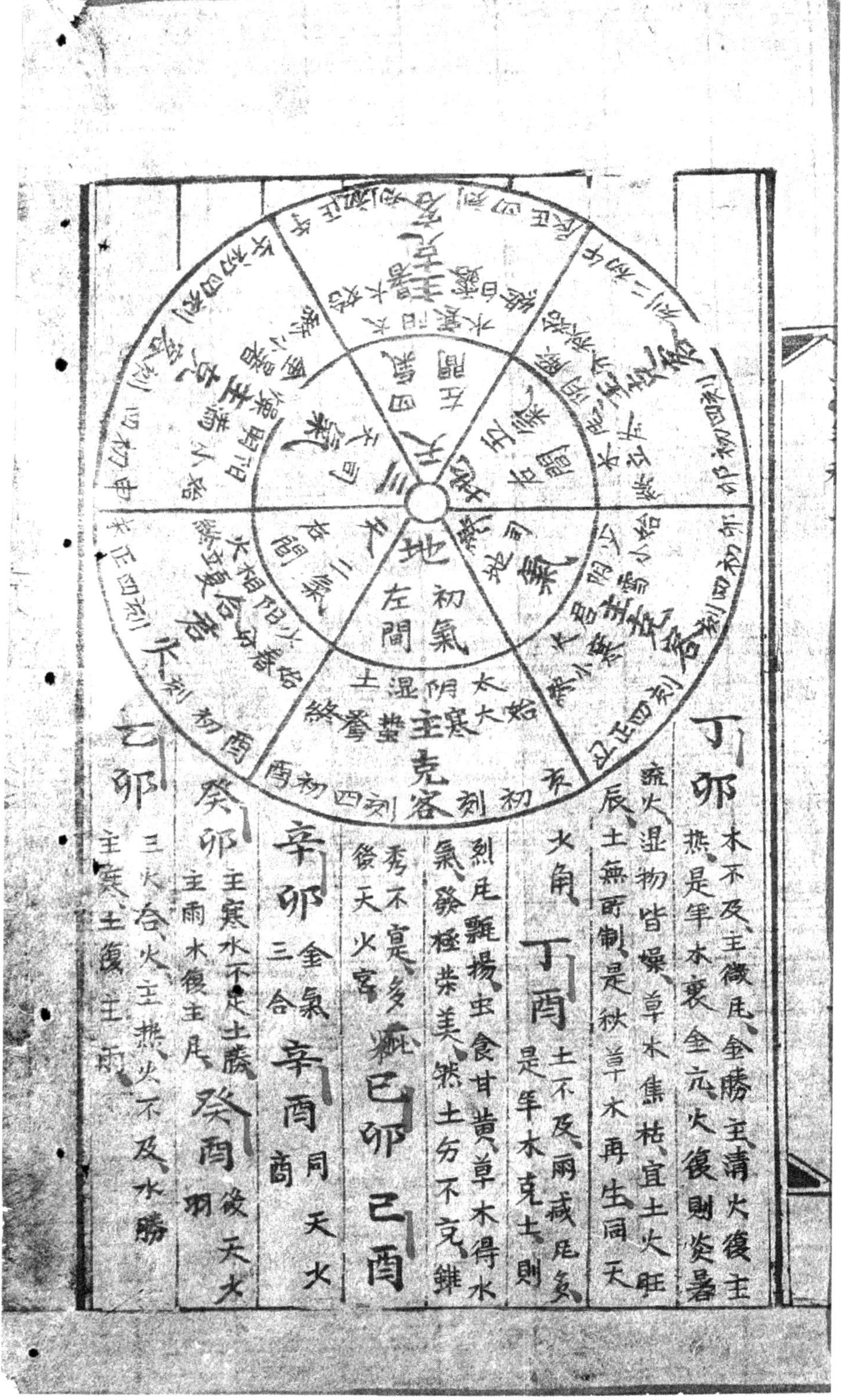

丁卯 木不及，主微凡，金勝主清，火復主熱。是年木衰金亢，火復則炎暑流火，湿物皆燥，草木焦枯，宜土火旺。辰土無所制，是秋草木再生。同天火角。

丁酉 土不及，雨减凡多。是年木克土，則烈凡難揚，虫食甘黄，草木得水氣發，極茂美。然土分不充，雖秀不實，多病。後天火客。

己卯 己酉

辛卯 金氣三合 辛酉 同天火商

癸卯 主寒水不足土勝，主雨水復主凡。癸酉 後天火羽

乙卯 三火合火，主熱，火不及水勝，主寒土復主雨。

乙酉水不及、司天得助、同天少徵、初氣太陰用事、辰寒氣濕、故陰凝燥。金司天、故氣肅、因氣肅而水冰、因陰凝而寒雨代主風。木客濕。土、風陽濕陰、為患木克土、土克水、脾腎受傷、病中熱脹、面目浮腫、鼽衄嚏欠嘔噦、小便黄赤淋二氣相。火用事、於春分後、主氣君。火、陰乃易、陽乃舒、物乃榮、二火交熾、臣位予君、疾疫大至、民善暴死三氣金用事凉乃行、然主以當令、燥熱交合、至三氣之末、主太。陰客太。陽燥極而澤矣、辰行金令、民病寒熱四氣水用事共湿。土旺，辰，寒雨降，四氣之後，在泉君火，水火主臨之，水火相犯，病暴仆振慄譫妄，火氣謟乾，及爲心痛，瘧，腫瘡瘍，瘧疾，骨痿，便血，皆心腎病也。

五氣 風木用事，在泉火温，春令反行，草木反榮，民氣和無病。

終氣 火陰君。火用事，陽氣布，候反温，蟄虫來見，流水不氷，民病瘟疫。

在泉

辰戌年占

太陽寒。水司天　太陰湿土在泉

（脉）右尺不應南政，左寸不應北政。（每）氣主旺六十日八十七刻有奇。

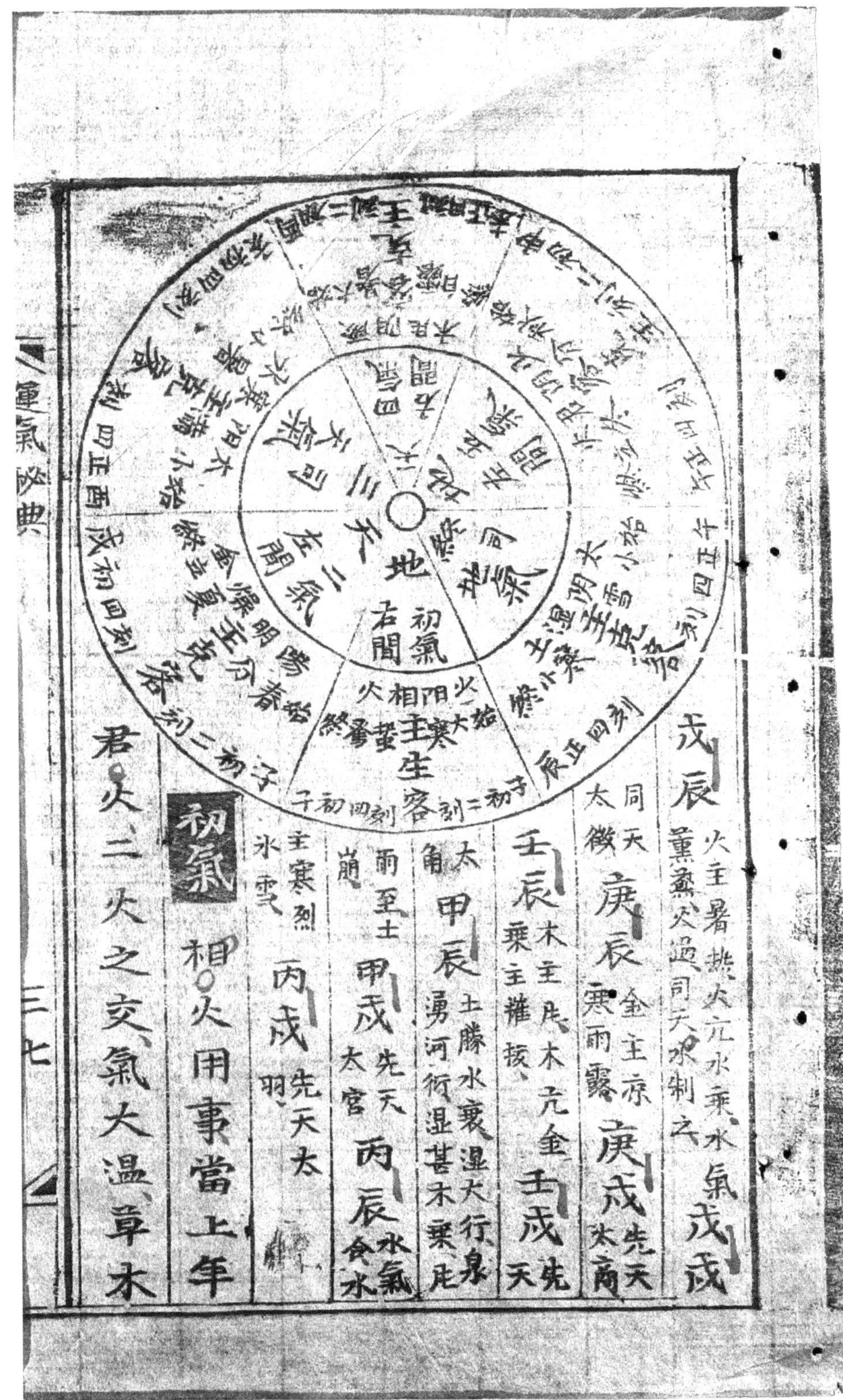

戊辰火主暑熱火亢水乘水薰蒸火過司天水制之氣戊戌

同天太徵庚辰金主涼寒雨露庚戌先天太商

壬辰木主虎木亢金乘主權拔壬戌先天

太角甲辰土勝水衰濕大行泉湧河衍濕甚木乘虎

雨至土崩甲戌先天太宮丙辰水氣食水

主寒烈冰雪丙戌先天太羽

初氣相火用事當上年

君火二火之交氣大溫草木

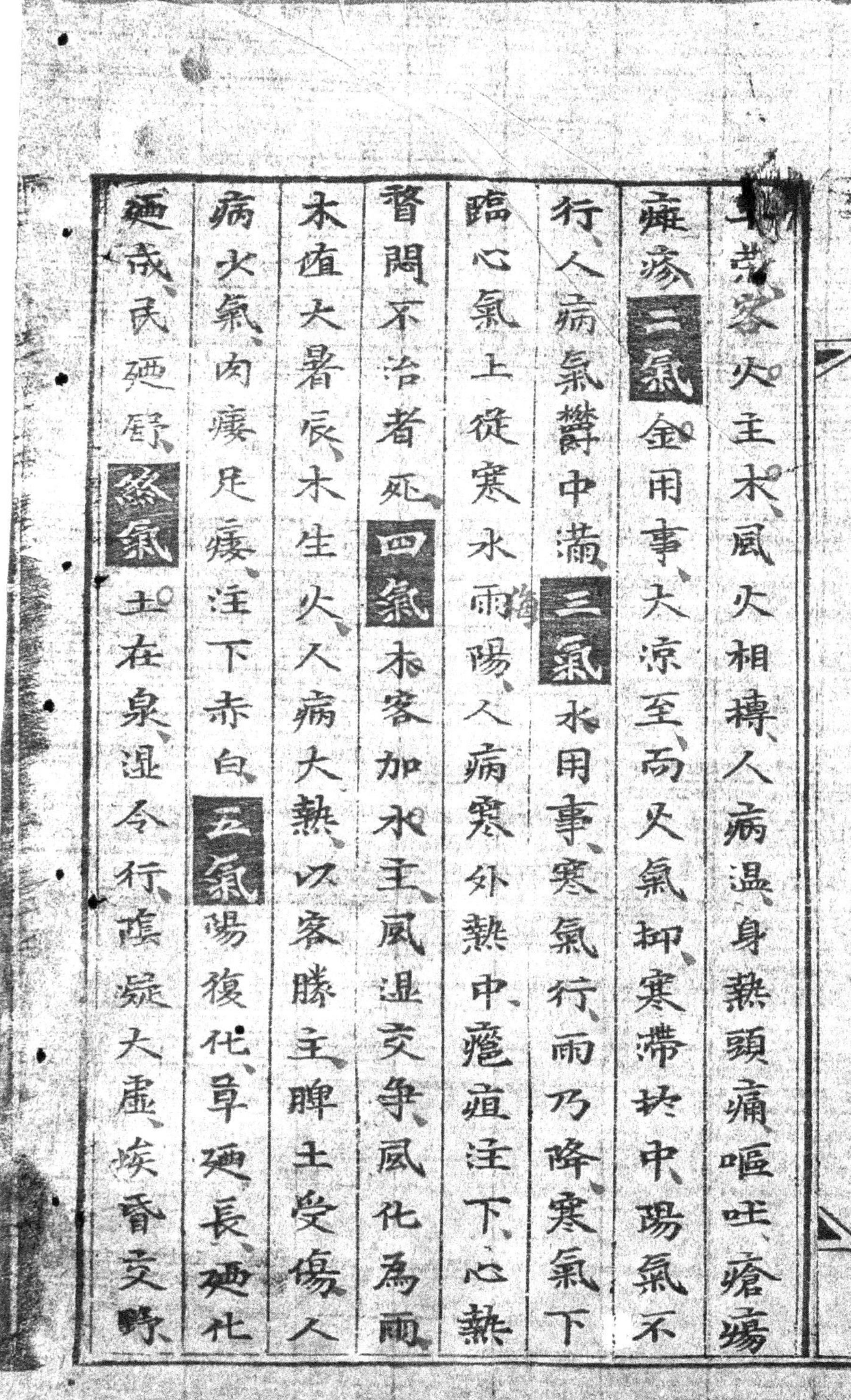
[illegible]客火主木風火相搏人病温身熱頭痛嘔吐瘡瘍
痱疹　二氣　金用事大涼至而火氣抑寒滯於中陽氣不
行人病氣鬱中滿　三氣　水用事寒氣行雨乃降寒氣下
臨心氣上從寒水雨陽人病寒外熱中瘡疽注下心熱
瞀悶不治者死　四氣　木客加水主風濕交爭風化為雨
木值大暑辰木生火人病大熱以客勝主脾土受傷人
病火氣內瘻足痿注下赤白　五氣　陽復化草延長延化
延成民廼舒　終氣　土在泉濕令行陰凝大虛埃昏交野

風寒大至、風能勝湿、則湿反矣、虫從土化、風木非辰相加則土化者當不育人多胎孕産病、

陰陽造化、天干取乎運、地支取乎氣、陰陽對

客氣說

化、天干成五運、地支成六氣、故天氣始於甲、地氣始於子、以二陽相合爲甲子者、干支之首也、天氣終於癸、地氣終於亥、以二陰相合爲癸亥者也、干支之末也、陰陽相間、剛柔相須、故甲子之後、乙丑二陰繼之、丙寅二陽繼之、丁卯二陰繼之、戊辰二陽繼之、己巳二陰繼之、庚

午二陽繼之辛未二陰繼之壬申二陽繼之癸酉二陰繼之十年爲一紀六十年爲一週一紀爲一世十二世爲一運十二運爲一會十二會爲一元又以世運盛衰言之周一世則天地小变週一運則天地大变週一會則天地極变周三元則陽氣不降陰氣不升天地混合又爲無極之氣盖世運之治乱人事之淳漓至於壽夭疾疫靡不由於天地之小变大变而人稟應之也知六客氣以地支十二對冲分之應風寒暑湿燥火而[illegible]

於主氣主運之上而為客氣也，乃至逆從淫勝，然後春有淒風，夏有伏陰，秋有苦雨，冬有愆陽。風勝則地動，火勝則地固，暑勝則地熱，濕勝則地泥，燥勝則地乾，寒勝則地裂，氣候不齊，疫癘辰降。又以十二支循環次序言之，寅卯屬春木也，寅者演也，正月陽氣上，陰氣下，律當彩泳以候之，可述事之机也，卯者茂也，二月陽盛而發孳也。巳午屬夏火也，巳者起也，四月正陽無陰，物悉屈而起也，午者長也，五月陽氣未屈也，陰始生而為主，物皆長大也。辰戌丑未屬四季土也，辰者振也，三月陽已過半，萬物盡振而長茂也，戌者絕也，九月萬物皆裹藏也，丑者紐也，陰上熱而紐之也，十二月終始之打也未者味也六月萬物成而有餘也申酉屬秋金也申者身也七月物体皆成也酉者緧也八月萬物皆緧縮收斂也緧音由子亥屬冬水也亥者劾也十月陰氣剋殺萬物也此地之道也子者北也寒水陰位一陽肇成之始故陰極則陽生壬而為胎也故子對午而為少陰君火丑對未而為太陰濕土寅對申而為少陽相火卯對酉而為陽明燥金辰對戌而為太陽寒水巳對亥而為厥陰風木或問何謂三陰三陽曰君火司午午本熱而其氣當午位陰生之初故標寒而屬少陰也水北方子位水本寒而其氣當子位陽生之初故標熱而屬太陽也

土應長夏未之位也未乃午之次也故曰太陰相火司於寅寅乃丑之次也故曰少陽木居東方震位在人主肝處膈下陰位木必待陰而後生故屬厥陰金居西方兌位在人主肺居膈上陽位金必待陽而後發故屬陽明

答氣詩云

子午君火少陰天陽明燥金應在泉丑未太陰濕土上太陽寒水雨連綿寅申相火少陽旺厥陰風木地中聯卯酉却與子午反如卯酉年司天即子午年在泉子午年司天即卯酉年在泉故曰辰戌巳亥倒皆然如辰戌年司天即丑未年在泉丑未年司天即亥反其位也

辰戌年在泉巳亥寅申皆然故曰倒倒其位也

假如子年占，則以子位少陰君火為司天，而向午，乃南面而位其位也丑位太陰濕土為天之左間，寅位少陽相火為地之右間是為二氣在左以司天與物亥位厥陰風木為天之右間，戌位太陽寒水為地之左間是為二氣在右以司天與物一氣在上乃午也司一歲之天又主上半年一氣在下乃子也司一歲之地又主下半年後三位酉陽明燥金司地，後二位戌太陽寒水為初客氣順行亥厥陰風木為二客氣，子少陰君火為三客氣，丑太陰

每氣主六十日八十七刻半有奇

湿○土為四客氣，寅少陽相火為五客氣，卯陽明燥○金為六客氣。舉此例推。

客氣斷法

凡客氣加于主氣主運之上，乃天辰不齊而民病。

甲子甲午，人多病中滿，是年人應之，先傷腎，後傷脾。土勝尅水，病腸痛清厥，体重肌瘦，尻痿，四肢不舉。

庚子庚午，人多病清洪，是年人應之，先傷肝，後小腹痛；目病耳無聞，甚則火傷肺，自病咳逆肩痛，金病不生水。

戊子戊午，人多病上熱血溢，人多咳瘧，胸筋肩背痛，身熱，人應之，病先傷肺，後傷心，發下部皆病。

壬子壬午，人多病支病，是年人病多怒，剔傷肝，上半身則愈，人應之，病先傷脾，後傷肝。

丙子丙午，是年人多病內熱病厥，明甚則水自病，腹大埊腫，人應之，病先傷心，後傷胃。

以上十年，君○火司天，則金鬱燥○金在泉，則木鬱，鹹而栗

之以調在上之君火甚則以苦發其火以酸收其金君火平則燥金得安矣然火熱金燥非苦寒泄之不可火克金應是年多熱多瘡疫病

總治法

上君火治以鹹寒（以水治火）中甲溫土庚燥金治宜苦熱辛溫泄之溫之丙寒水從之溫之下燥金治宜以酸溫之（戊相火治宜鹹熱從以治之甘寒直治之）歲半前宜遠熱歲半後宜遠寒治上宜遠熱治中下宜遠寒（戊午則不遠寒）

子午年火在天宜熱化使春多清冷大風無雨是巳亥之風運未退也瀉厥陰可也然至春分火已在位木雖

有餘不能過也，燥在下，濕物不成，羽虫同天氣安靖無損，食虫同地氣多育，金在則木衰，毛虫孕不成，金大不和，羽虫亦不成，庚子庚午金乘金運，毛虫傷益甚。

乙丑乙未是年人病寒熱不辰　丁丑丁未是年人病中焦筋痛小腹痛由金克木也腸鳴泄瀉木不生大也　己丑己未是年人多暴病　辛丑辛未是年人病下寒甚則腹痛脹滿人多下部病　癸丑癸未是年人多病火不及陰邪盛而心氣傷腸痛目朦腹大土不及病泄腹滿食少痿痺足不在地

以上十年，濕土在天，土尅水，應心火受病，寒水在地，水侮火，多小腹病，當乙丑乙未二年，乘金運

金雖能生水又值水旺辰其寒益甚寒在地、熱物不成、倮音果蛛猩猓赤裸也虫同天氣安靖無擾、然水土之氣不和、雖生不育
鱗虫同地氣多育、水盛火衰、羽虫多孕不成、辛丑辛未
水乘水運、其傷益甚

總治法

上湿土、治以苦温、從
火化、治湿中乙燥金丁風木、宜苦從火化治金、辛温從
金化治木、巳湿土帝寒水、宜苦和治寒、以熱不及、當温
補下、宜甘熱從土化治寒、辛年不治下、宜苦熱、丑未年土
在天、宜雨化矣、而熱氣尚多、是子午年之火氣有餘未

退也、亥亥為火濕火可也、濕生于春、是少陽不退位之

徵、壬氣不得迁、正萬物當旺不發、人多脾病、其辰多熱

不雨、是小滿前後有雨、是火退而土令矣、遇小暑則土

不能令、當火炎、　丙寅丙申　民多熱病表寒　戊寅戊申　民多濕病

庚寅庚申　民病肩背胸中　壬寅壬申　病掉眩肢節痿躄、是年水有餘、而火司天、是子居母

位上、氣逆、病當吐交作、　甲寅甲申　病体重胕腫痞滿、民病先傷腎、後傷脾腹痛肌裏、足痿四肢不舉

卯上十年、必在上克金、其年多暑傷肺、多熱病、亦在封土

辰年後多風、多脾胃病、賜得其位、天氣正、風動于下、地

氣曚風乃暴挙、木偃沙飛、炎火乃流、陰行陽化、前半年雨乃辰應二氣中、

總治法

上相火治以酸、以水治火中兩木戊火治以鹹温、庚金壬木甲土、治以辛温散其過酸利制其過、酸利制其過、下辛温以金治木、戊年辛温防火過、寅申年相火在天、宜此化矣、兩温兩尚多、是丑未之土運有餘未退也、土反灾矣、濕中卅可也、太陰不退位、四季寒暑不辰、夏反凉、秋反熱、牧成皆瘕、若小滿小暑辰大熱、是火令矣、否則灾、風木在地、清肅而不生、[illegible]

虫同地氣多育木鬱于下火失其位生虫雖不育然同

天氣安靖無損木尅土倮虫耗壬寅壬申木乘木位其傷益甚

丁卯丁酉是年人多病寒熱瘡痛己卯己酉病應于脾食火失味辛卯辛酉

多寒瘧癸卯癸酉病寒熱乙卯乙酉肺病不已以上十年白露早

降寒雨害物然金盛火衰土亦弱矣味甘色黄之物必

生虫人應之病又當脾土受邪也後半年火氣晚治白

穀乃成赤穀稍登君火在地寒物不生羽虫同地氣多

育食虫同天氣無損然地尅天食虫亦不成癸卯癸酉

又兼火運、食蟲傷益甚、

總治法

上苦小温（火化治金）中丁木辛和、（金化和木）己土甘和、（補土）辛水苦和、（以火温中）癸火鹹温（岐以治火温補不足）乙金苦和（苦火治金和補不足）下鹹寒（以水治火）鹹治君火、苦治燥金、然苦必兼辛、本年火盛金盛、辛從金化以求其平、歲半前燥金氣斂、宜汗散之、歲半後君火過熱、宜清之、卯酉年金在天、宜清化之、而暑熱尚多、春多熱者是寅申之火有餘未退也、火反燚矣、瀉相火可也、上年少陽不退位、必秋後有熱、西風延至、金衰受病、司天命金氣在先，木受其克，毛虫乃死，應歲半前；在泉火氣居後，金受其克，介虫乃殃，應歲半後。歲半前多涼，人多筋病；歲半後多熱，人多寒熱病。○戊辰、戊戌人多寒鬱　庚辰、庚戌病燥背悶脊腸腹痛　壬辰、壬戌病掉眩目瞑　甲辰、甲戌病濕下重　丙辰、丙戌病大寒留于溪谷

以上十年，寒在天，水克火，應其年多寒，寒來火，病多癃噎；濕在地，土封水，應其年多濕，病多痺重。

總治法

上治水以苦溫，中戊火甘和，庚金上苦熱中辛溫下甘熱，甲土苦溫，丙水鹹溫，下土治以甘溫，濕以燥之，以治下；寒宜溫之，以治上，味用苦者，從火化以治寒。庚年上下

辰戌年水在天宜寒化美而燥氣尚衰

異治者金屬凉温熱以防凉過也春生清冷但清不大寒是卯酉之氣陽有餘明不退位也燥反寔矣瀉金可也温在地燥物不生倮虫同地氣多育鱗虫受制不成然同天氣己戌者安靖無損甲辰甲戌土乘土運鱗虫多受傷不成

己巳己亥人病多渴体重　辛巳辛亥多風病　癸巳癸亥主熱病　乙巳乙亥人病受火邪嘖嚏血注病陰廢格陽血多上行為無根之火頭脳口舌俱病　丁巳丁亥主熱病　以上十年木在天木克土應多体重骨痿目轉耳鳴火克金其年多熱病

總治法

上木治以辛凉佐金化治

火、中巳土甘和，土虛補之辛水苦和，縱火以溫水之和寒、癸火鹹和，治以補水火不足乙金甘和、收金補金丁木辛和，制木下火以火化治火酸寒辛以諷之、以金治木也、和以中治、補其不及也、鹹以諷下、以治火也、相火虛寔多难辨、慎之、無妄施也、巳亥年不在天、宜風化矣、而寒氣尚多、是辰戌之寒氣有餘未退也、木欲當令、而寒水不去、春必寒、是春失其辰也、不失其正、人多肝經筋彎病、若三春內寒去風行、不在天、否則實天至、火在地、寒物不生、毛虫同天氣無損、羽虫同地氣多育火制金化食虫不成火在泉則木爲退氣毛虫亦不育又云氣相得則和乃客氣生主氣也又不相得則病乃客氣克主氣也蓋主氣位居下客氣位居上如主生客則主反居上爲逆而病

運氣總斷法

經曰先立其年以明其氣每年先立運氣以審其太過不及然後以地之主氣爲本天之客氣加臨於上爲標以求六化之變如氣之勝也乃客氣克主氣也微者隨之甚者制之氣之復也乃主氣受克受克之子復母讐之義故曰復和者平之暴者奪之皆隨勝

氣安其位，以平為期，主氣祇奉客氣之天而已。客勝主則從，主勝客則逆，二者有勝而無復也。主勝則鸞主補客客勝則鸞客補主陽年先天，辰化則己強，而以氣勝寔，主克客也故不勝者受邪。陰年後天，辰化則己弱，而以氣勝衰，客尅主也故勝己者來尅。

古運氣秘訣

此訣參按七政大會運氣，與三才賦小運法

其法主運不若客運，主氣不若客氣。抑考甘氏古雲籙天圖司天運、地運，乃守常之數，不能盡天地之變。天氣地氣、運復升降、統攝陰陽、司造化之權，窮造化之變，故占者最爲開重焉蓋主運主氣以位而相次子下亦猶春温夏暑秋凉冬寒客運客氣各以其氣而周流于上得其位者則天地泰而羣生和失其位者則天地否而萬物瘼凡逐年占者其一立本年主運爲一局以知此年自某節至某節屬某運其二立本年客運爲一局以知此年自某月至某月屬某運審此年或太過或不及五陽年爲太過五陰年爲不及又觀五客運與五主運生尅吧和以知順逆微和客運生主運爲順客主爲逆主生客爲和主克客爲微主客相同爲比和以太過之運順則從之雖彼之強生我其氣已洪

彼而治之也逆則制之彼之強而且逆治宜制彼以扶我也微則導之彼雖強我勝之其氣微治宜導之和則解之彼雖強而與我同氣亦不為害治宜和而解之不及之運順則奪之彼既弱而氣又衰治則奪之逆則取之彼既弱而凌我勞已懸殘治宜攻而取之微則伏之彼既弱我又勝之其勞必伏治則制之使彼自伏和則解之彼雖強而與我同氣亦不為害治宜和而解之又當以天運地運參而斷之止最要者以天氣地氣為本故其三立本年主氣為一局以明此年自某節至某節為某氣也其四立本年客氣為一局以知某支為司天某支為司地某支起初氣至六氣又按本年某氣之主如子午年君火主之治宜鹹寒之類又推

此年六客氣六主氣生尅比和子年占子年為司天、酉為司地、初客氣戌寒水加主氣巳木、乃上生下、二客氣亥巳木加主氣君火、乃上生下、三客氣子君火加主氣相火、乃上下比和、四客氣丑湿土加主氣湿土、乃上下比和、五客氣寅相火加主氣燥金、乃上克下、六客氣卯燥金加主氣寒水、乃上生下上生下為相得乃謂氣相得則和此土臨知是也下生上雖有相得而病為不齊乃不當其位、子居上父居下、又云主氣臨于客氣之下、天辰不青而民病上尅下下尅上、為不相得乃謂氣不相得則病故相得者順、不相得者逆順則微者從之、逆則甚者制之、又以客運六氣相加而斷之大抵司天尅客運則順、如庚子年君火司天尅客運金是也客運尅司天則逆，如甲辰年，甲土運尅辰寒水司天是也。客氣尅客運則順，乃六客氣尅五客運，如客氣君火尅客運水是也。客運尅客氣則逆，乃五客運尅六客氣，如客運土尅客氣寒水也。客運與天氣相同曰天符，如戊子年戊火也，子亦君火是也。天氣生客運曰順化，如甲子年天氣子為君火生甲土運是也。天氣尅客運曰天刑，如庚子年天氣子為君火尅庚金運是也。客運生天氣曰小逆，如壬子年壬乃木運生天氣子君火是也。客運尅天氣曰不和，如丙子年丙乃水運尅天氣子君火是也。客氣臨水氣之位曰歲會，如丙子年丙乃水運，子本水位，乃兩水也；丙午主火，六氣為君火，乃兩火也。故兩重水兩重火相會為歲會。天符歲會曰占，月占歲，此得病按此者尤盛。

相會曰太乙天符如己未年，己為土運，未為天氣濕土，氣運相同，曰天符，又己干為土，未支為土，是運本氣為歲會，若得天符歲會相合是也。客運與孟月相合曰支德符如壬寅年，以孟春為支分符，蓋壬是木運，寅是木支，孟春是寅月屬木，曰支分符。客運與交司日相合曰干德符如甲己年，甲與己合，正月初一日乃交司天之日也，若此日又得己日，此為運與交司相合，曰干分符，此年亦為平氣之年。太過之運加地氣曰同天符如庚子年，庚乃陽干為太過之年，庚乃金運，子年占則陽明司地，是運與地兩重金相合，故曰同天符。不及之運加地氣曰同歲會如辛丑年，辛乃陰干，為不及之年，辛乃水運，丑年占則寒水司地，是運與地氣兩重水相合，故曰同歲會。以上運氣以天氣相加兩斷，又看六十甲子全圖以求備歲審吉凶，填是運氣萬全之秘典。

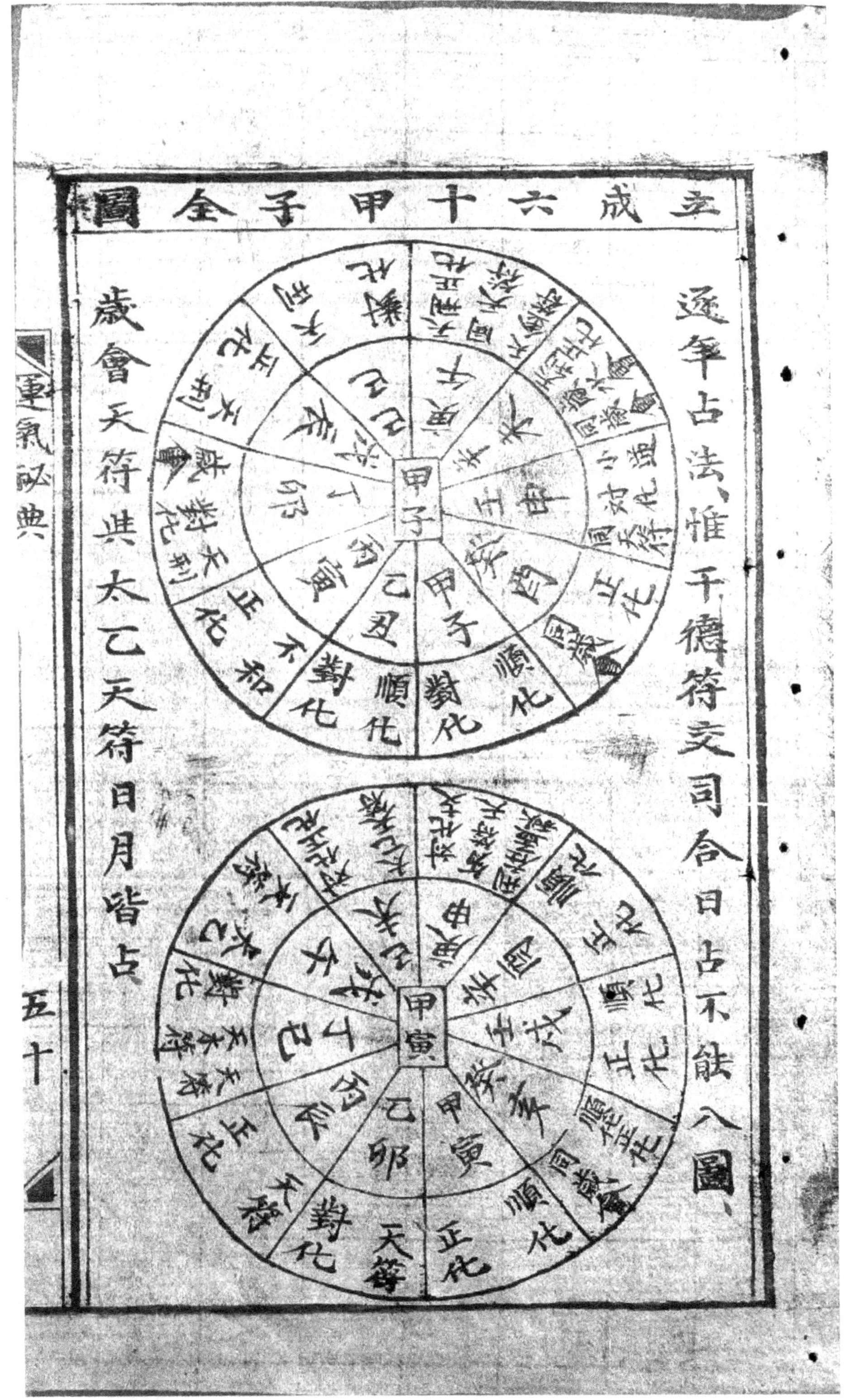

立成六十甲子全圖

逐年占法、惟干德符支司合日占不能入圖、

歲會天符與太乙天符日月皆占

運氣秘典　五十

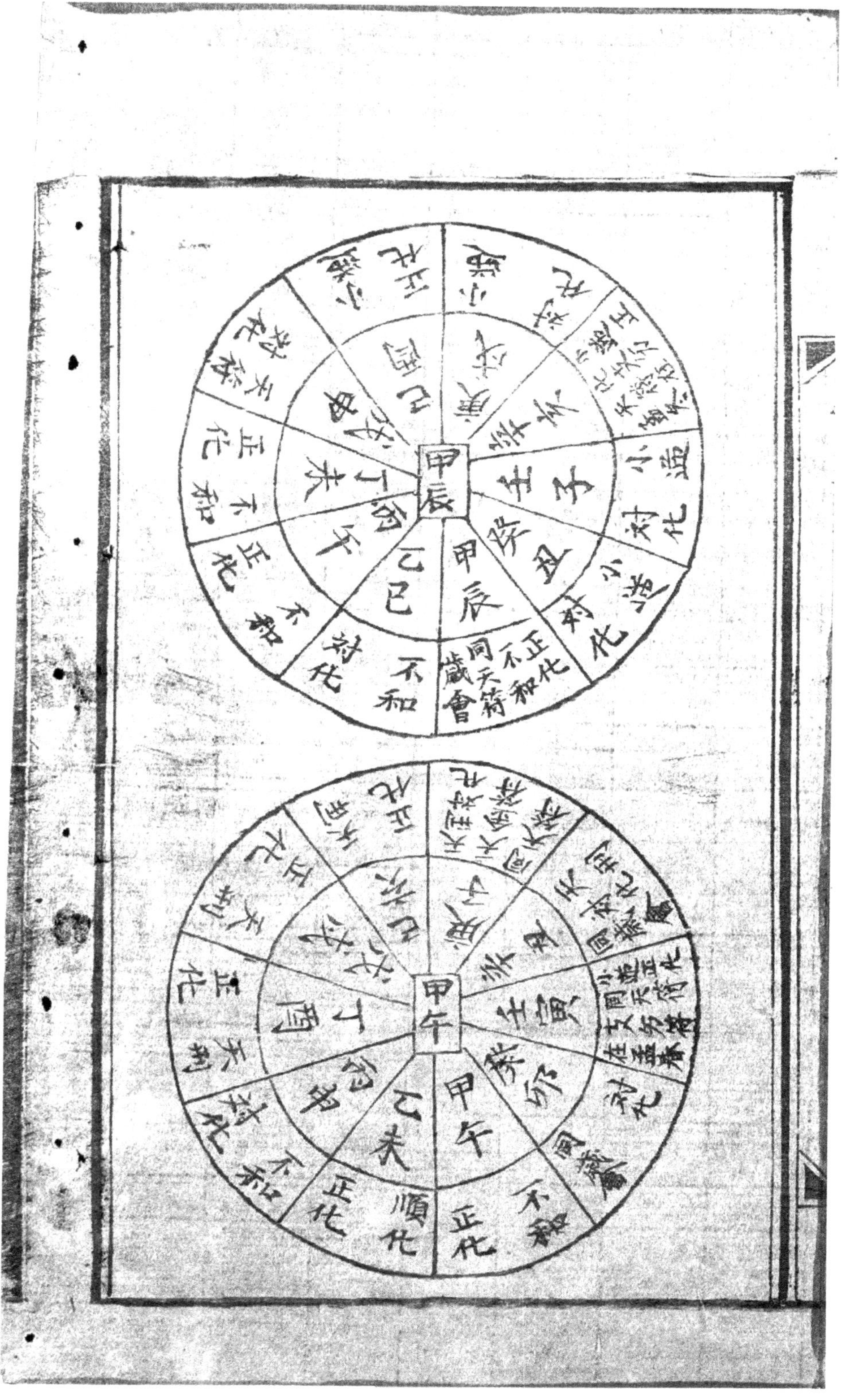
甲辰
甲辰
乙巳
丙午
丁未
戊申
己酉
庚戌
辛亥
壬子
癸丑
甲午
甲午
乙未
丙申
丁酉
戊戌
己亥
庚子
辛丑
壬寅
癸卯

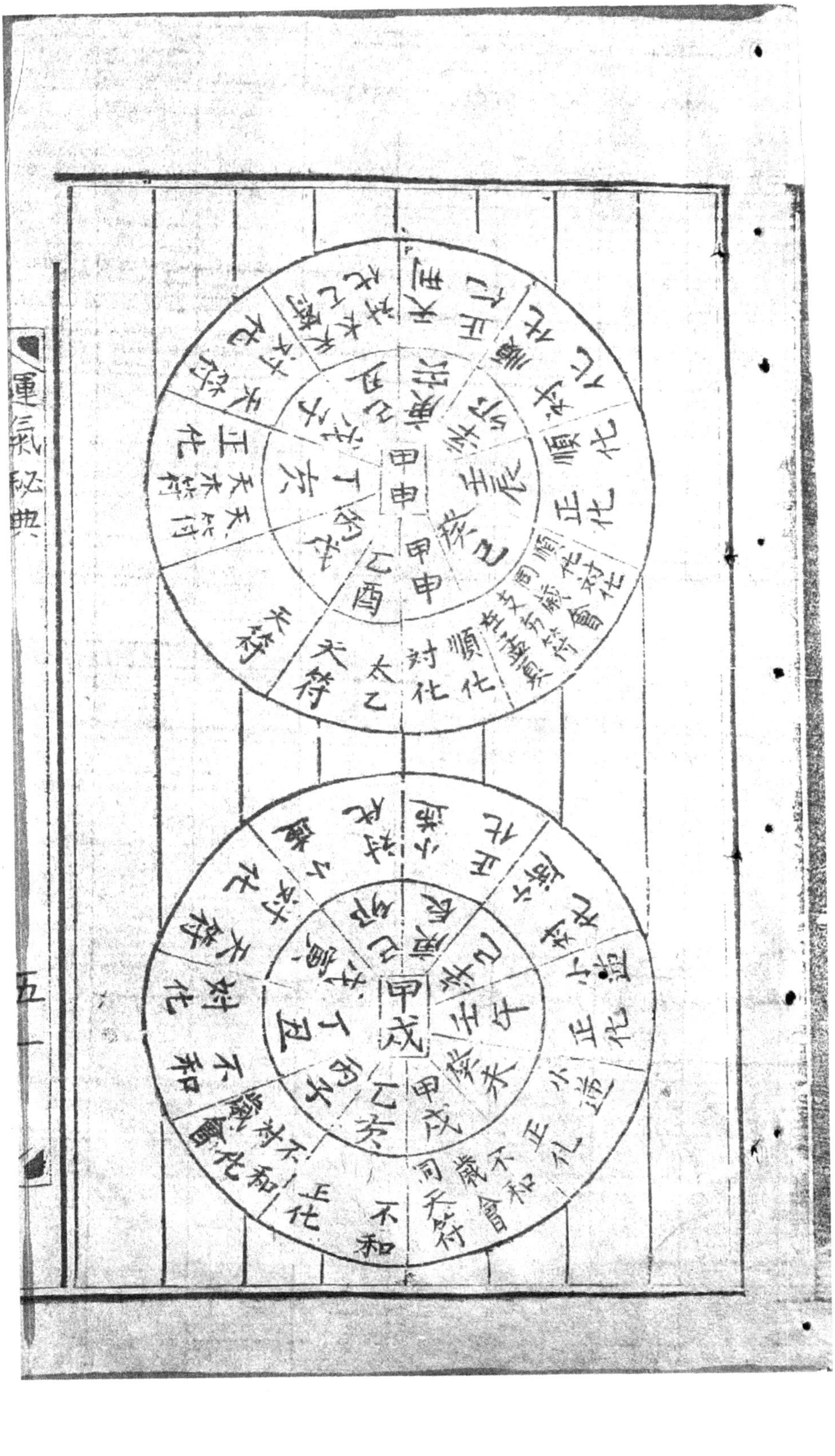

運氣秘典　五一

六十甲子全圖斷法

天符 乃天運天氣相比，理如符合，故曰天符。不但年占，亦可日月皆占。凡得病於此日者速而危，倘更遇本年又是天符或歲會，而病沉痾難免。如丙戌年戊子日，是年日皆天符；癸卯年丁亥日，是年歲會而日天符。餘倣此。

順化 乃天氣生天運，其理順，故曰順化。雖太過之年逢之，亦不甚過，蓋順解其凶也。不及之年逢之，其苦已順，當然正治。

天刑 乃天氣尅天運，必有刑殺之意，故曰天刑。凡占遇此者，不惟太過不及之年其凶尤甚且此年之氣化亦多惡厲病者逢之惡症如蜂起也**小逆者**乃天運生天氣下生上如子臨父上不當其位故曰小逆凡占遇此者如太過之年甚惡尤長不及之年其凶亦甚**不和者**乃天運克天氣以下賊上故曰不和凡占遇此者既為天辰逆氣不和顯疫癘突傷亦為不吉之兆**歲會**乃運氣相同運之干支亦相同兩重相會故曰歲會不但年占亦可日月皆占如得病於此雖不死亦勢遲而痊緩也若更值歲會年

或歲會日月其病尤甚如丁卯日更遇甲辰年甲辰月是也**太乙天符**乃天符歲會兩並相合故曰太乙天符但太乙乃天上至尊之神掌陰陽生殺之權一合天符歲會必有刑殺羣生之意不但年占日月皆占凡遇此年日月者必死**支德符**乃甲祿在寅丙祿在巳庚祿在申壬祿在亥若遇木運木支木月則爲支德符如火金水亦然凡占遇此者吉上逢亥亥中藏吉**干德符**乃甲與己合乙與庚合丙與辛合丁與壬合戊與癸合若甲

占年干與正月初一日相合是為干德符凡占遇此者則得吉之又吉得凶則凶中有救【同天符】乃天運金地運金兩金相符亦如天運天氣相符故曰同天符其斷法亦依天符然凶殃有減一二分蓋取亞也【同歲會】乃天運天氣亦相符如同天符法但以陽運為同天符陰運為同歲會其斷法亦藏歲會之凶【正化】乃干支之效照拘齊五行得位故曰正化天之運氣行令皆宜人事占亦宜【對化】乃干支沖擊五行相射故曰對化天之運

氣行令皆虛，人事占亦虛。天金符乃金運年，又值年支子午，故曰天金符。凡占遇此者，病則況重難醫。甘氏曰：得沖對可解。天木符乃木運年，又值年支寅申，故曰天木符。凡占遇此者，病不治，危而纏綿難愈。歲水會乃大統曆八宮，占有此，惟辛未干支得之。凡占吉凶，共歲會不藏。

五運病機

木運屬於肝，凡諸風掉眩，皆其候也。火運屬於心，凡諸痛痒瘡瘍，皆其候也。土運屬於脾，凡諸濕腫滿，皆其候也。水運屬於腎，凡諸寒收引，皆其候也。金運屬於肺，凡諸氣膹鬱，皆其候也。

六氣

病机。厥陰風木、主肝與胆之氣、凡諸暴强直支痛緛（然上声 录也）戾、裡急筋緒者、皆其候也。少陰君火、主心與小腸之氣、凡諸喘嘔吐酸、暴注下廹、轉筋、小便赤煩渴脹滿、瘧疽瘡疹、瘤氣結核、吐下霍亂、瞀（音戊）鬱浮腫鼻窒鼽衄、血溢血泄、血淋血閉、身熱惡寒、戰慄驚恐或悲笑譫語、血汗者、皆其候也。太陰濕土、主脾與胃之氣凡諸痓強直、浮腫痞滿、吐虫霍亂、体重、肉如泥、按之不起皆其候也。太陽相火、主心胞絡與三焦之氣凡諸熱瞀瘛、暴瘖冒昧、躁擾狂越、詈音利罵驚駭、浮腫酸疼、逆冲禁慄、如喪神守、嚏嘔瘡瘍、喉痺耳鳴、及聾嘔涌音勇溢食不下數吐之狀、目昧不明、暴注瞤瘛、暴病者皆其候也。○陽明燥金、主肺與大腸之氣、凡諸澁枯乾涸、勁直皴揭、皆其候也。○太陽寒水、主腎與膀胱之氣、凡諸上下所出水液澄徹清冷、癥瘕㿗疝、堅痞腹滿急痛、下痢清白、食已不饑、吐利腥穢、屈伸不便、厥逆禁錮、皆其候也。

○**正化對化** 附以下出運氣尋源卷

按圖書運氣總論有曰正化

之歲亥午未寅辰酉亥是也對化之歲亥子丑申戌卯巳是也今夫午正南火之旺也未西南土之旺也寅東北火之生也辰東南水之庫也酉正西金之旺也亥西北木之生也是為正化之年子对午得火之氣丑对未得土之氣申对寅得火之氣戌对辰得水之氣卯对酉得金之氣巳对亥得水之氣是為对化之年正化者午元是火未元是土寅元是火辰元是水酉元是金亥元是木此而當天泉左右之六氣令之定也參之河圖占

內層一二三四五之数，從本質而生，属天地之生数也。治之當從其本。對化者，子非是火，丑非是土，寅非是火，戌非是水，卯非是金，己非是木，此而配上下後先之六氣令之歪也。参之河圖，占外層六七八九十之数，從剩氣而成，属天地之成数也。治之當從其標。

六律六吕之圖

三分損益，隔八相生。　旋相為宫，生五聲，
律娶妻而吕生子，　二変為八十四調。

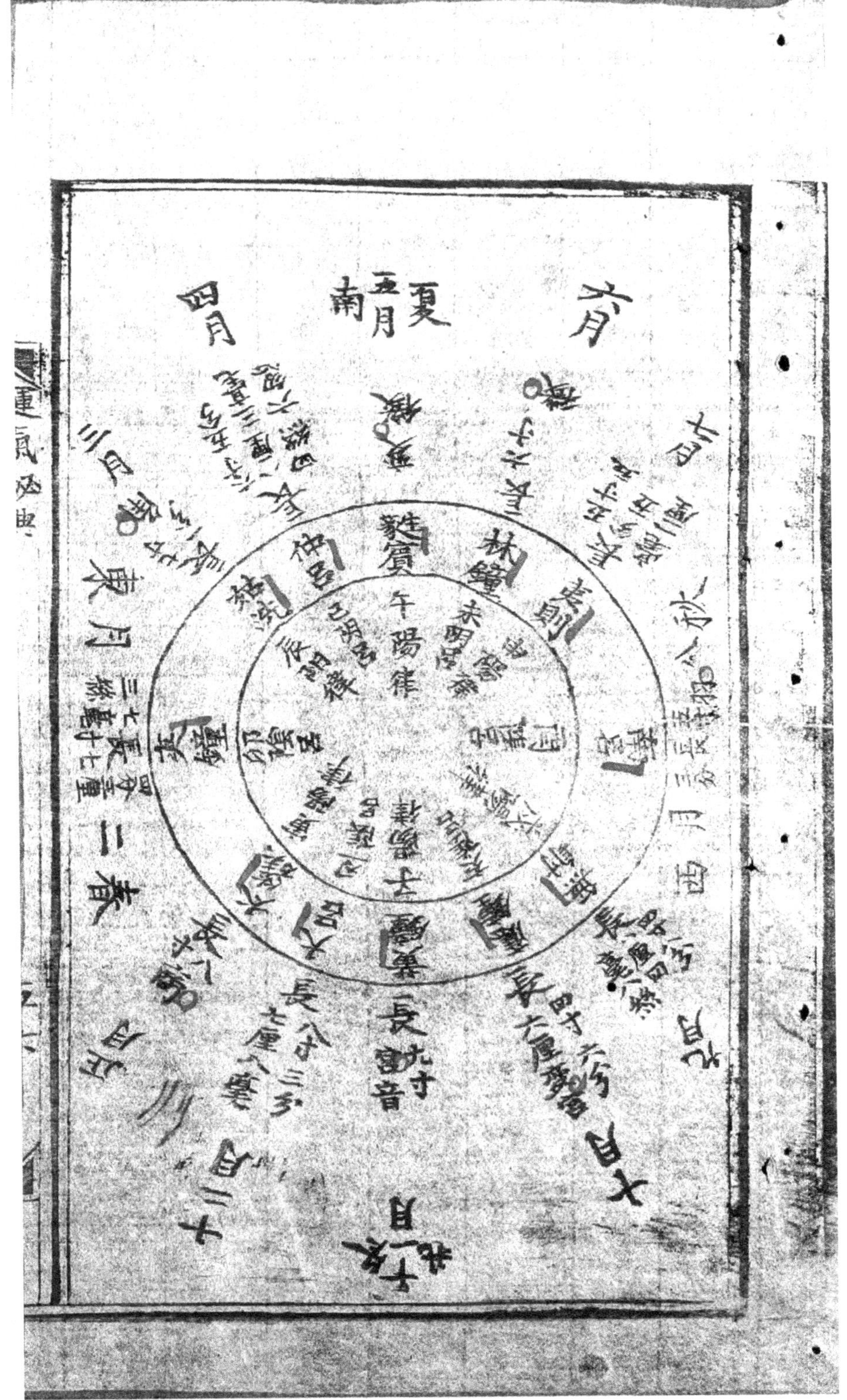
六月
夏
五月
南
四月
林鐘
蕤賓
午陽律
東
月
西
春
秋

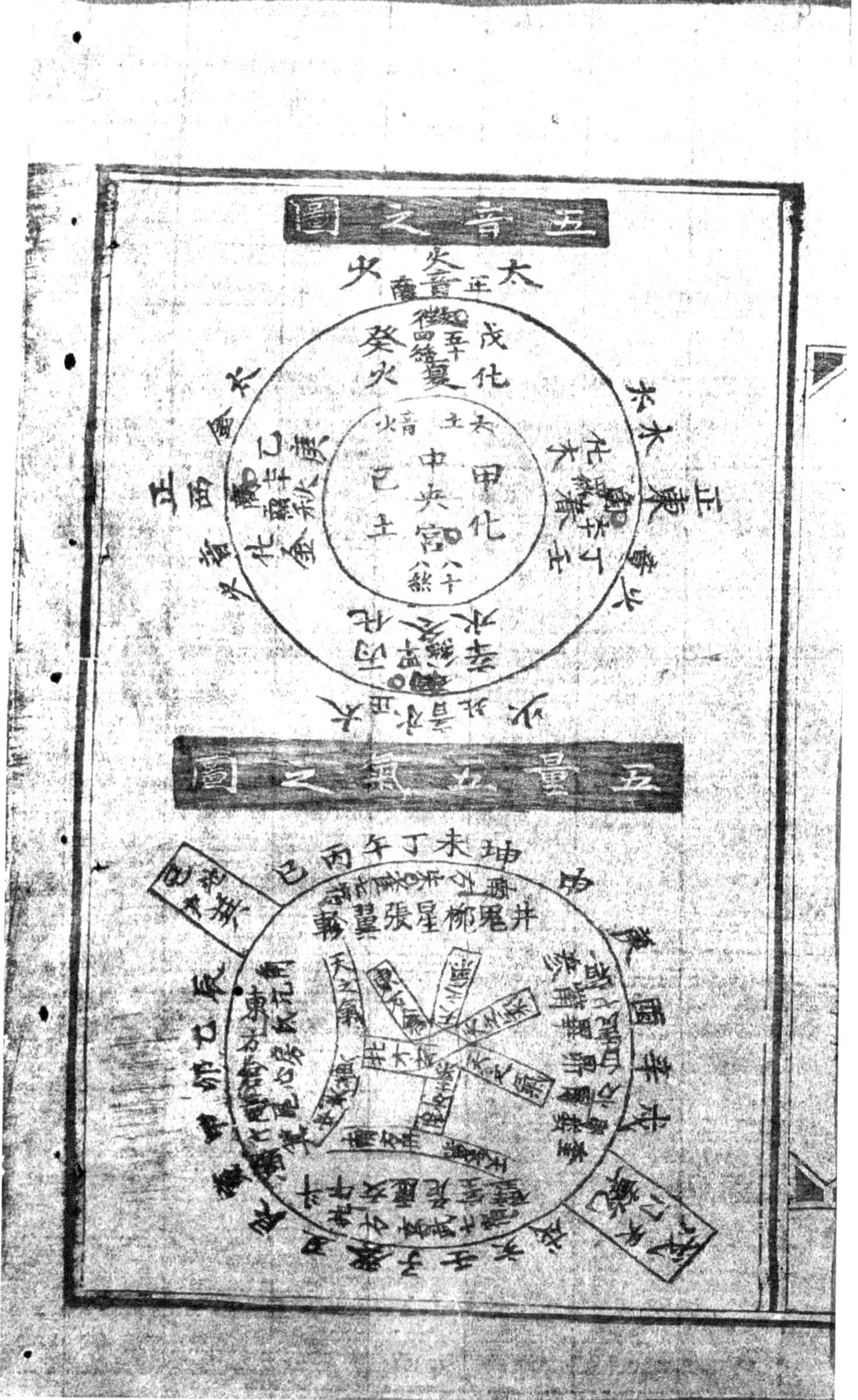
五音之圖

正化対化之圖

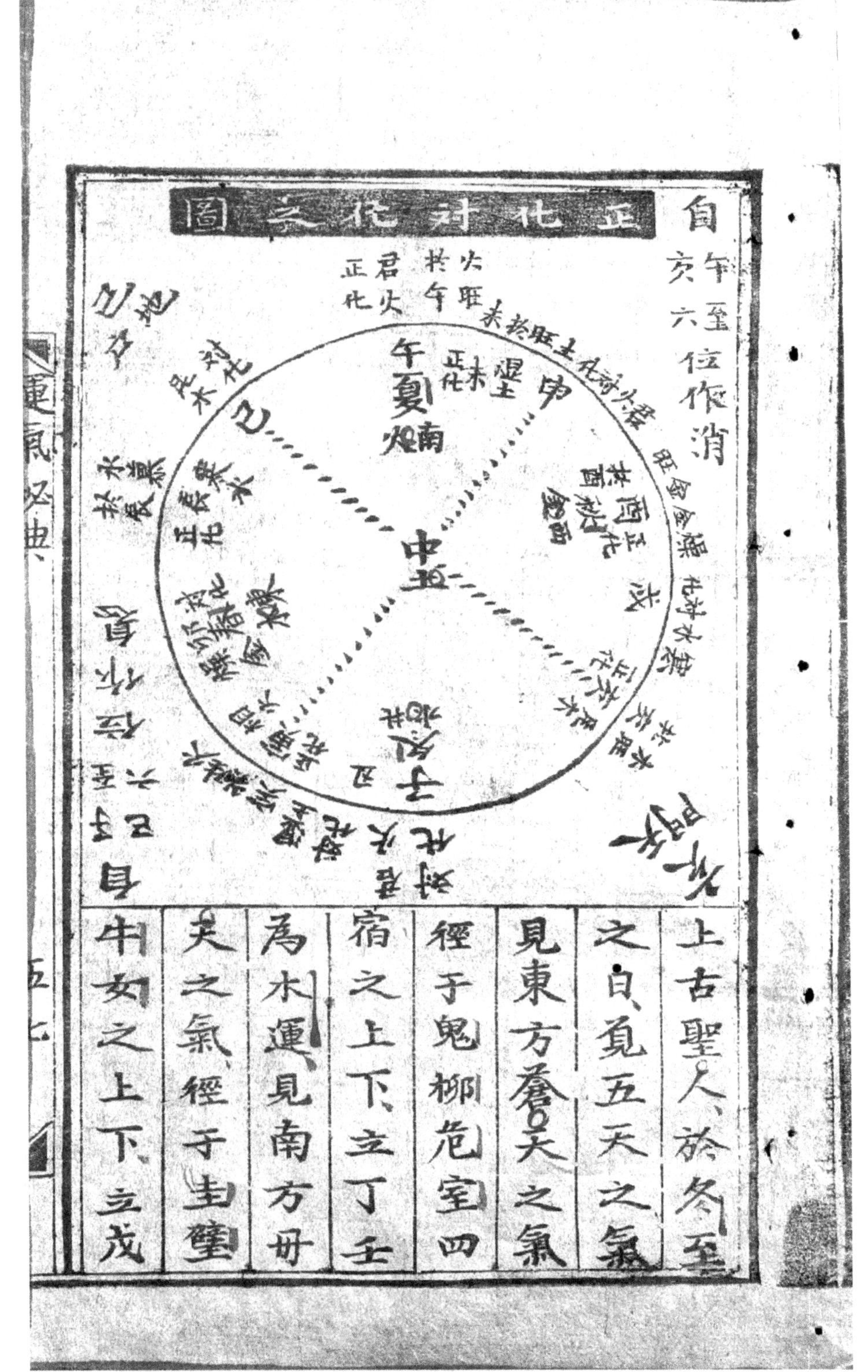

上古聖人、於冬至之日、覔五天之氣、見東方蒼天之氣、經于鬼柳危室四宿之上下、立丁壬為木運、見南方丹天之氣、經于奎璧牛女之上下、立戊

癸為火運、見中央黃天之氣、經于心尾軫角四宿之上下、立甲己為土運、見西方素天之氣、經于亢氐畢觜四宿之上下、立乙庚為金運、見北方玄天之氣、經于張翼婁胃四宿之上下、立丙辛為水運。詳見類聚註、

或問甲不為木、與陰土己俱化為土、乙不為木、與陽金庚俱化為金、丙不為火、辛不為金、同化為水、丁不為火、壬不為水、同化為木、戊不為土、癸不為水、同化為火、何也？曰十二支從子上起、加甲丙戊庚壬五陽干於上、順

數五位，到辰，辰上撞著某干，便化某行。如甲己還加甲，係甲己歲，加甲於子，順數至辰，臨戊，戊屬土，甲己便化爲土。乙庚、丙作初，係丙庚歲，加丙於子，順數至辰，臨庚，庚屬金，乙庚便化爲金。丙辛尋戊起，係丙辛歲，加戊於子，順數至辰，臨壬，壬屬水，丙辛便化爲水。丁壬庚子居，係丁壬歲，加庚於子，順數至辰，臨甲，甲屬木，丁壬便化爲木。戊癸尋壬子，係戊癸歲，加壬於子，順數至辰，臨丙，丙屬火，戊癸便化爲火。十干之數，必至辰位而化五行

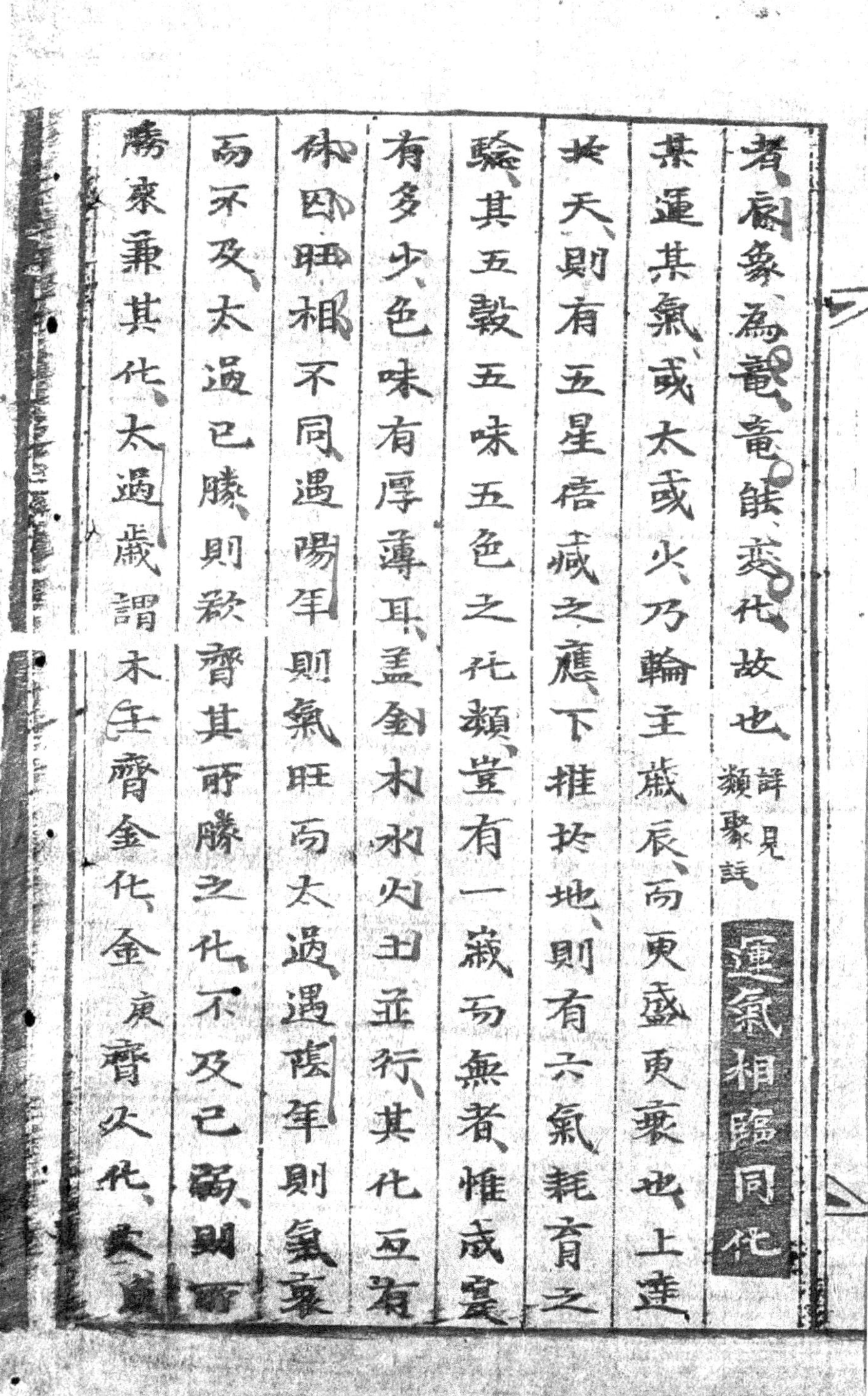

者肖象為竜竜能變化故也詳見類聚註

運氣相臨同化

其運其氣或太或少乃輪主歲辰而更盛更衰也上達於天則有五星居歲之應下推於地則有六氣耗育之驗其五穀五味五色之化類豈有一歲而無者惟成衰有多少色味有厚薄耳蓋金木水火土並行其化互有休囚旺相不同遇陽年則氣旺而太過遇陰年則氣衰而不及太過已勝則欲齊其所勝之化不及已弱則所勝來兼其化太過歲謂木壬齊金化金庚齊火化火戊

齊水化，水（丙）齊土化，土（甲）齊木化也。不及歲謂木（丁）兼金同化，金（乙）兼火同化，火（癸）兼水同化，水（辛）兼土同化，土（己）兼木同化。其司天與客氣客運相臨，有順逆相刑相仇。運同天（運同者比和也），則同其正；天抑運（抑者克制也），則反其平。如是五氣平正，則無相凌犯也。太過之歲，五運各主六年，乃五六三十陽年也。太角謂六壬年（陽木也），逢子午（君火）寅申（相火）司天（壬子、壬午、壬寅、壬申），則木運為逆者，火居其上也（子居父位）。居其上為逆。太徵謂六戊（陽火）年，或逢辰戌（寒水）司天正抑其失乃爲平氣之歲（火有水克曰平氣）上羽（上氣寒水司天）與正徵（戊午）同也（戊辰戊戌）太宮謂六甲（陽土）年太商謂六庚（陽金）年內逢子午寅申二火司天正抑其金復爲平氣之歲（金有火克曰平氣）上徵（上氣君火相火司天）與正商（乙酉同也庚子庚午庚寅庚申）逢辰戌（寒水）司天爲逆（庚辰庚戌）水爲金之子居上則爲逆太羽謂六丙（陽水）年也不及之歲五運各主六年乃五六三十陰年少角謂六丁（陰木）年逢巳亥（厥木）司天爲運穙耿上角（上氣見厥木司天）同正角（丁卯）也（丁亥丁巳）逢卯酉（燥金）金司天與運兼化上

商上氣見燥金司天同正商乙酉也丁卯丁酉逢丑未濕土司天，以水不及，金兼化，則土得其政，上宮上氣見濕土司天同正宮己丑己未也丁丑丁未。少徵謂六癸陰火年，內逢卯酉燥金司天，以火不及，水兼化，則金得其政，上商上氣見燥金司天同正商乙酉也癸卯癸酉。少宮謂六己陰土年，內逢丑未濕土司天，為運得其助，上宮上氣見濕土司天同正宮己丑己未也丁丑丁未。逢巳亥風木司天，共運兼化，上角上氣見風木司天同正角丁卯也己巳己亥。少商謂六乙陰金年，內逢卯酉燥金司天，為運得其助，上商上氣見燥金司天同正商

乙酉也、乙卯乙酉逢巳亥風木司天、以金不及火兼化、則木得其

政、上角上氣見風木司天同正角丁卯也、乙巳丁亥少羽謂六辛年陰水

內逢丑未濕土司天、與運兼化、上宮上氣見濕土司天同正宮己丑

己未也、辛丑辛未內言上者、乃司天之令、其五太五少、歲所紀

不同者、蓋遇不遇也、如司天君火子午相火寅申寒水辰戌常

爲陽年、司天濕土丑未燥金卯酉風木巳亥常爲陰年、紀六十

年中、各有上下臨遇、司天勝運天刑、運勝司天不和、或運當

天過、不務其德、而淫勝其所不勝、或運當不及、而避其

所勝、不兼其化、如太乙天符歲會同天符同歲會、已具他論、不復贅也。

論南北政

運用十干起、則君火不當運也、六氣以君火為尊。子午少陰君火司天五運以濕土為主、甲己化土土起初運故甲己土運為南政、丙戊庚壬乙丁辛癸諸運為北政。蓋土以五成數、貫金四木三水二火一、位居中央、君居南面而行令、四位以臣事之、北面而受令、所以有別也。而人脈應之、甲己之歲土運、南面論脈、南為上而北為下、則寸在南而尺在北、餘水火木金四運北

面論脉、北為上而南為下、則寸在北而尺在南、南政之
年、少陰司天、兩寸不應、乃以南為上而北為下、北政之
年、少陰在泉、兩尺不應、乃以北為上而南為下、蓋南政
歲南面行令、其氣在南、所以南為上而北為下、司天在
上、在泉在下、人氣應之、故寸為上而尺為下、左右俱同
北政歲北面受令、其氣在北、所以北為上而南為下、在
泉應上、司天應下、人氣亦應之、故尺應上而寸應下、司
天應兩尺、在泉應兩寸、地之右間為右寸、左間為左寸

天之左間爲左尺、右間爲右尺、正與男子南面受氣寸脉常弱、氣鍾於南、則寸常弱、女子北面受氣、尺脉常強、氣鍾於北、則尺常強、之理也、以其陰沉下、故不應也、厥之不應者、乃以三陰之中少陰所居之處言之、而又分南北二政以定上下也、六氣之位、則少陰居中、（地之中 天之中）而厥陰居右、（地之右 天之右）太陰居左、（地之左 天之左）豈可易也、其少陰則主兩寸尺、（南政少陰司天、兩寸不應、在泉兩尺不應 北政厥陰在泉、兩寸不應、司天兩尺不應）厥陰司天在泉、當居右、故右不應、太陰司天在泉、當居左，故左不應，依南北而論尺寸，若要其手而診之，則陰沉于下，反沉爲浮，細爲大突。又經曰：尺寸反者死，陰陽交者死。先立其年，以知其氣左右應見，乃可以言死生之順逆也。更主在脉，以別其反，以詳其交，而後知造化死生之微也。陰陽交者，以其年少陰在左，當左脉不應而反見於右，陽脉本在右而交移於左，是少陰所易之位，非少陽則太陽脉也，故曰陰陽交。交者死，惟辰戌丑未寅申巳亥八年有之。五八四十支 尺寸反者，如其年少陰在尺，當尺不應，而反見於寸，陽年在寸而反移於尺，故曰尺寸反。反者死，惟子午卯酉四年應之，四五二十支然必也陰陽俱交始為交也，尺寸俱反始為反也，若但本位當應而不應，乃陰氣之不應也，止疾而已，不在陰陽交尺寸反之例。

南北政指掌圖六甲六己共十二年為南政，從中指端逆起。六丙六戊六庚六壬六丁六乙六辛六癸共四十八年為北政，從中指根逆起。其法以南政子年起中指端，北政子年起中指根，俱逆行輪之，凡年辰所值之處，即其不應之位，如南政子年起中指端即兩

寸不應丑年左寸寅年左尺右数到底皆南政不應之位北政子年起中指根即兩尺不應丑年右尺寅年右寸亦右数到底皆北政不應之位

右無名指巳亥少陰右寸厥右尺少陰辰戌

中指端子午一少陰兩寸南兩尺少陰卯酉

左食指丑未少陰左寸厥左尺少陰寅申

寅申少陰右寸少陰右尺丑未右無名指

卯酉少陰兩寸北少陰兩尺子午中指根

辰戌少陰左寸，少陰左尺巳亥左食指

南政訣

太陰司天、少陰居左，厥陰司天、少陰居右

南政子午少陰司天兩寸沉、丑未左寸巳亥右寸左右尋、左右寸也

卯酉少陰在泉兩尺寅申左、厥陰在泉、少陰居左左尺

辰戌右尺太陰在泉、少陰居右直分明。

北政陽明卯酉少陰在泉、沉兩寸辰戌太陰在泉、少陰居左，寅申厥陰在泉、少陰居右

太陽左寸少陽右寸左右應左右寸也、

少陰兩尺厥陰左、左尺太陰右尺子午少陰司天、巳亥厥陰司天、少陰居左、丑未太陰司天、少陰居右

何須問

北政年脉不應圖

丁卯　丁酉　乙卯　乙酉　辛卯　辛酉　癸卯　癸酉

兩寸不應

卯酉　陽明　少陰

丙寅丙申　戊寅戊申　壬寅壬申　庚寅庚申

右寸不應

寅申　少陽　厥陰

壬戌丙戌　壬辰丙辰　戊戌庚戌　戊辰庚辰

左寸不應

辰戌　太陽　太陰

在泉兩寸　在泉右寸　司天右尺　司天兩尺　司天左尺　在泉左寸

巳亥　厥陰　少陽

左尺不應

乙巳乙亥　丁巳丁亥　辛巳辛亥　癸巳癸亥

丑未　太陰　太陽

右尺不應

丁丑丁未　辛丑辛未　乙丑乙未　癸丑癸未

子午　少陰　陽明

兩尺不應

庚子　庚午　丙子　丙午　壬子　壬午　戊子　戊午

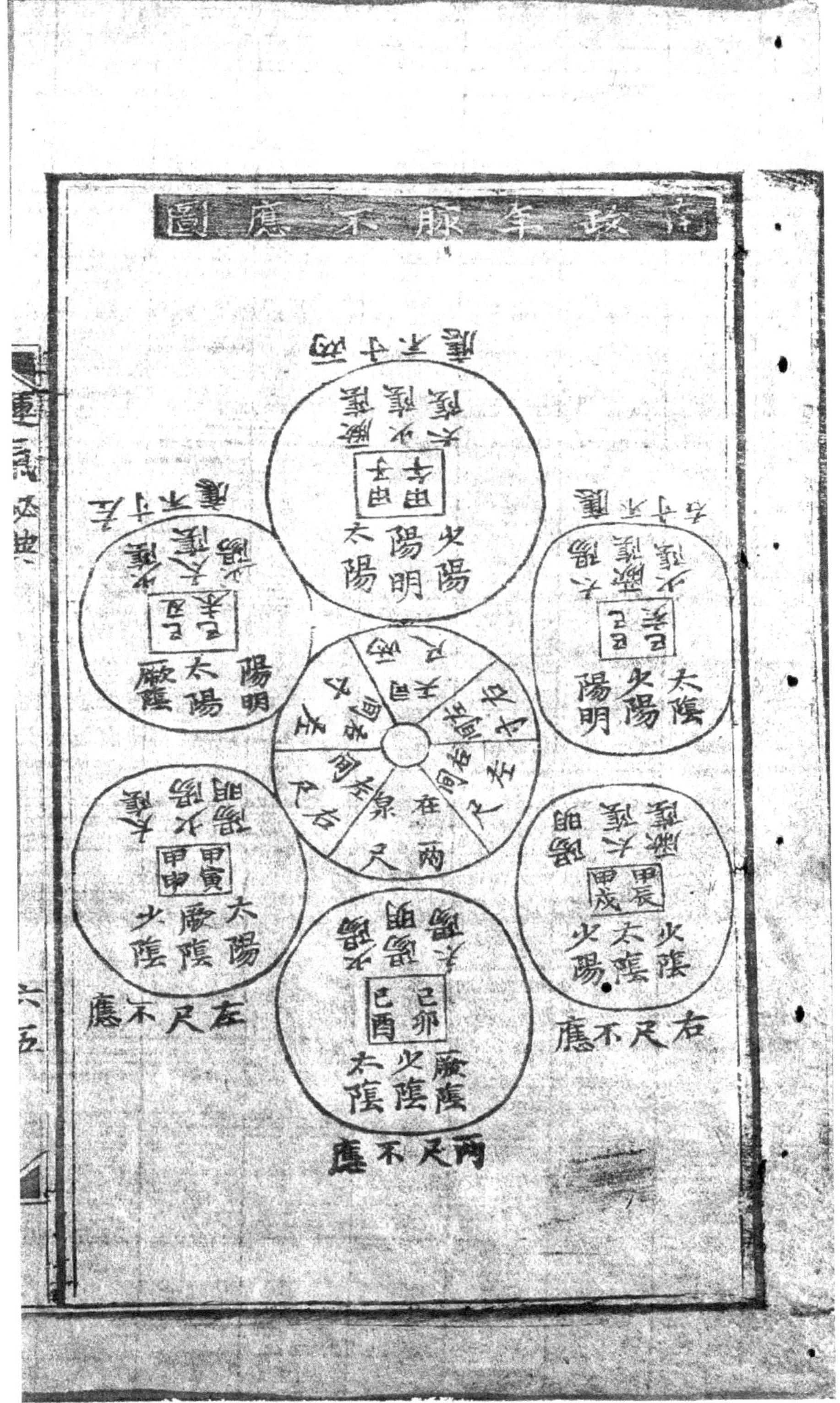
南政年脉不應圖
兩寸不應
左寸不應
右寸不應
左尺不應
右尺不應
兩尺不應

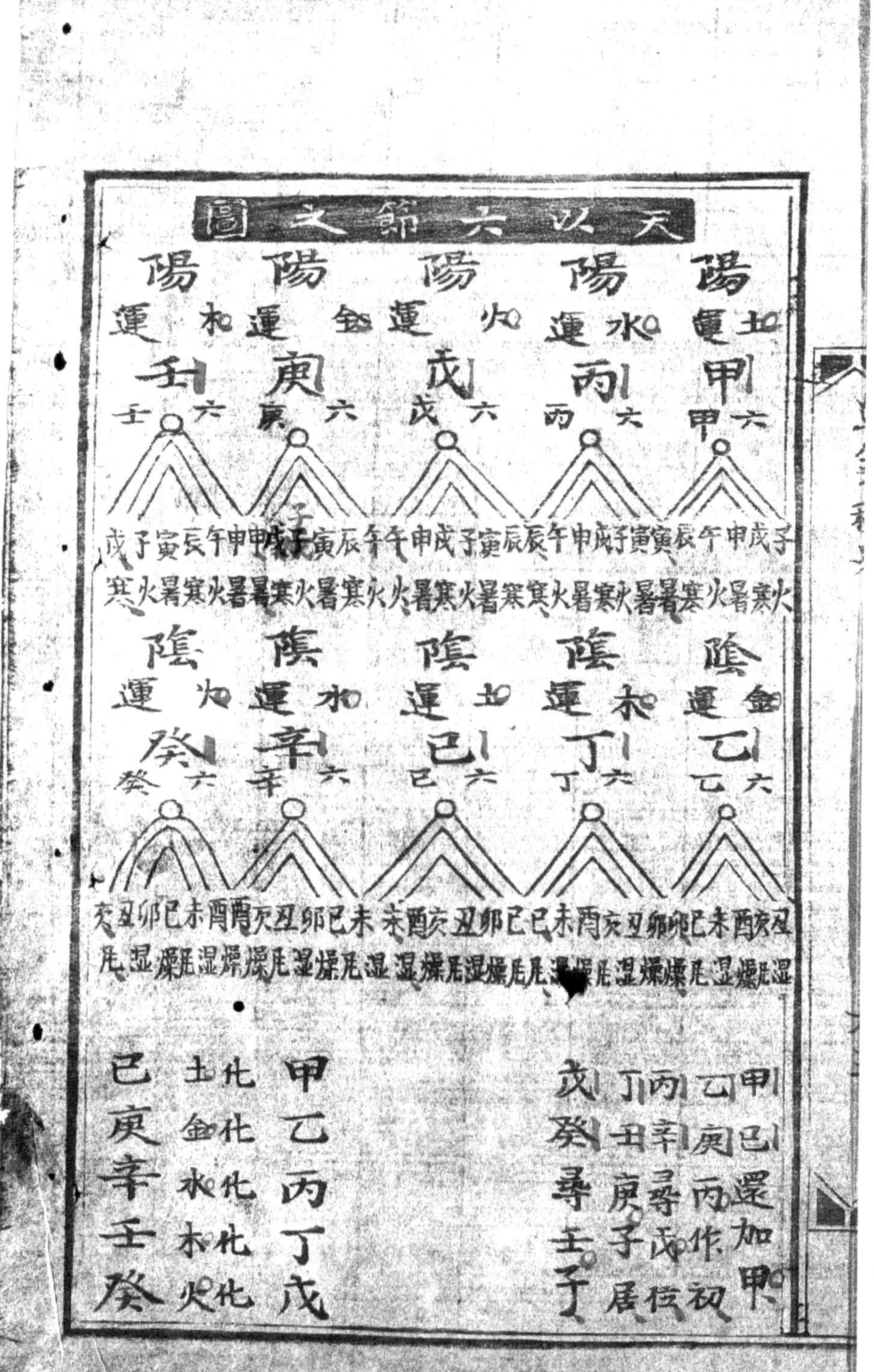
天以六節文圖
陽 土運 甲
陽 水運 丙
陽 火運 戊
陽 金運 庚
陽 木運 壬
陰 金運 乙
陰 木運 丁
陰 土運 己
陰 水運 辛
陰 火運 癸
甲己化土
乙庚化金
丙辛化水
丁壬化木
戊癸化火
甲己還加甲
乙庚丙作初
丙辛尋戊位
丁壬庚子居
戊癸尋壬子

順數至辰位遇戊土，辰位遇庚金，辰位遇辛水，辰位遇甲木，辰位遇丙火，辰為龍，龍能變化，故也。○天有十干配合則為五運，如甲己化土，乙庚化金，丙辛化水，丁壬化木，戊癸化火是也。必以地之氣六節之，如甲丙戊庚壬五陽干，各乘子寅辰午申戌六陽支之上，六其五計三十个；乙丁己辛癸五陰干，各乘丑卯巳未酉亥六陰支之上，六其五亦三十个。而運紀氣變，甲為六甲，乙為六乙，丙為六丙，丁為六丁，戊為六戊，己為六己，庚為六庚，辛為六辛，壬為六壬，癸為六癸，五運之下，每運周六氣，是風寒暑濕燥火之六淫克於地者，可節夫金木水火土之五化，非以六節五而何。終地紀者，五歲為周

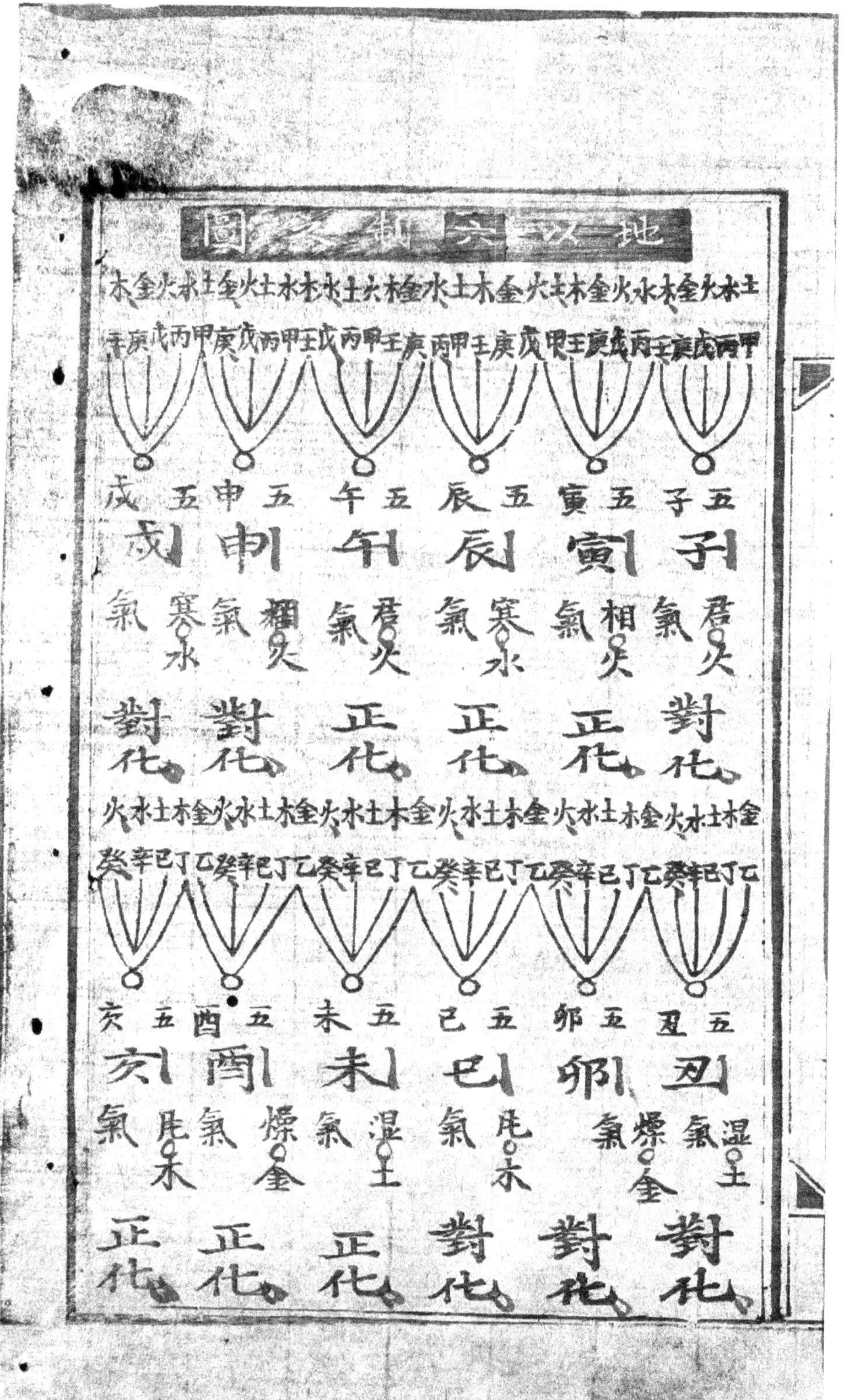
地以六制之圖
子 五
寅 五
辰 五
午 五
申 五
戌
子 君火氣 對化
寅 相火氣 正化
辰 寒水氣 正化
午 君火氣 正化
申 相火氣 對化
戌 寒水氣 對化
丑 五
卯 五
巳 五
未 五
酉 五
亥
丑 湿土氣 對化
卯 燥金氣 對化
巳 風木氣 對化
未 湿土氣 正化
酉 燥金氣 正化
亥 風木氣 正化

子午少陰君火、丑未太陰濕土、寅申少陽相火、卯酉陽明燥金、辰戌太陽寒水、巳亥厥陰風木、

地有十二支、对冲則為六氣、如巳亥厥陰風木、子午少陰君火、丑未太陰濕土、寅申少陽相火、卯酉陽明燥金、辰戌太陰寒水、是也、必以天之運五制之、如子寅辰午申戌六陽支、各秉甲丙戊庚壬五陽干之下、五其六計三十个、丑卯巳未酉亥六陰支、各承乙丁己辛癸五陰干之下、五其六亦三十个、而氣隨運化、子為五子、丑為

五丑、寅爲五寅、卯爲五卯、辰爲五辰、巳爲五巳、午爲五午、未爲五未、申爲五申、酉爲五酉、戌爲五戌、亥爲五亥六氣之上每氣皆五運、是金木水火土之五化行於天者、可御夫風寒暑濕燥火之六、淫非以五、制六、以何周天氣者六期爲備

宜上

運氣論 五運有太過者有不及者、太過者甲丙戊庚壬五陽干也、不及者乙丁己辛癸五陰干也、不知年之所加氣之盛衰虛實之所起、不以爲工、雖然運氣之理亦

不可泥又有內外相因隨辰感觸雖當太過之運亦有不足之辰病不及之運亦有有餘之辰病倘專泥於運氣鮮無寔是虛虛損不足而益有餘乎況歲氣之在天地亦有反常之辰故冬有非辰之溫夏有非辰之寒春有非辰之燥秋有非辰之疫犯之者病又如春氣西行秋氣東行夏氣北行冬氣南行卑下之地春氣常在高埠之境冬氣常在天不足於西北而多風地不滿於東南而多溼百里之內晴雨不同千里之外寒溫各別方土不齊而病亦

因之雖西北國厚安能人人皆寒東南國薄安能人人皆虛且如久旱則亢陽久雨則亢陰陽盛人耐秋冬而不耐春夏陰盛人耐春夏而不耐秋冬陽盛人喜陰寒而惡陽瘟陰盛人喜晴明而惡陰雨此乃天氣變常人稟各異又有法外之遺也蓋言運氣者隨机應變方得古人未發之旨其云必先歲氣者謂此年必多淫雨民病多溫禁用二朮善溫以燥之佐以先藥民雖瘴濕此即先歲氣之謂也其云無伐天和者即春夏養陽秋冬養陰春夏禁用麻黃桂枝秋冬禁用石羔知母芩連芍藥此即無伐天和之謂也然尚有稽辰紀症之羨也天運氣數之法非臣家治療之書況流傳既久天壬人物氣化轉蒋亦難可以同年而語也豈可以干支歲月之數以定無窮辰刻盈泉之變哉

運氣秘典終

（此頁據中國國家圖書館藏本配補）

R. 1129

新鐫海上醫宗心領全帙卷之十

藥品彙要上

小引

八軒岐之門而不知藥性譬猶無燭夜行神農三品一千八百九十二種乃聖人博濟之功不辭煩冗余非甚敏峯而闚之未免多岐之惑自謂多而贖龕若少而察將因考諸槩古珍珠囊止論一百品丹溪護身七十二品更增損之附品不緊分為五部以屬五行蓋亦想藥道猶兵也医猶將也將不知兵焉能克敵医不知藥焉能濟

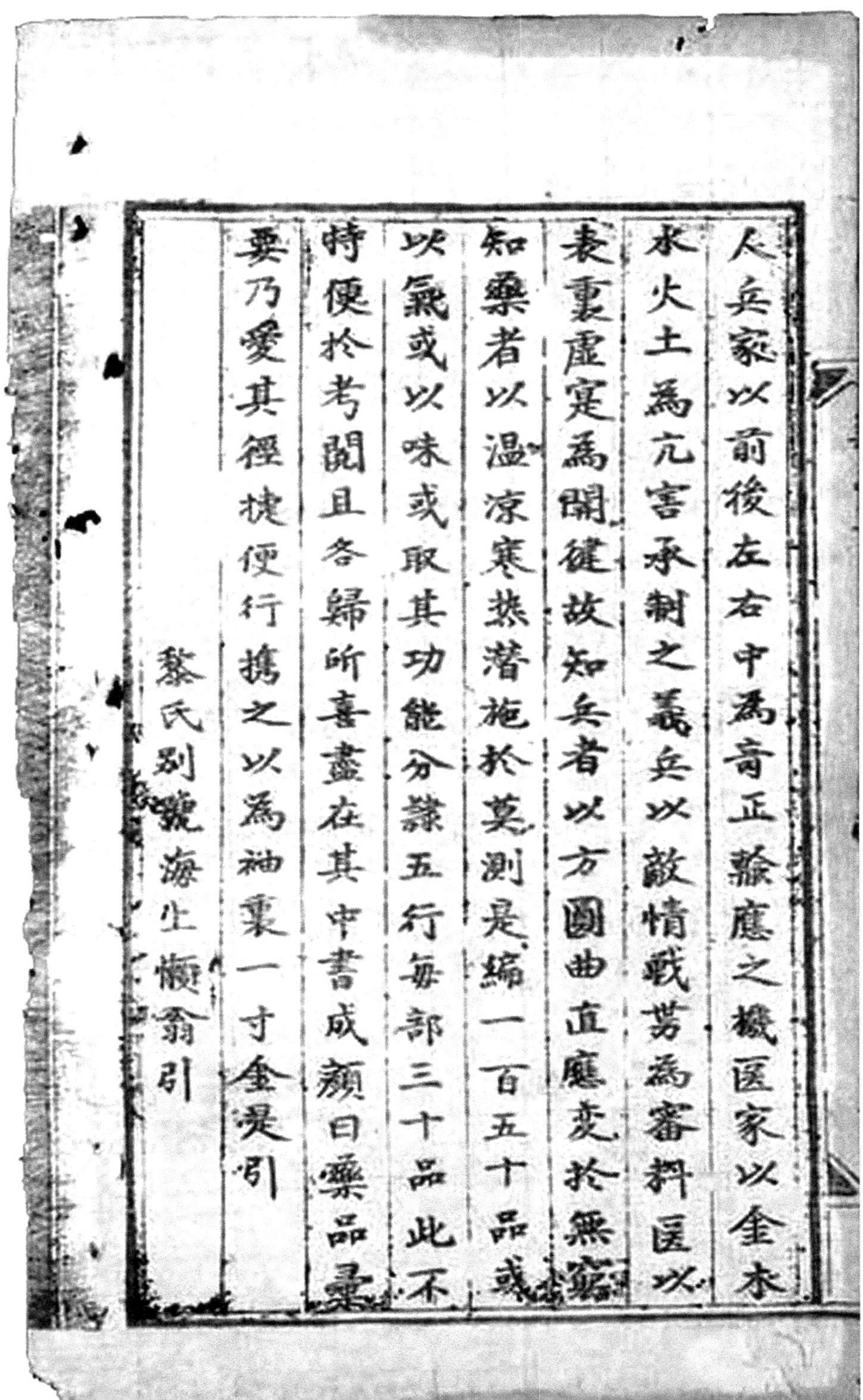

人兵家以前後左右中爲奇正黔應之機医家以金木水火土爲亢害承制之義兵以敵情戰勞爲審料医以表裏虛寔爲關鍵故知兵者以方圓曲直應變於無窮知藥者以溫涼寒熱潛施於莫測是編一百五十品或以氣或以味或取其功能分隸五行每部三十品此不特便於考閱且各歸所喜盡在其中書成顏曰藥品彙要乃愛其徑捷便行攜之以爲袖裏一寸金是引

黎氏別號海上懶翁引

目次　五味論　藥品陰陽辨　三治論
五法論　四因論　六淫論　八要論
藥辨根精辨　水火製造法　姜棗八棗辨　用藥法　藏藥法
火部　肉桂官心枝　大附烏雄側子天雄烏喙　遠志　丁香
茴香小茴香　射香　乳香　没藥　桃仁　紅花
玄胡索　蒲黃　五靈脂　童便秋石人中白　犀角
黃連　黃芩　梔子　青黛　吳茱　連翹
金銀花　天花粉　石羔　茅根　穿山甲　南星

地榆　牛黄　琥珀　燈心

木部　當歸　白芍　川芎 無言 君参　牡丹

防風　羌活　獨活　升麻　柴胡　[illegible]

細辛　白芷　葛根　秦艽　天麻　鉤藤

紫蘇 子 莖 梗　荆芥　薄荷　竹葉 竹茹 竹瀝　澤蘭　艾葉

耳菊　益母草 茺蔚子　木瓜　防已　威靈仙

龍胆草　麻黄

土部　白朮　茯苓 赤 茯神 皮 松節　甘草 人中[illegible]

龍眼　蓮子　大棗　薏苡　棗仁　芡實

砂仁　肉豆蔻　訶子　白扁豆　益智　蒼朮

厚朴　半夏　麥芽　山查　神曲　藿香

大腹皮　大黃　朴硝　巴豆　茵陳　常山

草菓　檳榔

金部　人參　黃芪　沙參　麥門　天門

五味子　紫菀　款冬花　胡桃　桑白皮　貝母

木香　沉香　香附　枳殼　陳皮　骨碎

桔梗　杏仁　蘿蔔子　白芥子　三稜　莪朮

藁本　蔓荊　菖蒲　烏梅　鬱金　瞿麥

香薷

木部　生地熟地　鹿茸　糜茸　何首烏　山茱

枸杞子地骨皮　肉蓯蓉鎖陽　兔絲　補骨脂　牛膝

杜仲　續斷　乳汁　阿膠　玄參　知母

黃栢　豬苓　澤瀉　車前　木通　滑石

五加皮　龍骨虎骨　龜甲　鱉甲　豨薟草

紫河車　胞衣水

目次終

集例

一以錦囊藥性為要司景岳顛生入門雷公炮炙本草剛目並以參合

增補　一每品末附以諸家炮製法隨意擇用

一每品分主用合用忌用三條目以便查考並作圓圈著次列

一每正品作大字方圈著在上列附品作小字方圈著在次列

五味論　水曰潤下潤下作鹹火曰炎上炎上作苦

木曰曲直曲直作酸金曰從革從革作辛土爰稼穡稼穡

稸作苦者直行而泄辛者橫行而散酸者束而收斂鹹者止而軟堅苦之一味可上可下土位居中而兼五行也淡之一味五臟無歸專入太陽而利小便也[illegible]云淡爲
五味之本故有生有化以相克而化也乃木化木是木克土而淡也

藥品陰陽辨　風寒暑濕燥火天之六氣辛苦鹹苦酸地之五味其性溫涼補瀉升降也辛苦溫補升者地之陽也酸鹹苦涼瀉降者地之陰也陽則浮陰則沉辛能散酸能收鹹能軟苦能瀉苦能緩又鹹味涌泄爲陰

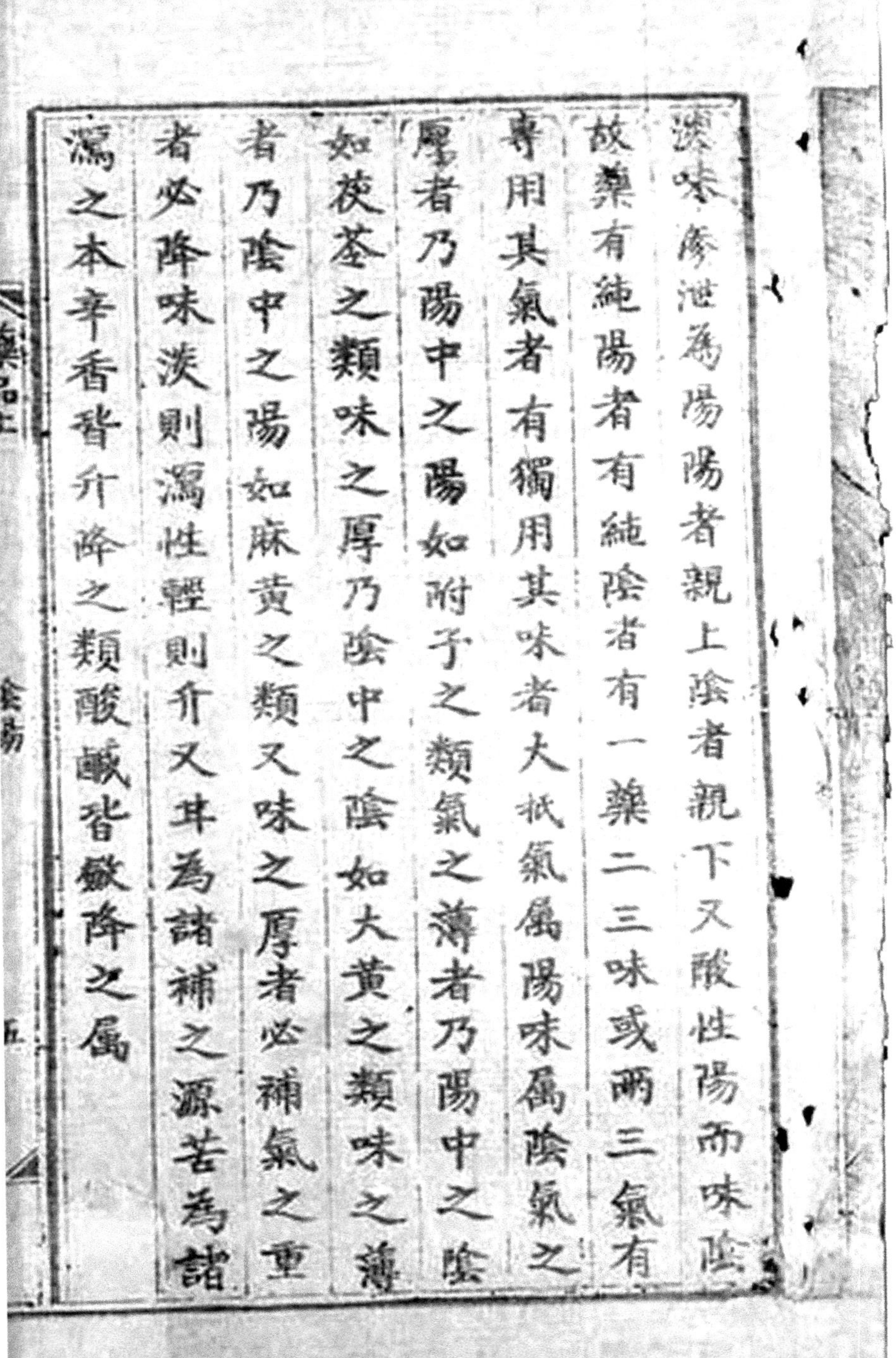

淡味滲泄為陽陽者親上陰者親下又酸性陽而味陰故藥有純陽者有純陰者有一藥二三味或兩三氣有專用其氣者有獨用其味者大抵氣屬陽味屬陰氣之厚者乃陽中之陽如附子之類氣之薄者乃陽中之陰如茯苓之類味之厚乃陰中之陰如大黄之類味之薄者乃陰中之陽如麻黄之類又味之厚者必補氣之重者必降味淡則濕性輕則升又甘為諸補之源苦為諸濕之本辛香皆升降之類酸鹹皆斂降之屬

三治論 初中末

初治之道法當猛峻緣病得之新暴邪入未深當以疾利之藥急去之中治之道法當寬猛相濟而病非新非久當以緩疾得中表令消息對症加減養正去邪相兼治之末治之道法當寬緩謂藥性平善安養氣血爲病久人虛邪氣潛伏故以善養正而邪自去矣

五法論 和取從折屬

一治曰和假令小熱之病當以涼藥和之和之不已次用取二治曰取爲熱勢稍大當以寒藥取之取之不已次用從三治曰從爲熱勢既甚當以溫

藥從之所謂承乃制也溫之不已又用折四治曰折為病極甚當以逆制之制之不已當下奪之奪之不已又用屬五治曰屬緣病陌在骨髓無法可出故求其屬以衰之

四因論（始因氣動　不因氣動）　有始因氣動而內有所成病者如積聚癥瘕之類有始因氣動而外有所成病者如癰疽瘡瘍之有不因氣動而內有所成病者如留飲宿食喜怒想慕之類有不因氣動而外有所成病者（者如瘴氣蛇虫傷之類）

六淫論（陰陽風雨晦冥）　六淫曰陰陽風雨晦冥也陰淫寒疾則

怯寒此寒水太過則深殘以溫之陽淫熱疾則惡熱此相火太過須審虛實以涼之風淫末疾末謂四肢也如身強直此風木太過須和冷熱以平治之在陽則熱熱則瘈瘲不收在陰則寒寒則筋攣骨痛雨淫腹疾則濕氣濡泄此濕土太過以平滲燥之兼者冷熱之候晦淫惑疾晦邪所干精神惑乱此燥金太過當滋養之宜淫心疾心氣鼓動狂邪譫妄此君火太過當鎮以斂之

八要論 虛實 冷熱 邪正 內外

八要者一曰虛脉細皮寒氣少泄

瀉飲食不進此為五虛二曰寔脉盛皮熱腹脹前後不通悶瞀此為五寔三曰冷陽氣衰微臟腑積冷四曰熱陰氣衰弱臟腑積熱五曰邪非臟腑正病也六曰正非外邪所干也七曰內情慾所傷不在外也八曰外外物所傷不在內也

藥身根稍辨（生苗向上者為根入土垂下者為稍中截者為身）

凡藥各治勿可混淆生苗向上者為根氣脉以上入土垂下為稍氣脉下行中截為身氣脉中守上焦病者用

根中焦病者用身下焦病者用梢（蓋根升梢降中守不移）凡食百藥忌食其心心有毒也

水火製造法（凡製造貴在適中不及則功效難求太過則功力變而且氣味反失矣）

其法炒（尾上炒其氣也）助煆（入火燒其性也）紅灸（炭中灸其味也）煨（或麥裹灸入脾也或溫紙裹灸欲其熟也）烘（其焙火灸欲其燥而不傷氣也）焙（尾下無火蓋滋其氣味也）蒸（水炊同炒取其濃也）炒焗（乃深紅色其性也）炒黃（帶黃則正益其性也）炒深黃（乃過於黃制其烈也）泡（熱湯或浸或洗剖其毒也）微炒（微得溫燥即止養其氣也）漬（酒得微潤制其漿也）潤（潤浸欲其浸也）浸（久洗水浸取其透濕變其性也）酒製（減寒性行滯性升提散橫行散微暑疏散欲其漬潤也）

甚者浸極者蒸姜製發散散寒補氣入脾藥製諸痰藥及嘔藥鹽製下行軟堅降火入胃藥

醋製斂注痛入肝藥便製能劣卑性降下入心藥米泔製去燥性和中入脾藥乳製

滋潤助陰助血蜜製緩中益氣入脾藥一云入脾意調能緩以入脾陳壁土製燥濕補中焦

麥皮炒麥炒抑酷性勿傷上膈黑豆或甘草煮湯浸並以解毒羊酥

或羊乳或猪脂潤燥此二條或塗或燒背滲骨去瓤一作穰以免脹去心以除煩

須凡病在頭面手梢皮膚者用酒炒斂其上騰也病在

咽下臍上用酒浸洗病在下者生用欲升降兼行半生

半熟如大黃知栢必用酒製恐寒傷胃也要主體厚生

用體薄炒用又炒製必去火毒收貯用之若隨炒隨用
則以火助火不可也
姜棗入藥解　古人用藥每劑必加姜棗蓋取重表
胃氣也然有宜忌不同如補脾胃宜姜棗溫中宜煨姜
補氣藥只宜姜發表藥用生姜補陰入血藥忌姜下焦
藥忌姜棗衛氣藥忌姜　用藥法
一藥一升用水八升煎用砂罐濕紙封口補藥漫火煎
至四分攻藥猛火煎至八分以紙濾取清汁服劑行[illegible]

絡若濁澀則藥力不行故曰湯者蕩也去甚暴病用之
取其易散易升易行經絡如升至高加酒煎去濕加生
薑補元氣加大棗散風寒加葱白去膈病加蜜止痛加
醋凡諸補湯渣滓兩劑合併復煎飲之亦效其發表攻
裏惟頭汁取效不必煎滓

一酒藥須細剉絹袋盛之入酒罐密煮蒸埋地中以泄
火毒渣滓乾晒搗末再入別酒煮之亦佳早晚頻服經
絡速達勿醉致損元氣以微燻則止即良

一湯內有用芒硝飴糖阿膠者須候湯藥絞淨濾汁方

鋼於內再上火煎再三沸烊盡乃服

一湯中加酒醋童便竹瀝姜汁者亦用煎好絞汁沖服

一湯中用沈香木香乳香沒藥一切香竄藥味須研細

末待湯藥先絞汁小盞調服訖然後飲盡

一通大便凡藥或有巴豆硝黃必用蠟化為衣取其過

膈不化能達下焦脾胃免傷倘人體壯氣實無以此為

膏藥分兩須多水煎熬宜久渣滓後煎數次斂聚叢膏

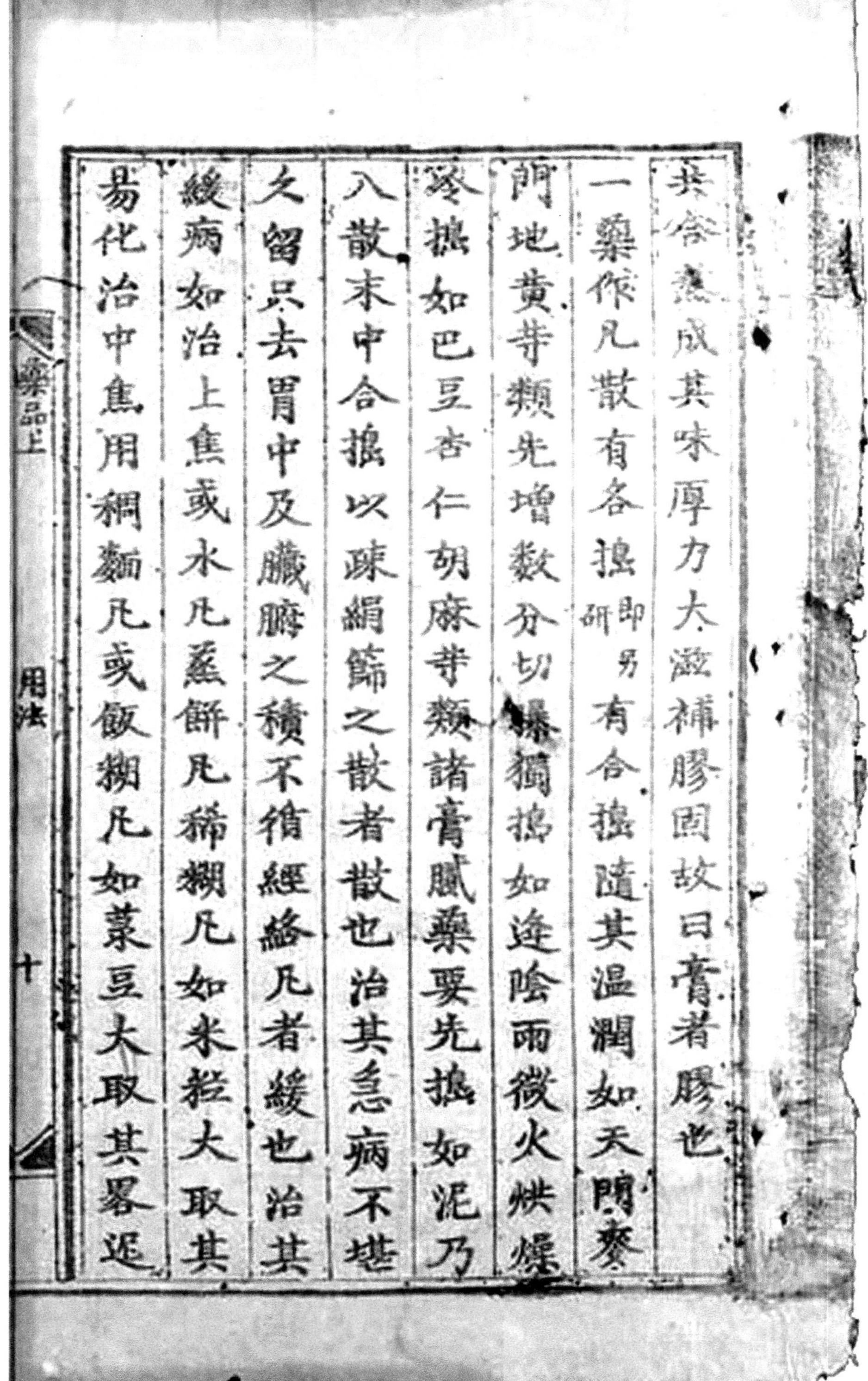

其含蒸成其味厚力大滋補膠固故曰膏者膠也

一藥作凡散有各搗即另研有合搗隨其温潤如天門麥

門地黄芋類先增數分切爆獨搗如逢陰雨微火烘燥

登搗如巴豆杏仁胡麻芋類諸膏膩藥要先搗如泥乃

入散末中合搗以疎絹篩之散者散也治其急病不堪

久留只去胃中及臟腑之積不循經絡凡者緩也治其

緩病如治上焦或水凡蒸餅凡稀糊凡如米粒大取其

易化治中焦用稠麵凡或飯糊凡如菉豆大取其畧遲

化治下焦如梧子大或酒或醋凡取其收散如歛去濕痰以姜汁糊凡取消飲食以神麴糊凡山藥糊凡歛其榮止瀉凡者取其遲化而氣循經絡蠟凡者取其難化固護藥氣直過膈而作效也

一凡藥云如細麻即胡麻也如大麻准三細麻也如小豆以三大麻准之如大豆以二小豆准之如梧桐以二大豆准之如彈子以四十梧子准之

藏藥法

凡藥藏貯宜常提防覓雨久灼火類然遇晴明向日暴

晒粗糙懸架上細膩置罈中人參須和細辛氷片岳同
燈草射香宜蛇皮裹硼砂與菉豆收生姜擇老砂藏山
藥候乾炭窨涗香真檀香甚烈包紙須重茴木蝋香最
靈埋穿宜久其法甚多類推隅反

火部

肉桂 附官桂桂枝桂心為乃近根之最後者治下焦官助在中之次厚者治中焦枝即頭上細枝治上焦此本乎天者親上本乎地者親下之道也

氣香味辛甘性熱有小毒純陽入肝腎二經 忌火生葱赤石脂

【主用】救元陽之痼冷扶脾胃之虛寒制肝邪利肺氣補五勞治七傷堅筋骨強陽道養心神通血脉治下焦腹痛除奔豚疝瘕止虛煩斂虛汗養精髓煖腰膝療風濕冷痹止咳嗽鼻瘡明眼目和顏色善墮胎宜通百脉[illegible]無所畏謂之通使其氣最厚能補腎中命門真火不足托癰疽痘毒最能引血成膿用臨產催生須臾如手催下

【合用】本草雖云小毒然亦從類化若與芩連爲使小毒[illegible]縱與烏附巴豆乾膝爲使則小毒化爲大毒得人參[illegible]

門平草則能調中益氣而可久服得柴胡乾地黃則能調榮而止吐逆（小柄驚風及瀉宜用五苓散瀉肉火滲濕土由內有肉桂抑肝風而扶脾土也醫餘錄云有人患眼痛不能食肝脈盛脾脈弱用涼藥治肝則脾愈弱用暖藥治脾則肝愈盛但於平藥中倍加肉桂制肝益脾一治兩得傳云木得桂而枯是也）【禁用】陽盛陰虛者忌之書云春夏禁服言其常也然有捨辰從症處其變也

【製法】忌火焙以諸香見火無功耳臨用去皮切碎否則氣味走失如入補藥藉其鼓舞藥性則入藥同煎如入煎藥仗其行血走竄則群藥煎好方入煎一二沸服

按桂附二味古哲立方有並用者有单用者毫不混投令人不究其微隨意取用殊不知肉桂味耑而辛氣香竄可上可下可横可直可表可裏可補可瀉和暢諸經鼓舞氣血故健行之效雖捷性但專走洩而温中救裏之力難長未免進亦鋭退亦速也至於附子氣味大辛微兼耑苦氣厚味薄降多升少從上直下走而不守其救裏回陽之功引火歸源之力温經達絡之能是其所長非若肉桂辛耑輕揚之性復能横行達表走竄百脉也

一則味辛而兼微苦所以功專達下走裏以救陰中之陽為先天真陰真陽之藥也一則味甘而兼辛所以既補命門復能竄上達表以救陽中之陽更為後天氣血榮衛分之藥也故純以大溫峻補中氣真陰真陽為事或二味並投或君以參术佐以附子為用如八味凡桂附並需參附湯术附湯理中湯之類勿用肉桂是也如欲溫中兼以調和氣血走竄外達固表為事者則以培補氣血之藥為君而單以肉桂一味為佐使如參芪飲

十全大補湯人參養榮湯之類勿用附子是也如是則表裏陰陽輕重之義昭然矣豈容混提假借乎

【官桂】一云上等供官曰官桂 味辛性温無毒純陽入心脾二經

【主用】治中寒殺三蟲宣氣血利關節理心腹疼除冷風痛主治勞傷而補中益氣療喉痺咳逆呼吸不清且官桂主中焦之事凡温筋通脈利竅及心痛腹痛皆爲對藥

【桂枝】即小梗也又名薄桂 味辛性熱而輕有小毒 浮而升陽也脾膀胱二經

【主用】味薄體輕上行頭目內理心腹之痛外解皮膚之寒

調榮衛和肌表治手足痹疎散風寒無汗能發有汗能
止橫行爲手足之引經直行爲奔豚之向導
【忌】陰盛陽虛者忌之與傷寒無汗不可誤投
按氣味俱輕故能發表散邪凡傷風傷寒有汗者用以
微解表邪邪去而汗自止非固表止汗之謂也本草言
桂發汗而仲景治傷寒又當汗而用桂枝又云無汗不
得服桂枝汗多用桂枝甘草湯此皆用桂以閉其汗一
藥二用何也蓋本草言桂辛甘能通脉出汗者是調其

血而汗自出也仲景云太陽病熱無汗者此榮弱衛強陰虛陽必湊之故當用桂枝發汗乃調其榮則衛自和邪無所容之地遂自汗而解非桂枝能開湊發汗也汗多而更用桂枝者用以調和榮衛則邪從汗出而汗自止非桂枝能開邪也昧者不知其意遇傷寒無汗亦用桂枝誤之甚矣

桂心 去麤皮近裏極紫極辣者是也 味甘性溫 陽中陰入補心血名桂心者美之之詞也

殺三虫下胞衣治產後血冲心痛止嘔血吐血通經

行血導滯有補陰陽功用牲心于補陰藥中則能行血之考滯而補腎由味辛屬腑能生水行血故也療脚軟不仁及中風偏僻牙緊舌強失音能溫補腎氣又專止心痛外腎偏墜腫痛

附子 消生為附子端平圓大重一两以上者力全為佳烏頭側子天雄烏喙同出異名

氣味大辛大熱微兼苦有大毒氣厚味薄陽中之陰降多升少浮中而沉無所不至入手厥陰命門手少陽三焦兼入足太陰少陰經畏防風甘草人參黄芪童便犀角黑豆

主治 主治五臟沉寒四肢厥逆心腹冷痛積聚癥瘕寒濕

痿躄風寒咳嗽暴瀉脱陽久瀉不止噎膈嘔噦癃疝不斂痎瘧頭風小兒慢驚瘟瘡厥白胃寒蚘動翻胃嘔逆強陽益氣堅骨壯筋傷寒陰症陰毒中寒氣厥痰厥頭燥迷昧不省傷風半身不遂諸痺風痺冷腫脹霍亂轉筋下痢赤白腎厥頭痛陽虛血症一切沈寒痼冷之症益不可缺壯元陽元火散陰濕陰寒三陰寒毒非此不回三陽厥逆捨此莫可【畧】性稟雄壯必重用參朮製熟否則爲禍不必無乾姜不熱臣熟地則惟有向陰制

之功得甘草則性緩得肉桂則補命門得白朮則治臟寒濕得乾姜則補中回陽為百藥之長通行諸經引用最速引補氣藥以追失散之元陽引補血藥以扶不足之真陰引發散藥以驅在表之風邪引溫煖藥以除在裏之寒濕此皆隨引異功又曰熟則峻補故熟附配麻黃發中有補生則發散故生附配乾姜補中有散此以生熟有異功矣

【禁用】陰虛內熱及內真熱而外假寒者不可誤用孕婦忌服墮胎甚速

【製法】用黑豆煎水浸五日夜去皮尖臍以姜渣包夾外用麵

包灰火中炮熱如外黄内白熱性尚存須薄片炒令表裏皆黄又法用童便煯而浸之以助下行又法尋常用以防風甘草伴煯蒸晒乾炒用又法以童便一碗甘草湯一碗同煮汁盡為度新瓦上焙乾若陰經直中真寒症生用愚按附子稟雄壯之質有斬關之能真起死回生之聖藥医學云久服遭凶使昧者見之愈增其疑故用者或泡或浸或煨或炙期以氣劣味薄方敢放心如此則挽回垂絶伏何為力乎余自家製用惟去皮臍[illegible]

作四墶以防風甘草黑豆煮片却汁盡附熏晒乾用此
是以去其邪而存其功也若假火盛再加童便浸炒
擦附子峻補元陽而除風寒濕三邪之要藥丹溪曰氣
虛熱甚稍加附子以行參芪之功肥人多濕亦用集醫
曰腫因積生積去而腫再作若再用利藥小便愈閉醫多
束手蓋中焦氣虛不能升降爲寒所隔惟服附子則小
便自通矣緩曰傷寒傳變三陰及中寒夾陰身雖大熱
而脉沉者當用附子厥冷腹痛脉沉細唇青囊縮者急

用之有起死回生之力世人往往槩謂附子大熱大黄大寒疑忌不敢用直至陽極陰竭然後紉強拔之終付之無可柰何殊不知所遇極寒極熱之症將以何大力之藥挽回垂絶之勢乎善用兵者天下無弱卒善用藥者天下無毒味書云緩病用急藥急則拂乱其經剩病用緩藥緩則援生不及。

烏頭 即附子母皆為烏頭 主用 烏性輕疎温脾以去風故風症宜用烏頭且性熱善走借以通達洗寒固閉温中散寒則可

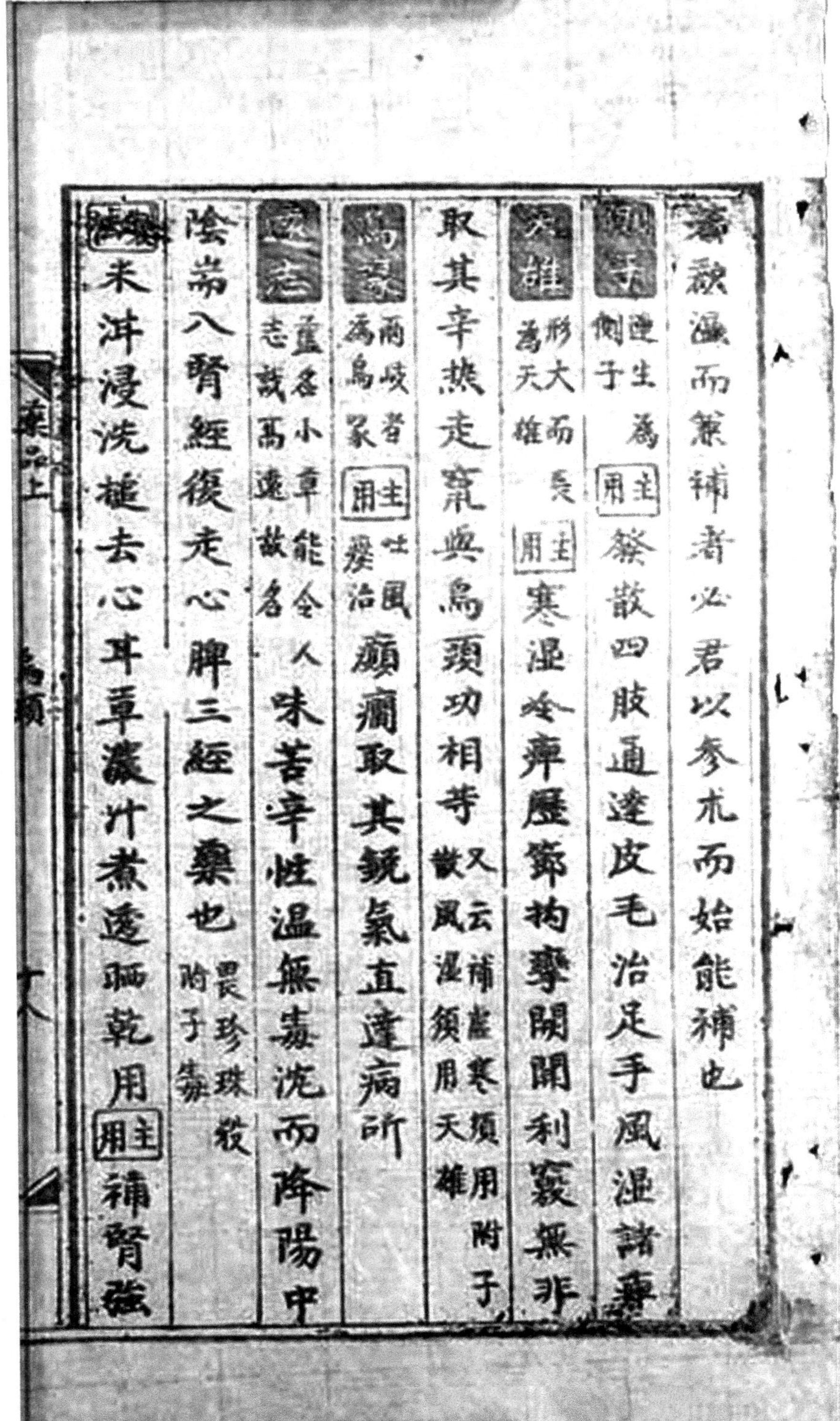

蓄歛溫而兼補者必君以參朮而始能補也

側子（連生爲側子）〔主用〕發散四肢通達皮毛治足手風濕諸痺

天雄（形大而長爲天雄）〔主用〕寒濕痿痺歷節拘攣開關利竅無非

取其辛熱走竄與烏頭功相等（又云補虛寒須用附子散風濕須用天雄）

烏喙（兩岐者爲烏喙）〔主用〕（吐風痰治）癲癇取其鋭氣直達病所

遠志（葉名小草能令人志識高遠故名）味苦辛性溫無毒洗而降陽中

陰崙入腎經復走心脾三經之藥也（畏珍珠殺附子毒）

〔[illegible]〕米泔浸洗槌去心甘草濃汁煮透晒乾用〔主用〕補腎強

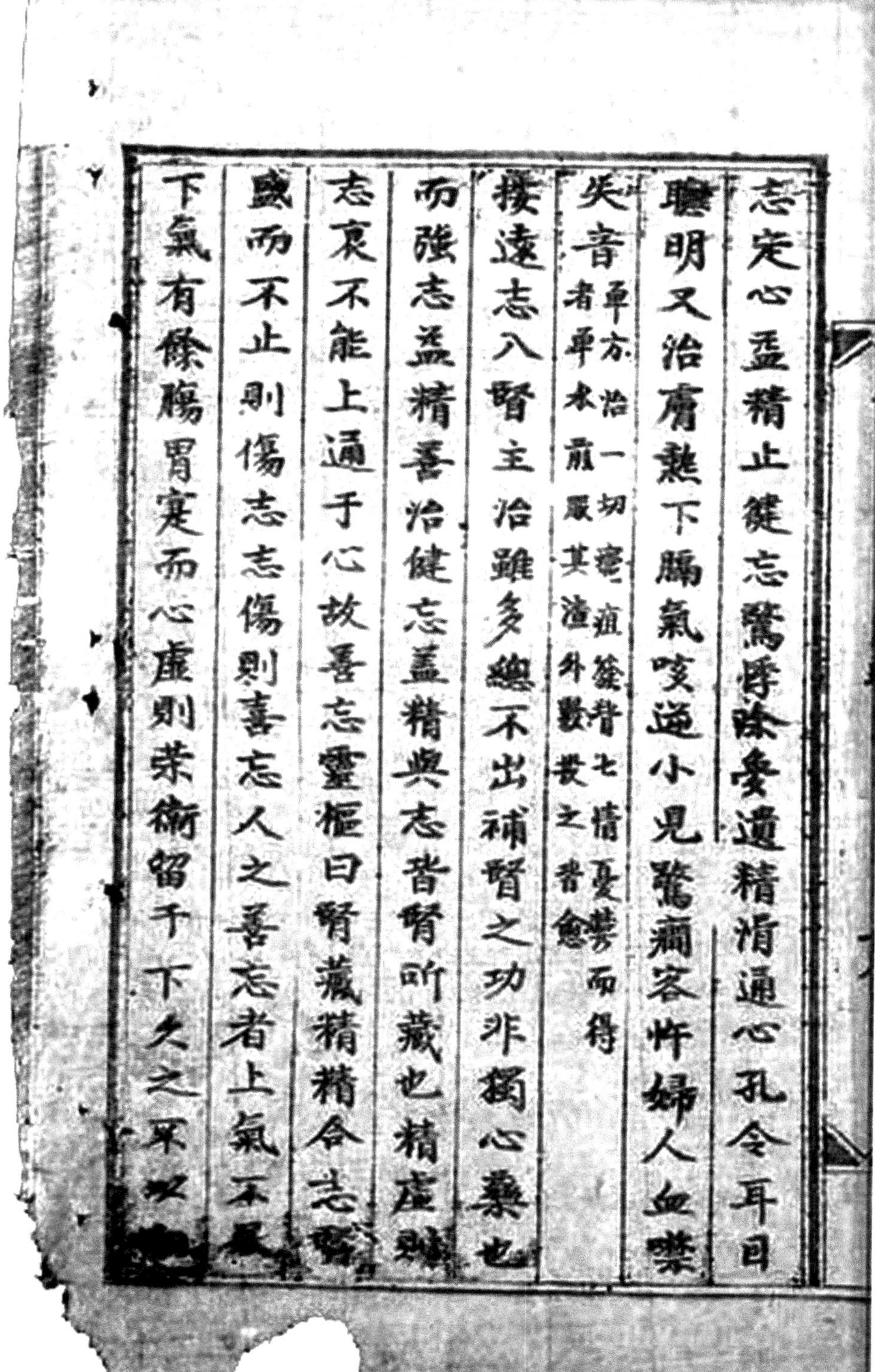

志定心益精止健忘驚悸除憂遺精滑通心孔令耳目聰明又治膚熱下膈氣咳逆小兒驚癇客忤婦人血噤失音單方治一切癰疽發背七情憂鬱而得者單用水煎服其滓外敷之皆愈

援遠志入腎主治雖多總不出補腎之功非獨心藥也而強志益精善治健忘蓋精與志皆腎所藏也精虛則志衰不能上通于心故善忘靈樞曰腎藏精精舍志腎盛而不止則傷志志傷則喜忘人之善忘者上氣不足下氣有餘腸胃實而心虛則榮衛留于下久之不以

上焱善急也且味中兼辛故又能下氣而走厥陰經曰以辛補之此水木同源之義也萬古所未發也

丁香 大者名母丁香稜白鬚莖孔中即生黑最妙雄者顆小為丁香雌者顆大為母 入藥氣香味辛性溫無毒氣厚味薄升也陽也 入脾胃腎三經長鬱金忌見火

主治七陽諸症一切氣逆脾胃虛寒反胃呃逆快積氣治乾濕霍亂止嘔噦癥瘕心腹冷疼漏肺寒咳逆上氣納陰戶作冷能溫治五色痢殺酒毒除五鯀痔安齒拜壯元陽煖腰膝辟鬼疰治五毒乳頭旋裂寒中陰經與小

兒吐瀉慢驚痘瘡灰白【合用】同柿蒂止呃與五味子義者治瘡癖奔豚氣同黃連乳汁點目眼之疼此得辛散升降之妙【禁用】有火者忌服氣血盛者勿予以其益氣也若嘔吐由於熱者勿用

茴香 一名大茴香一名八角茴香蒔小茴香 氣香味辛性溫無毒入心腎二經及胃小腸膀胱【主用】開上下二經之通道而回陽散冷又止痛生肌補命門不足助陽事不強乾濕脚氣膀胱冷氣癰痛腹痛疝氣霍乱吐逆癉瘧治一切腎冷腰

寒腹痛如刀割除一切臭氣口氣腰痛如重石大抵爲祛寒散結之要藥霍乱諸疝之必需其辛香宜胃其溫煖宜腎主治不越二經【禁用】肺胃有熱及熱毒盛者勿用陽道數舉上有火症者不可妄投【製法】酒浸一宿炒黃搗細

【小茴香】【主用】性溫能除疝氣療腹痛腰疼調中煖胃其功用與大茴相似但小者力薄弱耳則用鹽湯浸炒

【麝香】氣香芳烈味苦辛性滑無毒忌大蒜及微火【主用】鎮心安神辟鬼殺邪催生墜胎殺虫蠱毒去風痰治驚癇理

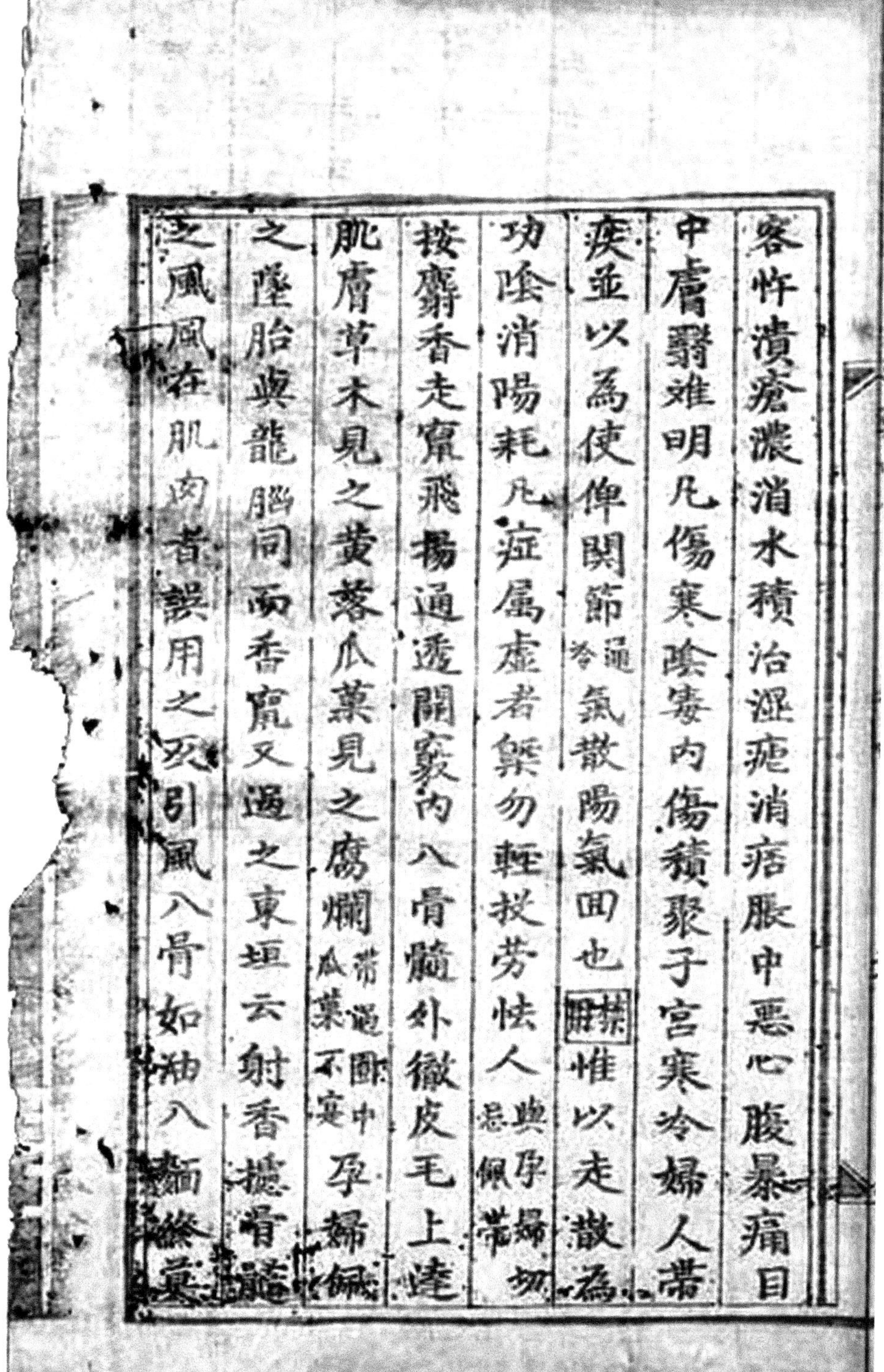

客忤潰瘡膿消水積治溼疸消痞脹中惡心腹暴痛目中膚翳雖明凡傷寒陰毒內傷積聚子宮寒冷婦人帶疾並以爲使俾關節通冷氣散陽氣回也【禁用】惟以走散爲功陰消陽耗凡症屬虛者槩勿輕投劳怯人與孕婦切忌佩帶

按麝香走竄飛揚通透關竅內入骨髓外徹皮毛上達肌膚草木見之黃萎瓜菓見之腐爛帶過園中瓜菓不實孕婦佩之墜胎與龍腦同而香竄又過之東垣云射香擾骨髓之風風在肌肉者誤用之反引風入骨如油入麵莫

能出丹溪云五臟之風忌用射香以其瀉衛氣也

【乳香】氣香味苦辛性微溫無毒入足太陰手少陰足厥陰三經所治皆三經病【主用】治諸經卒痛心腹急疼諸般惡瘡一切腫毒九竅疼痛惡痢殊痛刮腸痛風異常斃毒護心活血解毒生肌產科亦用乳香功專生血而主心没藥功專散血而主肝【製法】尾上烘去油同燈心研則細

【没藥】氣香味苦辛性微寒無毒入足厥陰經【主用】最能散血止痛一切金瘡杖瘡與惡瘡痔瘻音閭損傷瘀血腫

痛及産後心腹氣血刺痛然乳香能活血伸筋沒藥能散血去腐而皆能止痛生肌者令血勿凝泣也【用藥】孕婦忌服與産後惡露去多及血虛腹痛及癰疽已潰者並禁製法同乳香

按沒藥禀金水之氣以生乳香得木氣而兼火化夫惡露淋漓皆因血熱瘀滯而成金鎗杖瘡亦因血肉受傷而致此藥苦能泄滯辛能散冷寒能除熱水屬陰血以類相從故能入陰分而散瘀血及治血熱諸瘡也

氣平味苦重辛微性寒無毒沉而降陰也

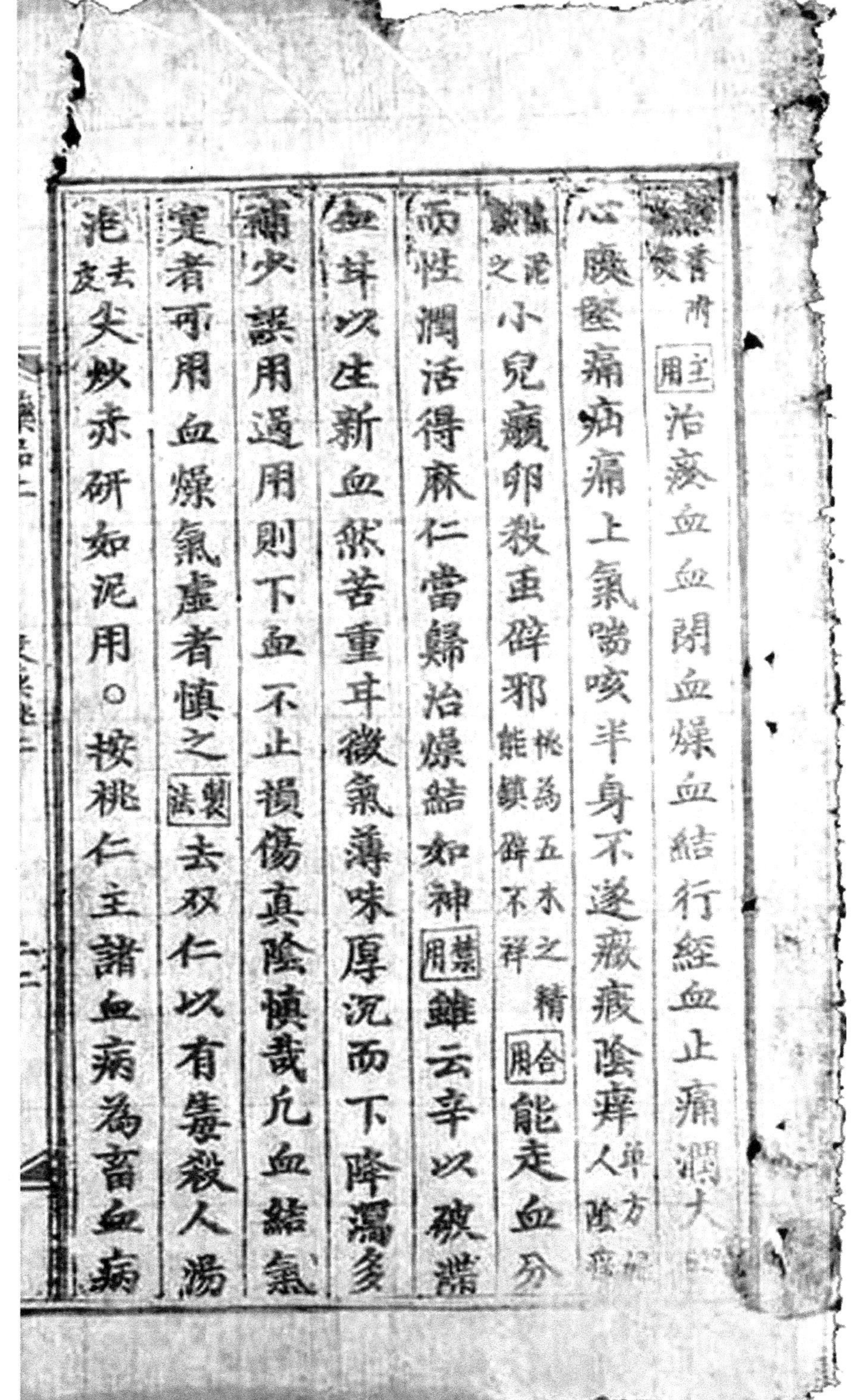

□□香附 主用 治瘀血血閉血燥血結行經血止痛潤大腸

心腹蓄痛病痛上氣喘咳半身不遂癥瘕陰痒單方搽人陰痒

擣泥敷之小兒癲卵殺蟲辟邪桃為五木之精能鎮辟不祥 合用 能走血分

而性潤活得麻仁當歸治燥結如神 禁用 雖云辛以破滯

血并以生新血然苦重并微氣薄味厚沉而下降濁多

補少誤用過用則下血不止損傷真陰慎哉凡血結氣

實者可用血燥氣虛者慎之 製法 去双仁以有毒殺人湯

泡去皮尖炒赤研如泥用。按桃仁主諸血病為畜血病

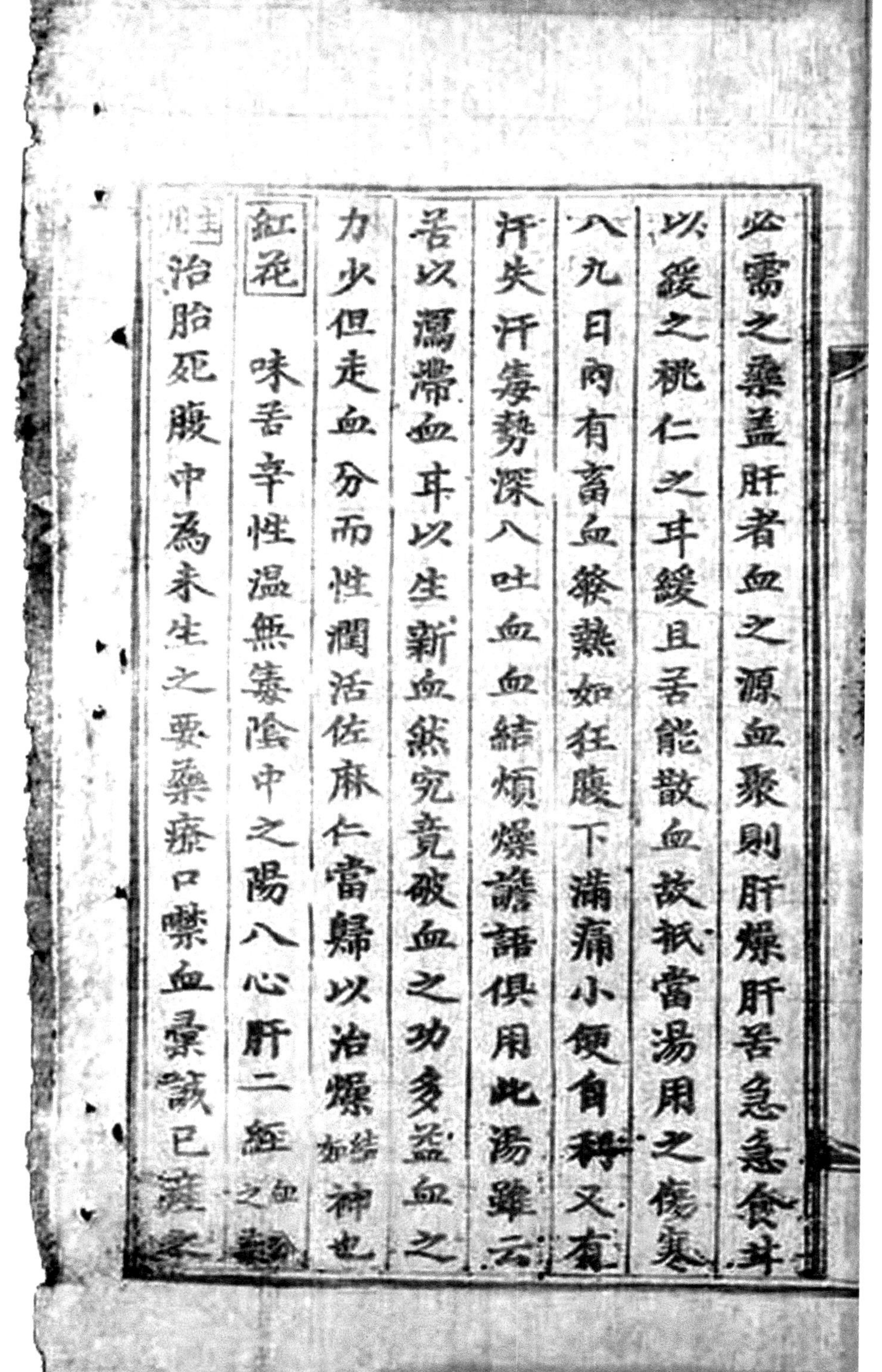

必需之藥蓋肝者血之源血聚則肝燥肝苦急急食甘以緩之桃仁之甘緩且苦能散血故祗當湯用之傷寒八九日内有畜血發熱如狂腹下滿痛小便自利又有汗失汗毒勢深入吐血血結煩燥譫語俱用此湯雖云苦以瀉滯血甘以生新血然究竟破血之功多益血之力少但走血分而性潤活佐麻仁當歸以治燥結如神也

紅花　味苦辛性温無毒陰中之陽入心肝二經血分之藥

主治胎死腹中爲未生之要藥療口噤血暈誠已產之

仙州諸般下血止痛并腹内下血不盡一切腫毒蠱毒
與煩渴喉痹不通兼治三十六穌風更化癮癜疹血熱
炙用則破血通經少用則入心養血爲行血活血潤燥
之要藥【合用】同當歸則生血佐肉桂則散瘀蓋力薄不能
獨成其功【禁用】大抵活血之功多養血之力少 産後勿過用多用使血行
不止則延禍哉【製法】酒漬微焙或酒炙用　單方 紅花子吞數粒能不出天行痘瘡

【玄胡索】　味辛性温無毒可升可降陰中陽入足厥陰
手少陰經又云入脾胃【主用】調月水氣滞血凝治産後血

冲血彙心腹卒疼小腹脹痛腠外氣塊氣痛小腸膀氣腰疼破塊下胎舒筋療痾妙不可言乃活血化氣第一品藥也【禁用】經事先期當中脉露一切血熱血虛並宜戒之【製法】行上部酒炒中部醋炒下部鹽水炒。按玄胡索行氣中血滯血中氣滯通理一身上下諸痛往又獨行功多故調經藥中常用之然既無益氣之情絶少養榮之力徒仗辛温攻凝逐滯虛人當兼補藥同用否則徒損無益

【蒲黃】味甘辛平性微寒無毒入肝經血分【主用】妙黑用

止吐血下血補血損虛勞生用破瘀血停積瘀毒疾痛消瘀積塊血熱妄行調女人月候不勻治產婦兒枕作痛瘀跌僕折損理風腫瘡瘡兼利小便諸血症不論腸風吐衄更治血尿血痢。按蒲黃乃血分之藥然外因僕檁之血症可建奇功若內傷不足之吐衄難以收效

五靈脂 色黑如鐵者佳 味苦性溫無毒氣味俱厚陽中之陰入肝經畏人參 主用 行諸氣下氣行諸血下血經閉不通能通經經行不止能止經歐血痢腸風逐心腹冷氣定

産婦血暈除小兒痫蚘諸般心腹脇痛一切氣血刺疼

更療吐逆連日不止並治血閉遍身痛麻單方靈脂二ヲ半炒半生

分爲末蒸酒服治卒暴心痛單方靈脂二ヲ爲末湯服治眼中白珠渾黑視物無常毛髮堅直如鐵條能飲食

而不語如醉名曰血潰單方靈脂黃芩分爲末每服醋二盃調末熬成膏入水一盞煎至七分連藥熱服末效

再服或以酒代醋或醋糊丸童便酒服治男婦心痛小腹痛并小腹立急姙娠心痛産後心痛血氣心痛

諸藥不效者尤妙此藥能行能止大有奇功

製法 生用酒淘煉去砂曝乾用

生用行血熟用淘後炒令烟起另用研炒者止血[illegible]止崩痛和氣脈通經閉之品

按寒號蟲一云[illegible]畏寒喜燥故其糞亦溫靈脂乃寒號之

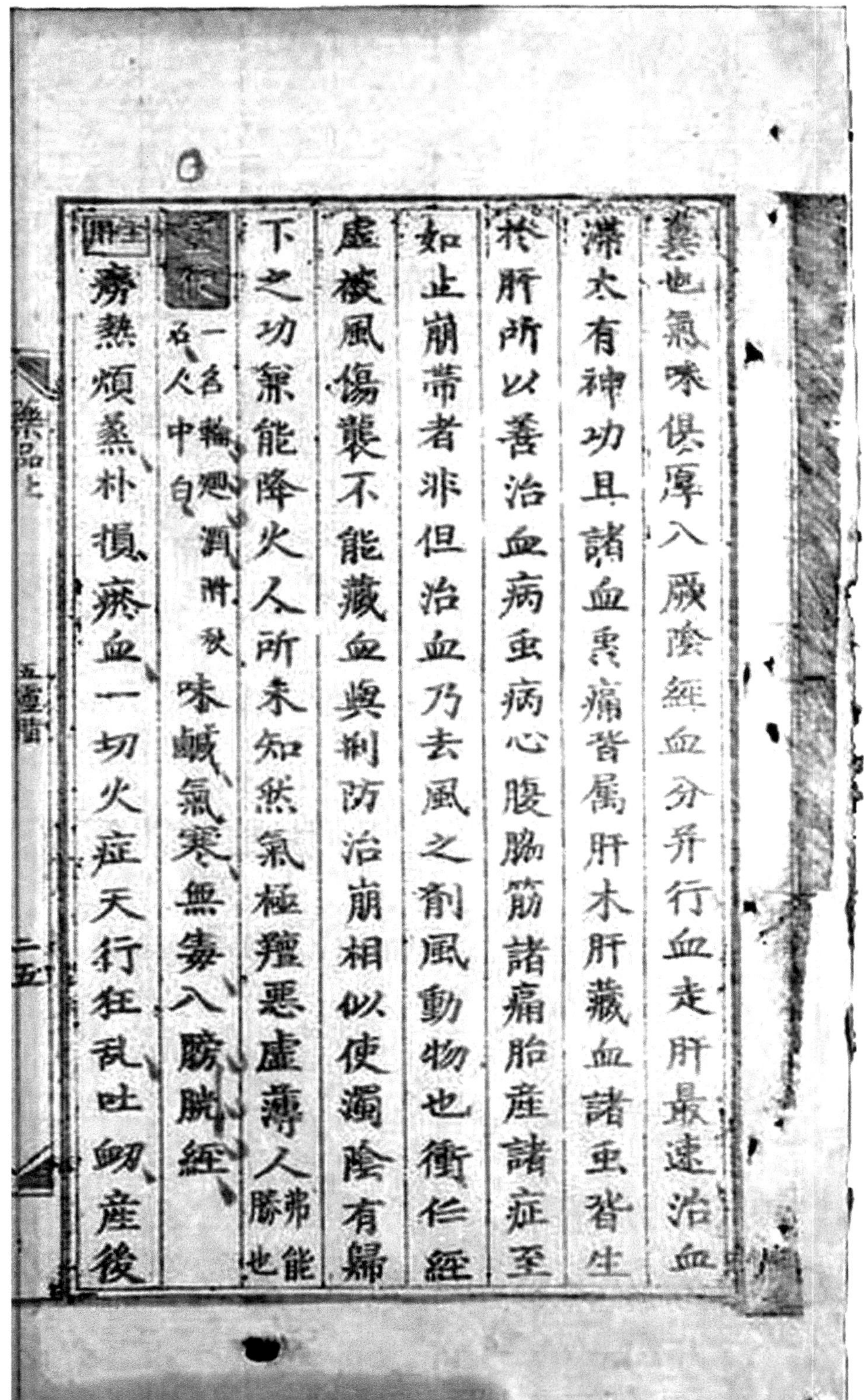

甚也氣味俱厚入厥陰經血分行血走肝最速治血滯太有神功且諸血痛痛皆屬肝木肝藏血諸痛皆生於肝所以善治血病痛病心腹脇筋諸痛胎產諸症至如止崩帶者非但治血乃去風之劑風動物也衝任經虛被風傷襲不能藏血與荊防治崩相似使漏陰有歸下之功兼能降火人人所未知然氣極羶惡虛薄人弗能勝也

童便 一名輪迴酒卅秋名人中白 味鹹氣寒無毒入膀胱經

主用 療熱煩蒸朴損瘀血一切火症天行狂乱吐衄產後

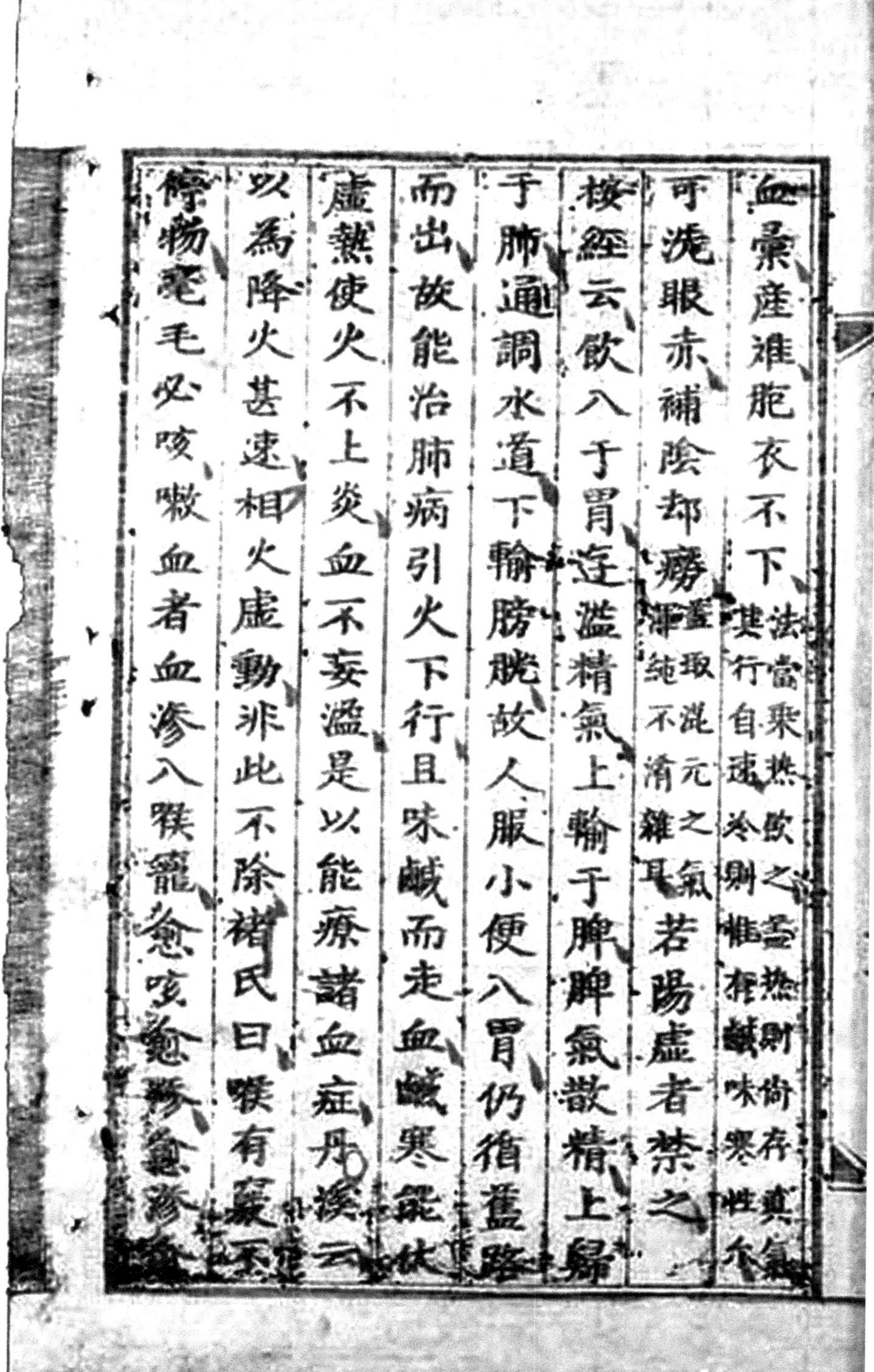
血暈産難胞衣不下法當乘熱飲之蓋熱則循存真氣其行自速冷則惟存鹹味寒性令
可洗眼赤補陰却癆蓋取混元之氣渾純不清雜耳若陽虛者禁之
按經云飲入于胃迸溢精氣上輸于脾脾氣散精上歸
于肺通調水道下輸膀胱故人服小便入胃仍循舊路
而出故能治肺病引火下行且味鹹而走血鹹寒能伏
虛熱使火不上炎血不妄溢是以能療諸血症丹溪云
以為降火甚速相火虛動非此不除褚氏曰喉有竅不
停物毫毛必咳嗽血者血滲入喉竈愈咳愈滲愈滲愈

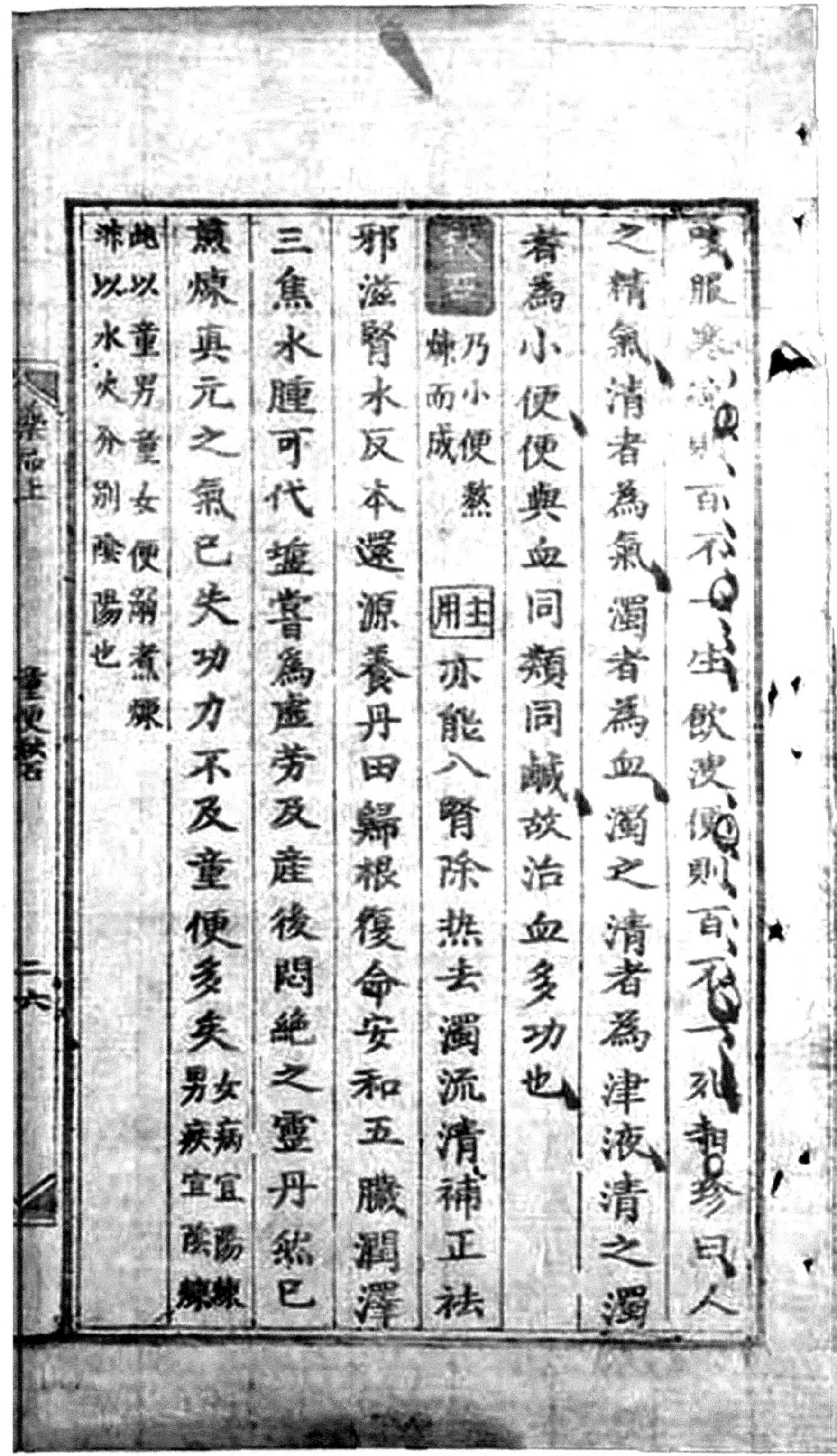

實服寒涼則百不一生飲溲便則百不一死[illegible]參曰人之精氣清者為氣濁者為血濁之清者為津液清之濁者為小便便與血同類同鹹故治血多功也

秋石 乃小便熬煉而成 **主用** 亦能入腎除熱去濁流清補正祛邪滋腎水反本還源養丹田歸根復命安和五臟潤澤三焦水腫可代塩嘗為虛勞及產後悶絕之靈丹然已煎煉真元之氣已失功力不及童便多矣女病宜陽煉男疾宜陰煉此以童男童女便溺煮煉非以水火分別陰陽也

人中白即溺器中白壟結成也壟魚偉切罌去瓦滓泥也【主用】此溺器中之精氣結成，能瀉肝腎三焦膀胱有餘之火。內服可除骨蒸勞熱、痰咳、肺痿、吐血諸症，外治口舌瘡同鰻魚食鼻衄湯調烏龍丹、火灼瘡癒，皆除熱降火之功也。

【余用】味苦鹹，性大寒。入心腎肝經。惡雷丸烏頭烏喙忌鹽松脂升麻桑葉

【主用】明目安神，乃清心鎮肝之要藥。消痰止痢，凉血散瘀，中風失音，去煩熱，吐血衄血下血畜血。主傷寒發狂，發黃發癰，譫語，及小兒風熱成驚癇。治瘟大熱毒，餘毒發

鬼疰，解百毒（華食百草之毒，故能解毒），療癰疽諸瘡腫，皆能化爲水。

【禁用】丹溪曰：性善走散，痘後用以走散諸餘毒，殊不知血虛燥熱者用之，其禍立至。與血熱痘症初起者，絕不可用。蓋痘假火性以呈形，若遇寒則冰伏不出矣。且至寒至靈之品，入心凉血，入胃散邪，則邪走矣。然大寒之性，胃必受傷，妊婦多服能消胎氣，與產後用之則引毒入心爲患。大要血虛而發熱者忌。

【製法】銼作細末，先鎊屑置入懷中一宿，擣之應手成粉（此陽勝陰也）。凡用取角尖

以其精氣盡在此也若已作器物多用蒸煮不甚用入[illegible]

黄連 名川黄連 附胡黄連 味苦性寒無毒味厚於氣陰也入心經 惡菊花玄參芫花白蘚皮白薑蠶畏款冬花牛夕忌豬肉黄芩○龍骨連翹爲使○能解巴豆附子毒

主用 鎮肝凉血調胃厚腸益胆瀉心燥濕開欝除煩解渴殺蟲安蚘利水明目除痞消痔清心火之欝熱治陽毒之發狂除暑熱下痢酒毒痞滿驚悸腸風止心腹痛中焦嘈雜治小兒鼻𧏾 鼻下兩道赤白以米泔洗用黄連末傅之 一切濕熱形瘦氣急一切邪行熱毒諸般瘡瘍諸般惡毒

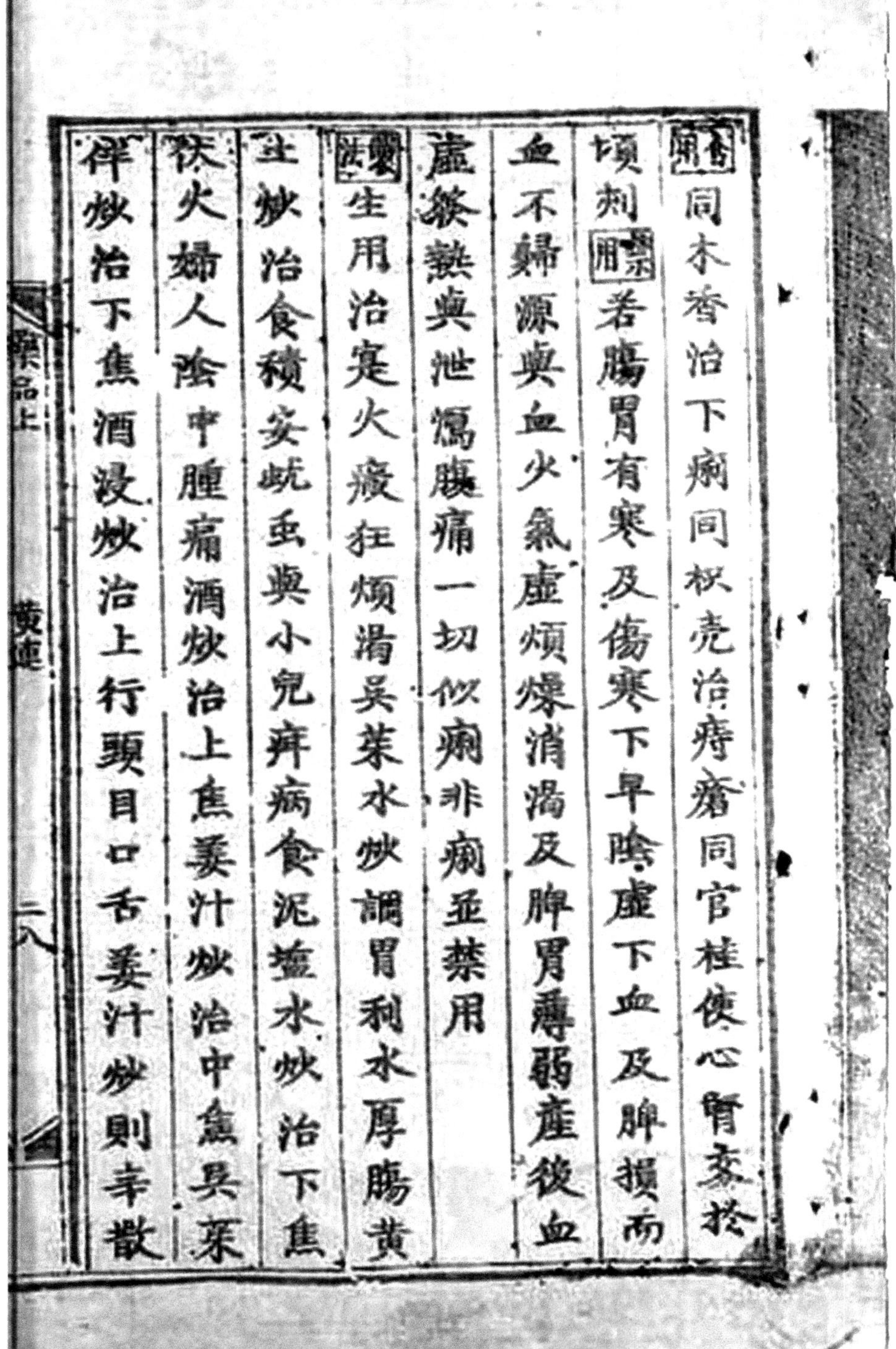

【合用】同木香治下痢同枳壳治痔瘡同官桂使心腎交於頃刻【宗用】若腸胃有寒及傷寒下早陰虛下血及脾損而血不歸源與血火氣虛煩燥消渴及脾胃薄弱產後血虛發熱與泄瀉腹痛一切似痢非痢並禁用

【製法】生用治實火癡狂煩渴吳茱水炒調胃利水厚腸黃土炒治食積安蚘蟲與小兒疳病食泥鹽水炒治下焦伏火婦人陰中腫痛酒炒治上焦姜汁炒治中焦吳茱拌炒治下焦酒浸炒治上行頭目口舌姜汁炒則辛散

冲熱有功姜制其寒則必變其性也。按韓氏曰古人用黄連木香治痢水火散用黄連乾姜左金丸用黄連呉茱萸黄散用黄連生姜口瘡用黄連細辛皆是一冷一熱寒因熱用熱因寒用最得製方之妙所以有成功而無偏勝也五味入胃各歸所喜久而增氣化物之常氣增而久夭之由也王氷註云增味益氣如久服黄連反從火化也蓋大香大寒行隆冬肅殺之令譬如皐陶明刑執法是其職也稷契夔龍之事非其任也逆世不

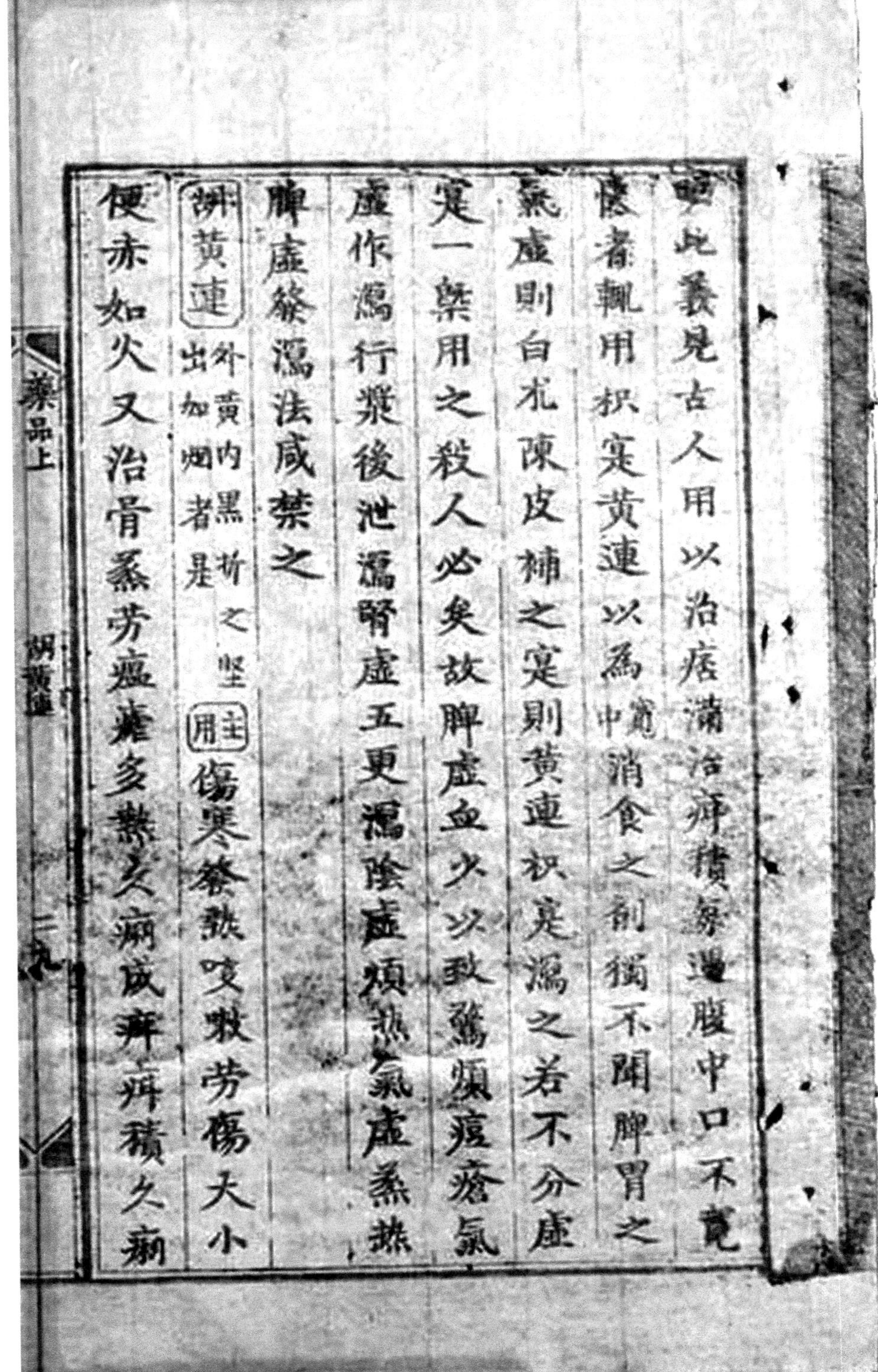

即此義是古人用以治痞滿治痹積旁邊腹中口不覺飢者輒用枳實黃連以爲中寬消食之劑獨不聞脾胃之氣虛則白朮陳皮補之實則黃連枳實瀉之若不分虛實一槩用之殺人必矣故脾虛血少以致驚煩痘瘡氣虛作瀉行漿後泄瀉腎虛五更瀉陰虛煩熱氣虛發熱脾虛發瀉法咸禁之

胡黃連　外黃內黑折之塵出如烟者是　主用　傷寒發熱咳嗽勞傷大小便赤如火又治骨蒸勞瘧疳多熱久痢成痔痹積久痢

補肝胆翳目痛一切湿熱所生諸病[illegible]不消除及婦人胎前虚驚小兒盗汗蓄熱

【黄芩】清火養陰分四芩腐腸芩宿芩條芩子芩味苦性平大寒無毒可升可降陰也入手太陰少陰太陽陽明亦入足少陽惡葱實畏丹砂丹皮藜蘆沙參丹參山藥龍骨為使

【主用】瀉肺經火消痰利氣瀉大腸火養陰退陽除湿熱不留積於肌表滋化源常充溢於膀胱赤痢頻并赤眼腫脹總除諸熱盡收全功

【配合】得白术砂仁安胎得厚朴黄連治腹疼得猪胆除

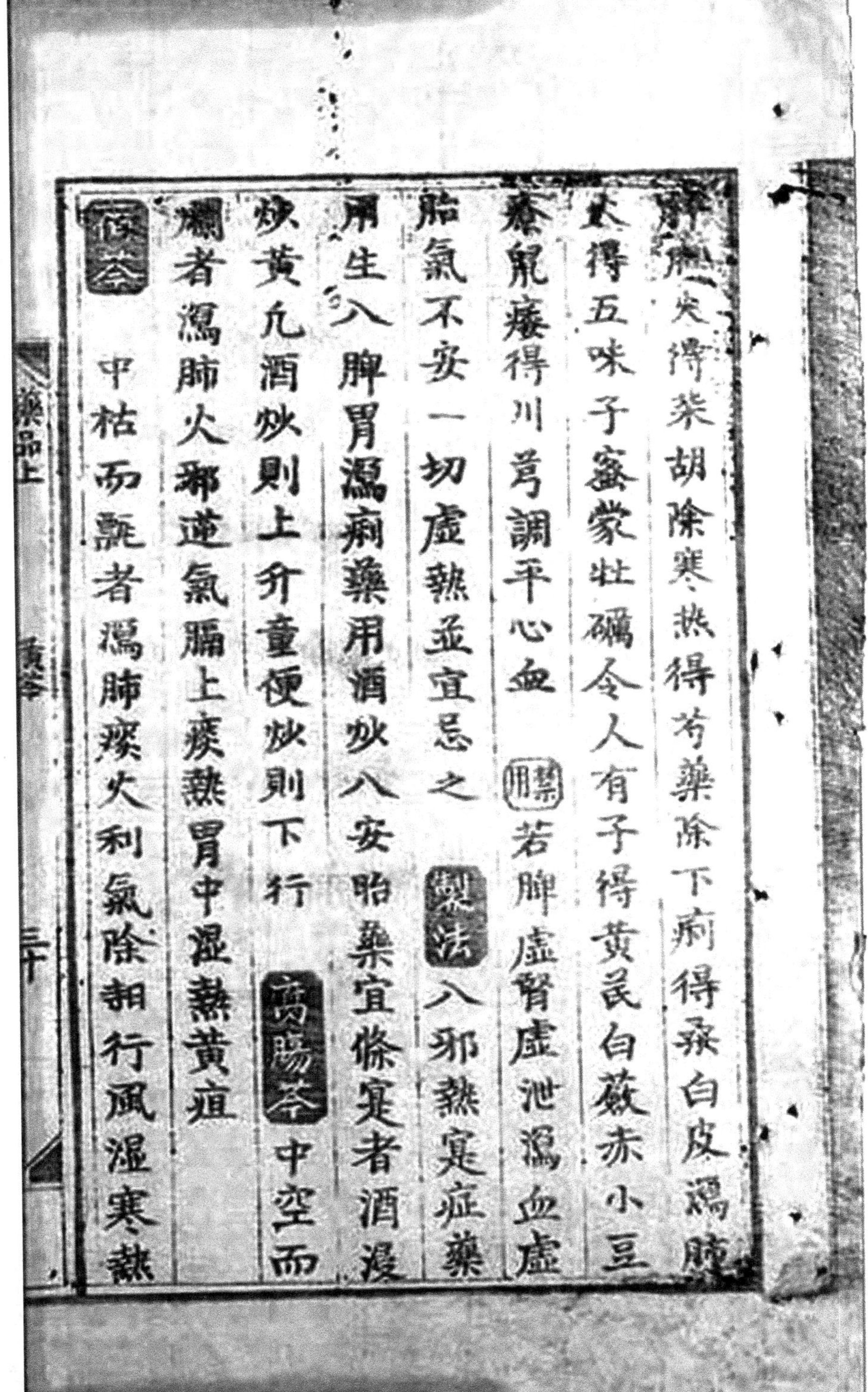
[illegible]火得柴胡除寒熱，得芍藥除下痢，得桑白皮瀉肺火，得五味子、蜜蒙、牡蠣令人有子，得黄芪、白蘞、赤小豆療鼠瘻，得川芎調平心血。【[illegible]】若脾虚胃虚泄瀉血虚胎氣不安，一切虚熱並宜忌之。【製法】入邪熱寔症藥用生，入脾胃瀉痢藥用酒炒，入安胎藥宜條寔者酒浸炒黄。凡酒炒則上升，童便炒則下行。【腐腸芩】中空而爛者瀉肺火，瀉逆氣膈上痰熱，胃中濕熱黄疸。【條芩】中枯而飄者瀉肺瘀火，利氣除[illegible]行風濕寒熱

往来諸瘡疔腫炎瘍用之排膿一切上部実熱痰熱積血

條芩細実是直而堅者瀉大腸之火逐水消穀止熱瀉下

痢膿血腹痛後重養陰退陽

子芩細実圓而堅者去

膀胱熱滋化源利小腸治五淋小腸絞痛女子血閉下血又能安胎

挟黄芩總為清火之品退陽養陰之意存皆非降伐之

也但輕飄者上升而清上火堅実者下降而清下火益

黄芩為補胃之要藥亦猶白朮為補脾之正藥愚已詳

論在臓腑用藥條内隱居曰黄芩能療腹痛小腸仲景

云火陽症腹中痛者去黄芩加芍藥心下悸小便不利者去黄芩加茯苓似與隱居之説不合不知受寒腹痛心下悸而小便不利脉不數者禁用黄芩若熱厥腹痛肺熱而小便不利者可不用乎善讀書者先求其理無泥其文直指云柴胡退熱不及黄芩蓋不知柴胡之退熱乃苦以發之散火之標黄芩之退熱乃寒能勝熱折火之本

梔子 引火下降緊小七稜者佳 味苦性寒無毒陰中陽入手太陰少陰足陽明經 【主用】清肺火解鬱結除胃熱嘔噦發

黄吐上焦邪氣去心中懊憹亡血亡津中乾内熱鼻皶
鼻衄風痰頭眩目赤面黑表熱留皮治肌表熱胸熱去皮治心胸熱除
煩治湿止痢通淋去腈下血滯利小便引火屈曲下行
要之皆瀉肺火調肺氣滋化源之妙耳又曰凉心腎是
藥乃上中下美劑【合用】得故紙能滋腎降火清上固下
雖寒而帶補丹溪以姜汁伴炒刼胃脘火痛如神【製法】尋常生
用虛火童便炒七次炒至黑治衄血肺熱酒炒黑熱生用亦是
梔子輕飄象肺故獨入肺家泄有餘之火蘇不功用

皆從肺旁及者也然大苦大寒損胃伐氣虛人忌之世人每用治血不知血寒則凝反成敗症治實火之吐血順氣爲先氣行則血自歸經治虛火之吐血養正爲先氣壯則自能攝血此治療之大法不可少違者也如誤用梔子以治血症其受害也必矣

大青　發癍熱毒　即青黛

味苦性大寒無毒　主用　傷寒熱毒發癍

有大青四物湯飲敎傷寒身強脊痛有大青葛根湯服靈有單味大青湯煎治傷寒黄汗黄疸天行䘓疫尤多

用之仍晉腫瘧且解煩渴專治天行熱毒頭痛口瘡小青

異種取葉生搗治瘧痎若脾弱虛寒者勿用

【連翹】散火清瘧根名連部去穰去心用味苦辛平性涼無毒氣味俱薄

輕浮而升陰中陽也入手少陽手陽明亦入手少陰心經

【主】散心經客熱清脾胃濕熱散諸火鬱消諸火滯清

六經火邪解諸經血結利月經通五淋消瘧疝散腫毒

氣聚血凝小兒諸瘡既有清熱之功又有散結之妙

【禁用】清而無補瘧疝潰後勿服火熱由於虛忌投又性極

寒多用減食與脾胃不寔及溏泄者宜慎忌之

按連翹味苦性寒能瀉六經鬱火爲手少陰主藥蓋心爲五火主心清則諸臟皆清凡諸瘡痛痒皆屬心火故瘡家以爲要藥

金銀花外科至寶一名忍冬花又名鷺鷥藤其藤名忍冬藤味甘微温無毒

主補血療風散熱解毒癰疽未成能拔毒而散已成能托毒而穿解菌毒消疔腫一切風氣濕氣皆除血痢水痢兼治寔是外科要寶或搗汁和酒頓飲或研爛和酒厚敷又云能治五穌彭尸乘毆鬼擊痛久服輕身長年益壽

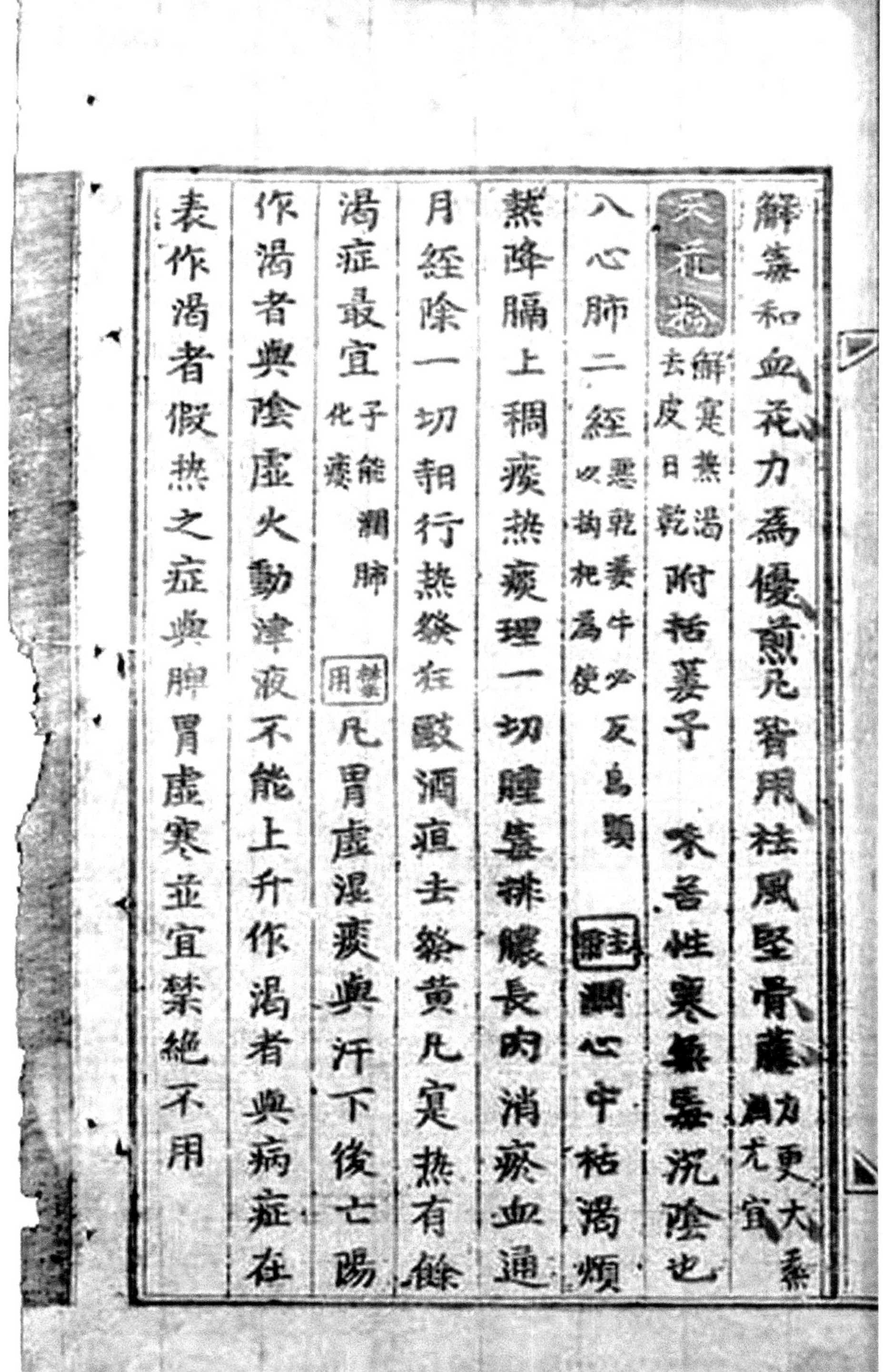
解毒和血花力爲優煎凡背用祛風堅骨藤力更大柔用尤宜
天花粉解寔熱渴去皮日乾附栝蔞子味苦性寒無毒沉陰也
入心肺二經惡乾姜牛夕反烏頭以枸杞爲使主治潤心中枯渴煩
熱降膈上稠痰熱痰理一切腫毒排膿長肉消痰血通
月經除一切秮行熱發在毆酒疸去發黃凡寔熱有餘
渴症最宜子能潤肺化痰禁用凡胃虛濕痰與汗下後亡陽
作渴者與陰虛火動津液不能上升作渴者與病症在
表作渴者假熱之症與脾胃虛寒並宜禁絕不用

楼黍花粉稟清寒之氣本草云補虚安中蓋熱去陰復而中自和與天門冬冷補之意同非真補也又云酸飫生津甘不傷胃微苦微寒降火爲潤燥滑痰解渴要藥但宜於有餘陽症者若真寒假熱者忌之昔亭林一叟久吾痰火取服兩月悪食暴瀉不救可見其寒凉傷胃之害如此也

石羔大如棋子白瑩細理光澤者佳黄色者令人淋味辛甘大寒無毒洗而惡巴豆忌鐵雞子爲使降陰中陽入足陽明手太陰少陽經氣分

製法宜入火煨烘置地上出火毒用【主用】辛能解肌上行而理陽明頭

齒作痛耳能緩脾益氣而生津液止消渴除逆氣消結氣三焦熱皮膚熱療痰火清胃火治食積與善食一切胃熱爲病如神亦爲傷風傷寒妙劑及中焦壯熱煩燥口乾與日晡潮熱便數如淋如白虎湯專清肺胃

［禁用］凡脾胃虛寒與胃弱食不下及血虛身發熱者服忌

按石羔洩陰下降有肅殺而無生長須適事爲故毋恣意用之致伐資生之本也潔古云能寒胃口令人不食非有極熱不宜輕用血虛發熱有類白虎湯症誤用之

不可救也。彭氏曰：孫兆言四月後天熱，衰宜用白虎湯。
但四方氣候早晚不齊，寒暑冷熱，天氣不一，亦宜詳審。
東垣謂立夏前多服白虎，必小便不禁。此湯明津液不
能上輸肺之清氣，亦復下降，故耳。觀此，可以知其性矣。

燈心　味甘性寒，無毒，入手少陰、足太陰、陽明經。
下淋利小便，通閉逐瘀血，除客熱在腸胃，止吐衄，因
勞傷補中益氣，兼止消渴，清肺熱，定喘，除黃疸、酒毒。茅
根鍼潰癰，每食一鍼一孔，二鍼二孔，大奇。茅花止血。○按：茅根潔白味

耳稟土之冲氣兼感手陽春生生之氣以生耳能補脾故雖氣寒而不犯胃能治諸劳傷虛熱也

穿山甲 又名鯪鯉甲 味鹹性寒有毒入足厥陰手足陽明經

主 殺鬼除邪療嵐瘴蟻瘧理痛腸發痘治風痺驚啼敷腫毒未成即消已成即潰理痛痺在上則升在下則降搜風逐痛破血開氣又能破暑結之邪痘癰因穿經絡秋蒙及產後氣血冲心昏暈外科托疔消腫排膿一切癰疽透發必用走竄經絡無處不到直達病所成功然雖

峻猛不可遍用　【合用】同當歸白芷金銀連翹紫蘇地丁夏枯草牛旁乳香没藥甘草貝母皂角刺治癰腫未潰資為引導同蝟皮荳蔻仁為末酒送下治氣癖成膿同木通自然銅搗末酒調治吹乳腫痛同豬苓二錢雕研酒服治便毒便癰單方用毛尖處一段燒存性鱉甲酥炙一兩射香五分為末每二ㄉ空心服治鼠奔或癰腫痛單方炮研末酒服方寸匕日二服外以熱御摩乳即通名涌泉散治乳汁不通

【製法】括去膜搗碎炒黃細研用如患在某處即以某處之甲用之尤捷奇效其尾腳之力更勝以穴地穿山在此乃峻猛於他處也

【南星】味苦辛性温有大毒可升可降陰中陽也入肝胆二經惡草菓畏附子乾姜以蜀漆爲使**【主用】**中風痲痺痰氣堅積解痰迷心竅療口眼喎斜口噤身強除痓消腫破血利水下氣墮胎跌仆瘀血治疥瘡惡瘡及蛇咬蟲傷**【禁用】**凡症屬陰虛而痰燥者切忌**【製法】**臘月置水中煉去燥性入灰火中炮製去皮或用姜汁白礬煮至中心無白點爲度又法生姜滚湯泡過研細入胆中懸風處經年用換胆而經年者佳凡胆製者功効專燥劑

之性俱緩矣故又名胆星○按南星氣温而泄性緊有毒故能攻堅去湿半夏辛而能守南星辛而不能守其性烈於半夏也南星專主風痰半夏專主湿痰功雖同而用有別也總之南星為勝湿除涎治風逐血之要藥

味苦耳酸微寒無毒氣薄味厚沉而降陰也入足厥陰火陰手足陽明經〔主用〕雖理血症惟治下焦婦人崩帶月經不斷小兒耳痢腸風下血痔瘻来紅為一切下部湿熱腸風便血血熱血痢痔痢之要藥昔人云寧得一

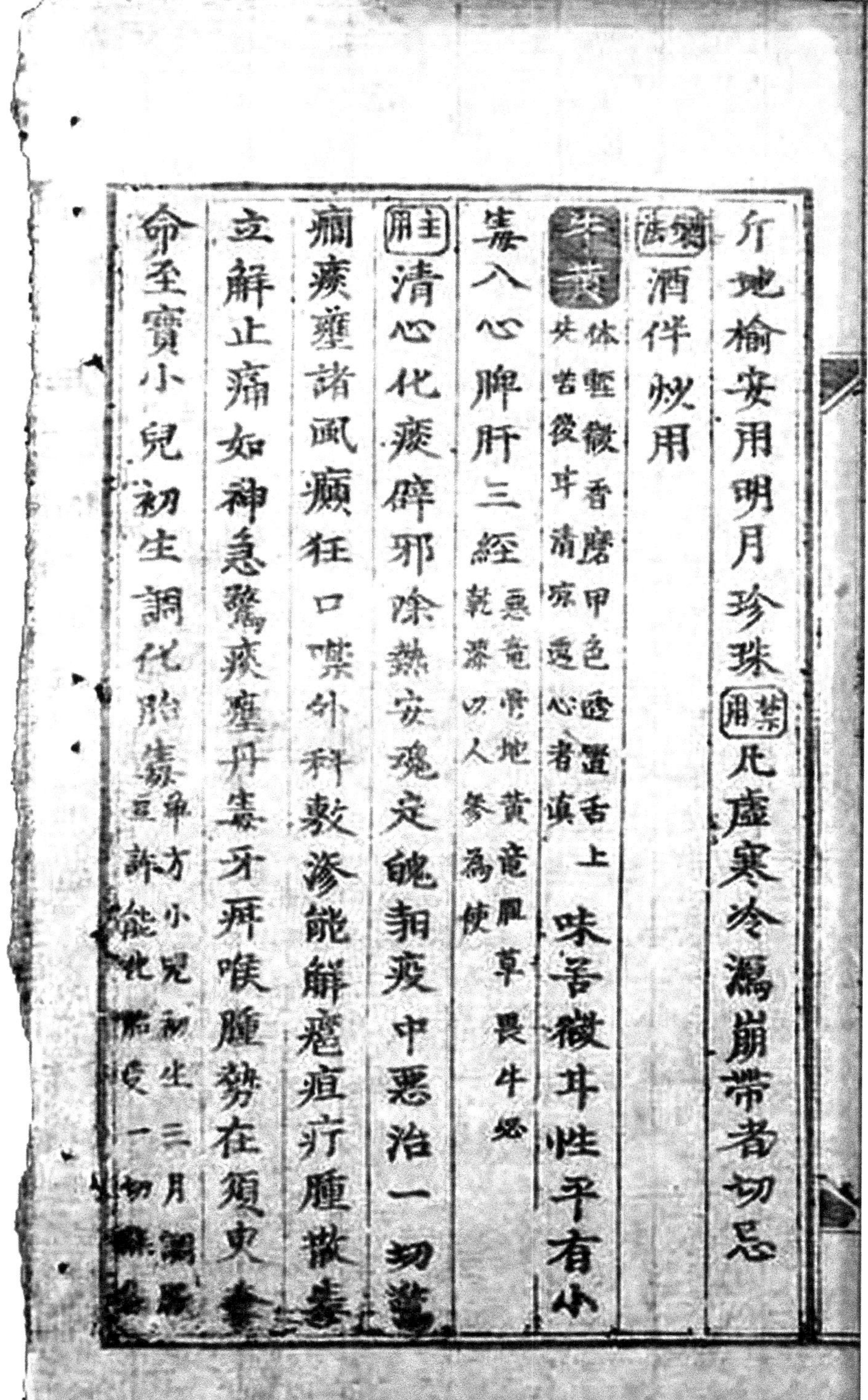

斤地榆安用明月珍珠【禁用】凡虛寒冷漏崩帶者切忌

【製法】酒伴炒用

【牛黃】体輕微香磨甲色透置舌上 先苦後甘清凉透心者真 味苦微甘性平有小

毒入心脾肝三經 惡龍骨地黃龍膽草畏牛膝 乾漆以人參為使

【主用】清心化痰辟邪除熱安魂定魄豁痰中惡治一切驚

癇痰壅諸風癲狂口噤外科敷滲能解癰疽疔腫撒毒

立解止痛如神急驚痰壅丹毒牙齊喉腫勢在須臾毒

命至寶小兒初生調化胎毒 單方小兒初生三月調服 豆許能化胎毒一切熱毒

誤免驚癇護可痲痘痘瘄黑陷用以調搽單方用牛黃二厘珠砂一分共研細末蜜浸搽豬取汁調搽【禁用】此為清心化痰最捷大有力量之藥倘病未至沉痾切勿輕為過用凡中風入臟者必用牛黃入骨透髓引風自內而出若中腑及血脈者用之反引邪入髓如油入麵莫之能出慎之孕婦忌服墮胎小兒傷乳作瀉脾胃虛寒者至於脫絕正氣惟宜參附追復元陽而牛黃何濟於事也○丹溪倒倉法丹溪序曰牛土畜也黃土色也以嘆文乾健者乳之用也肉者胃之藥也液者無形之物也故由腸胃而滲透肌膚毛竅無所不入

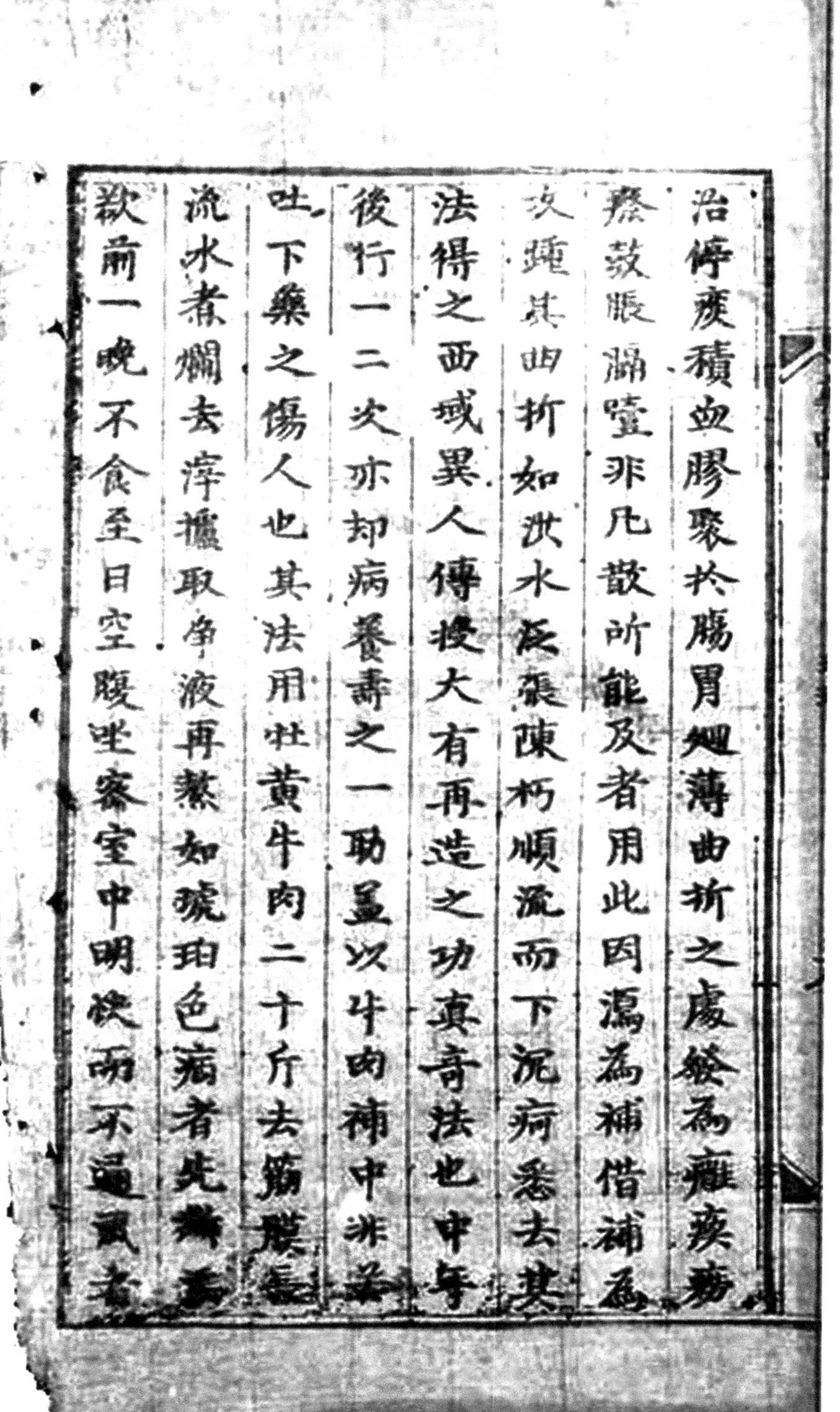

治停痰積血膠聚於腸胃迴薄曲折之處發為癰痰務
蕩滌脹滿瑩非凡散所能及者用此因瀉為補借補為
攻蓋其曲折如洪水泛漲陳朽順流而下沉疴悉去其
法得之西域異人傳授大有再造之功真奇法也中等
後行一二次亦却病養壽之一助蓋以牛肉補中非其
吐下藥之傷人也其法用牡黄牛肉二十斤去筋膜長
流水煮爛去滓濾取淨液再熬如琥珀色痼者先蓄
欲前一晚不食至日空腹坐密室中明快而不通風者

聯汁飲之一鍾必和又飲積數十鍾身体覺痛寒月隔湯溫之如病在上則吐在下則利在中則吐而利之利後必渴即飲已溺數碗以滌餘垢飢倦先與米飲二日與薄粥次與厚粥軟飯將養一月沉疴必安矣須斷房事半年牛肉五年

琥珀 以布摩熱拾得芥爲真 味甘性平無毒陽中微陰降也入心肺脾小膓四經【主用】利水道通五淋定魂魄安五臟破癥結瘀血殺鬼魅精邪止血生肌明目磨翳治產後血暈

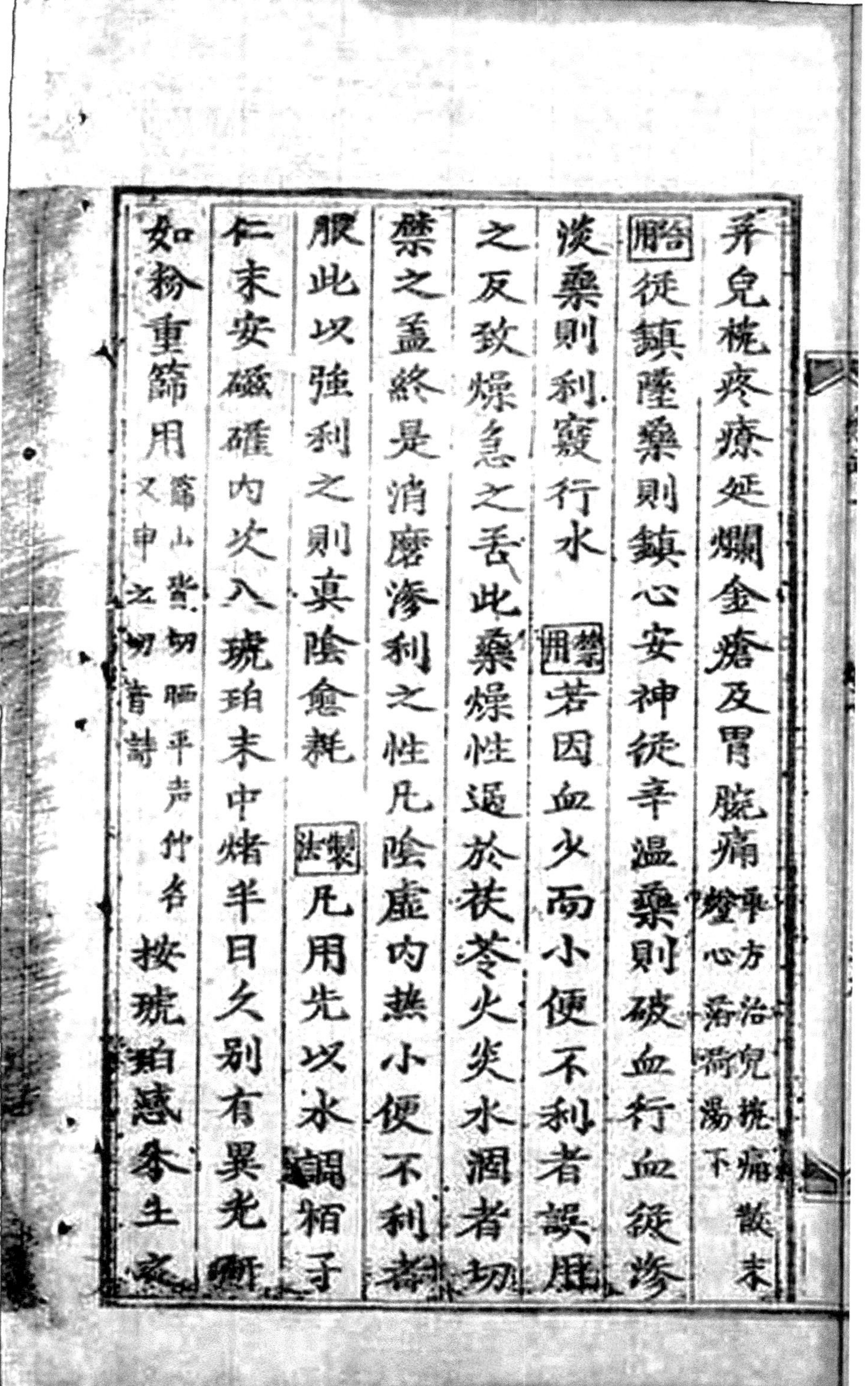

弄兒桄疼療延爛金瘡及胃脘痛（單方治兒桄痛散末燈心薄荷湯下）

【合用】從鎭墜藥則鎭心安神從辛溫藥則破血行血從滲淡藥則利竅行水【禁用】若因血少而小便不利者誤服之反致燥急之害此藥燥性過於茯苓火炎水涸者切禁之盖終是消磨滲利之性凡陰虚内熱小便不利者服此以強利之則真陰愈耗【製法】凡用先以水調栢子仁末安磁礶内次入琥珀末中煁半日久別有異光研如粉重篩用（篩山皆切晒平声竹名又申之切音詩）按琥珀感[illegible]生之

[illegible][illegible]參化故有功於脾土脾能運化肺金降下小便有靈且茯苓生於陰而成於陽所生日淺只可流氣而藥心利水琥珀生於陽而成於陰所稟日深故能治血而藥心化氣

味苷淡性寒無毒能升能降陽中陰主用降心火清肺熱通陰竅利小便除癃閉成淋消水濕作腫蓋輕清去濕除熱故治疸症及上焦浮熱也根採煮服功力尤優敗席煮服其效更勝其單方灯孔止小兒夜啼治大人喉痺金瘡衰上血[illegible][illegible][illegible]按其質輕通使心經蘊熱從小便而出為上焦伏熱五淋之聖藥虛而小便不禁者宜忌之

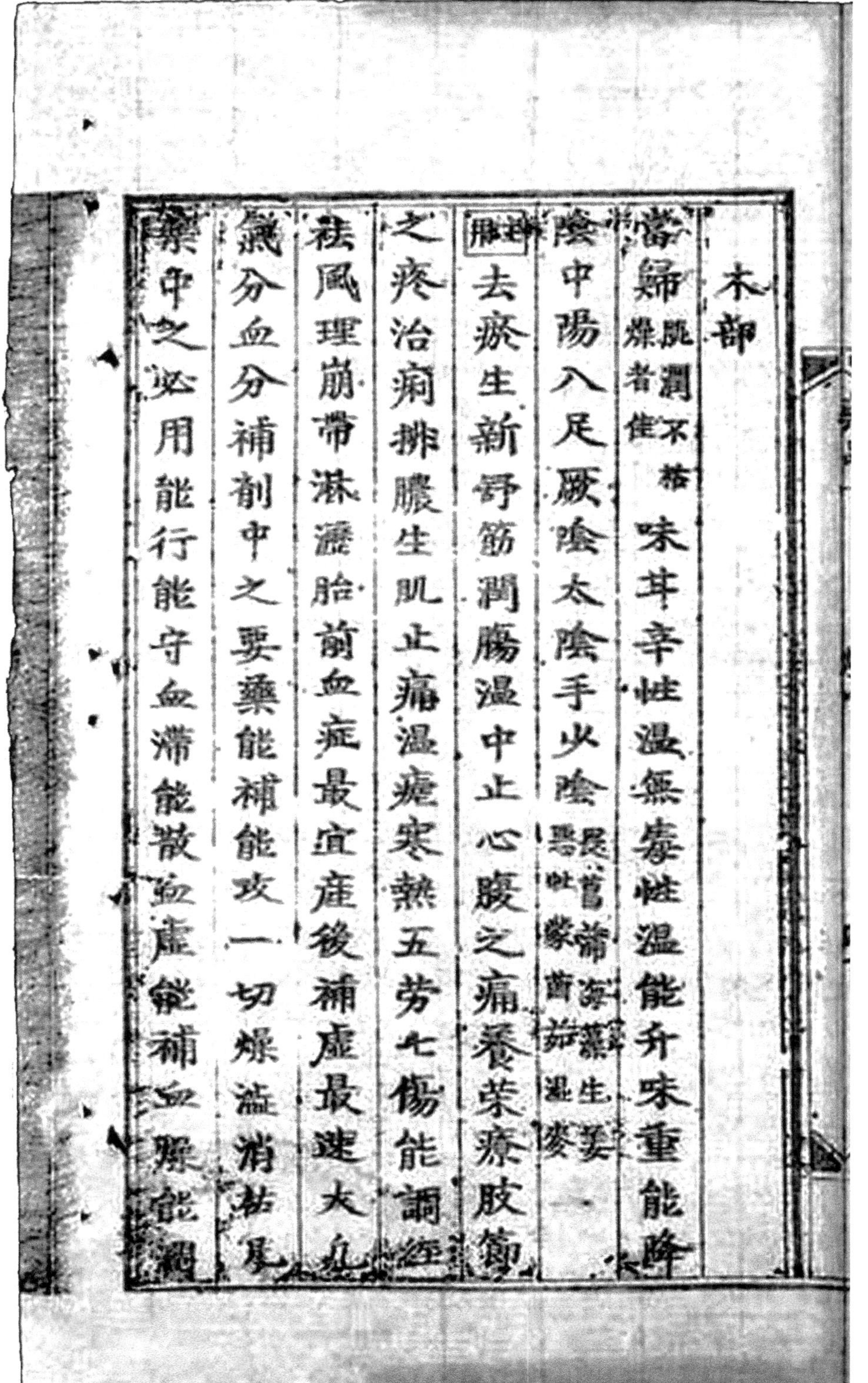

木部

當歸（酒潤不拘 燥者佳） 味苦辛性温無毒性温能升味重能降陰中陽入足厥陰太陰手少陰（畏菖蒲海藻生姜 惡牡蒙茴茹濕麥）一形去瘀生新舒筋潤腸温中止心腹之痛養榮療肢節之疼治痢排膿生肌止痛温瘧寒熱五劳七傷能調經袪風理崩帶淋瀝胎前血症最宜産後補虚最速大凡氣分血分補削中之要藥能補能攻一切燥澁消枯及藥中之必用能行能守血滯能散血虚能補血燥能潤

血散能歸誠血門之要藥【合用】引以川芎細辛則治血虛頭痛耶痛齒痛合諸血藥入薏苡牛必則能下行而治血不榮筋腰痛足瘘合諸氣藥入人参烏藥薏苡則能榮表以治一身筋攣濕毒佐参芪則補氣血虛癆而止汗生肌佐芎藥地黃則能養血滋陰而補腎合芎藥木香則和肝而止痛治痢合鱉甲柴胡則定寒熱而除溫瘧合陳皮半夏則能止嘔合遠志則能養心定悸佐桂附則熱而溫中散寒佐硝黃則寒而通腸潤燥佐栽

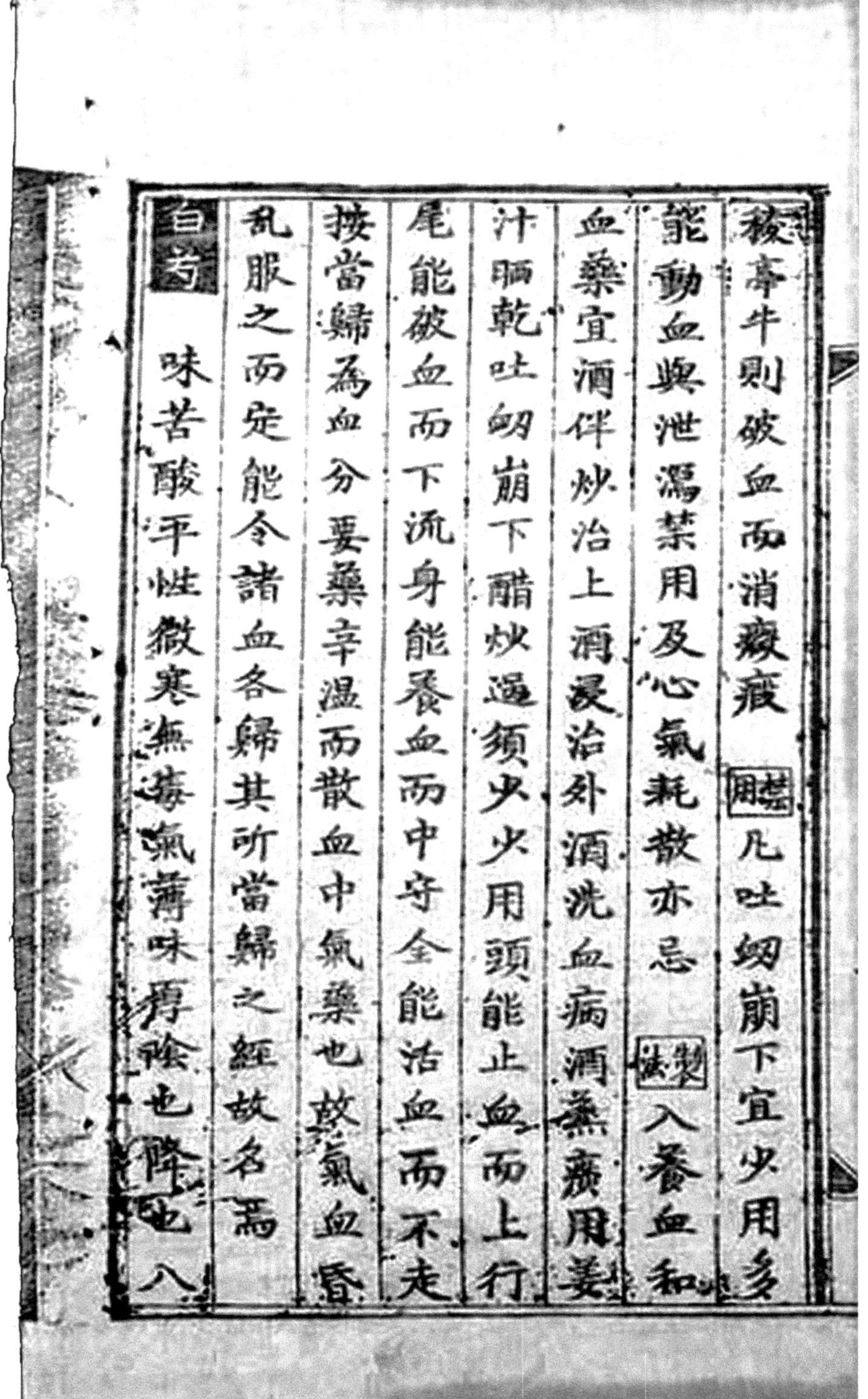

秘寄牛則破血而消癥瘕【禁用】凡吐衄崩下宜少用多能動血與泄瀉禁用及心氣耗散亦忌【製法】入養血和血藥宜酒伴炒治上酒浸治外酒洗血病酒蒸痰用姜汁晒乾吐衄崩下醋炒遏須少少用頭能止血而上行尾能破血而下流身能養血而中守全能活血而不走接當歸爲血分要藥辛温而散血中氣藥也蓋氣血昏亂服之而定能令諸血各歸其所當歸之經故名爲

白芍　味苦酸平性微寒無毒氣薄味厚陰也降也　八

肝經（惡石斛芒消畏鼈甲　反藜蘆雷丸為使）【主用】瀉肝火而主血熱目疾脇下作疼抑肝斂肝補脾陰而主中滿腹痛瀉痢不和除煩益氣能斂肺家燥金而主脹逆咳嗽收胃氣腠理不固專入脾經血分而補虛勞退熱斂陰氣收血安胎女人一切病利血補血能斂肝血乃調中之要藥婦人諸產症赤白帶下能入血海乃收降之妙劑【合用】白朮補脾之陽白芍補脾之陰同參芪則益氣同川芎則瀉肝佐以柴胡牡丹山梔則瀉火而除熱燥佐以生姜肉

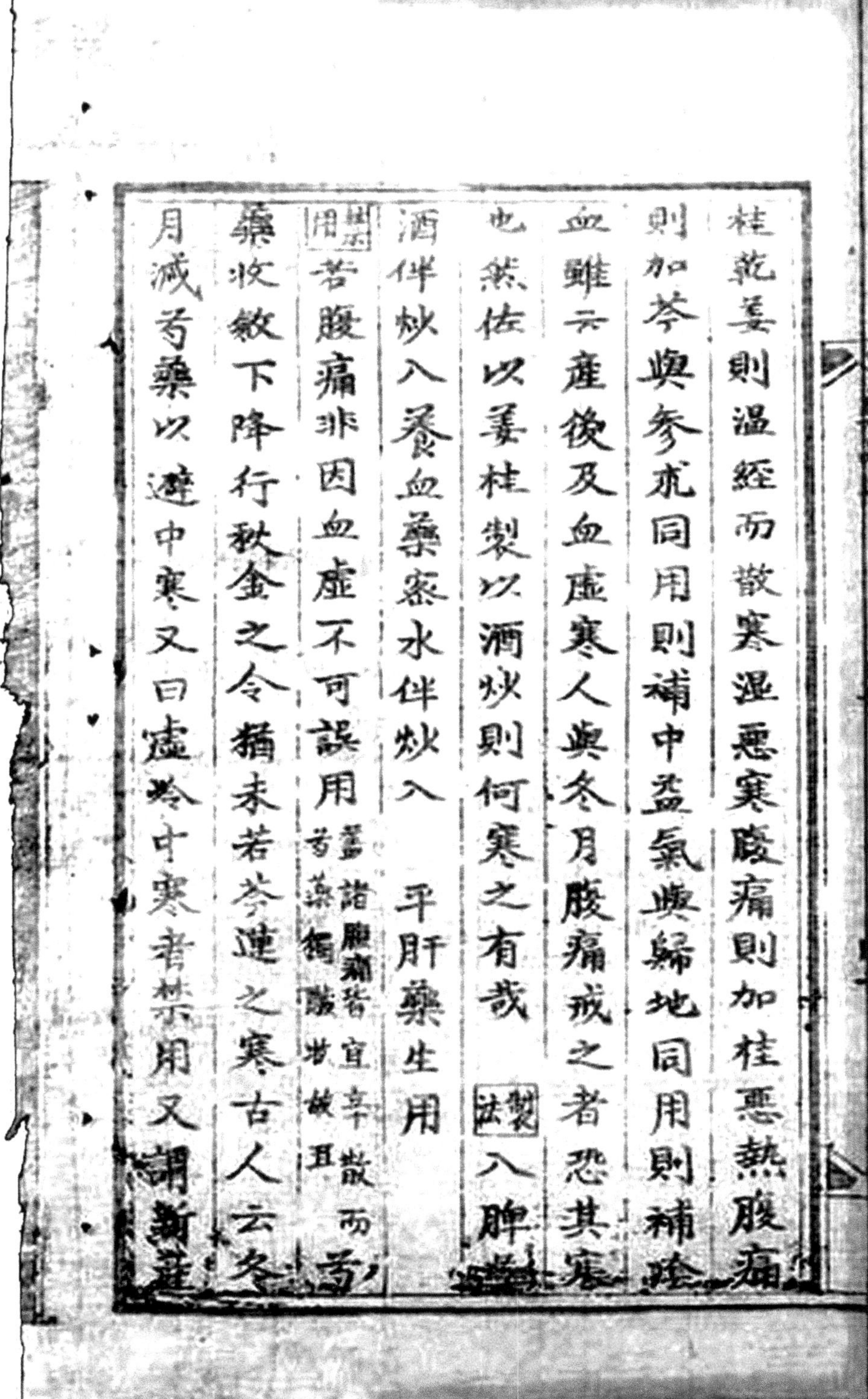

桂乾姜則温經而散寒濕惡寒腹痛則加桂惡熱腹痛
則加芩與參朮同用則補中益氣與歸地同用則補陰
血雖云產後及血虚寒人與冬月腹痛戒之者恐其寒
也然佐以姜桂製以酒炒則何寒之有哉【製法】入脾[illegible]
酒伴炒入養血藥蜜水伴炒入平肝藥生用
【禁用】若腹痛非因血虚不可誤用蓋諸腹痛皆宜辛散而芍藥獨酸故且芍
藥收斂下降行秋金之令猶未若芩連之寒古人云冬
月減芍藥以避中寒又曰虚冷寸寒者禁用又調新産

藥多用遂伐生生之氣必變他症則大苦大寒之類其可肆用而莫忌耶。按白芍古人謂其瀉肝安脾東垣又謂損其肝者緩其中緩其中者即調血也謂白芍稟者能調血何哉蓋當肝火陰邪犯脾酸能收歛陰氣而止痛健脾非瀉肝之正氣也若肝損血虛則能調榮衛而生新血故云春月腹痛宜倍加取其和血抑肝扶脾能於土中瀉木歛津液而益榮血以瀉熱邪也

川芎 形塊重實色白者佳　附撫芎　味辛氣溫無毒浮而升陽也入

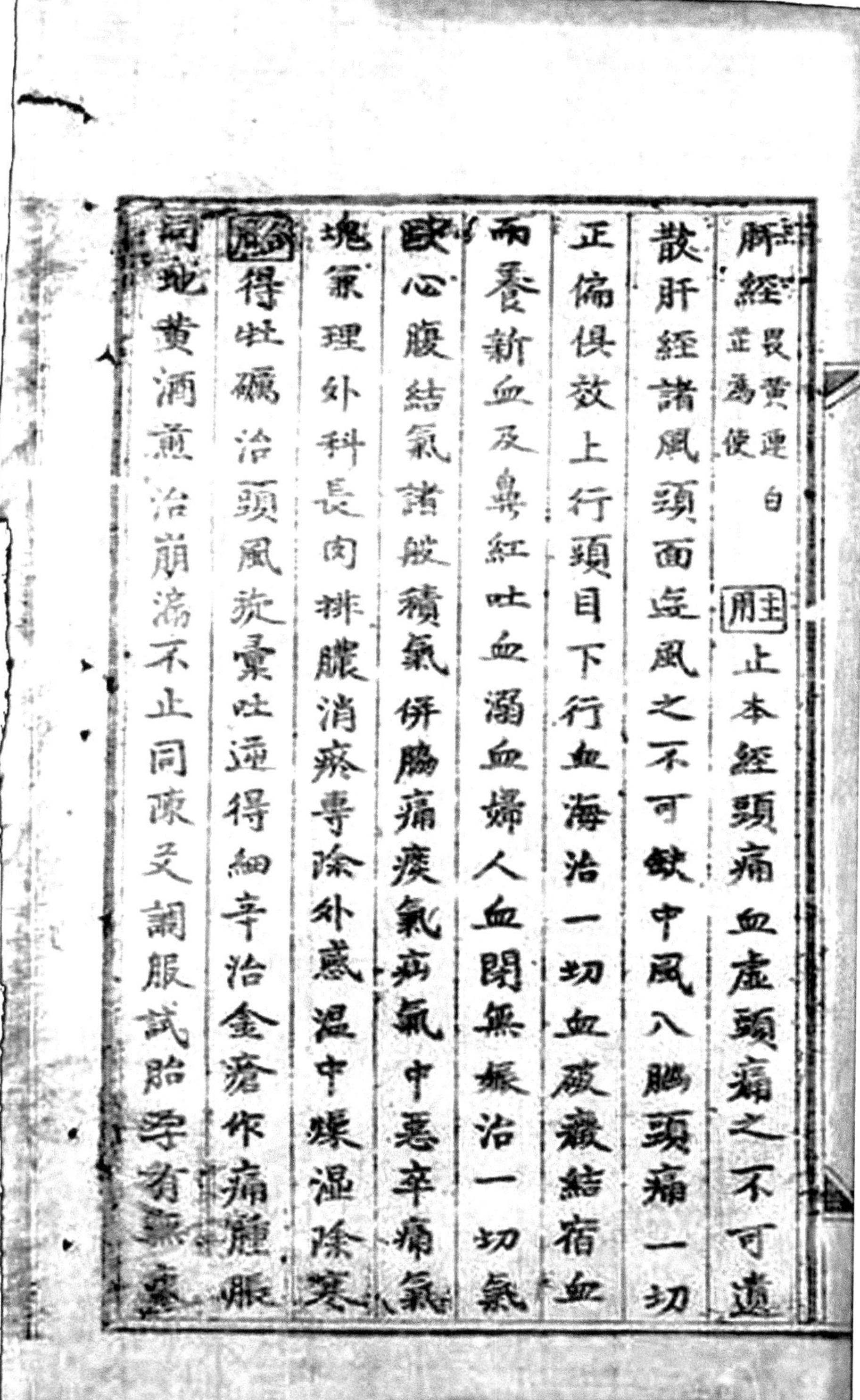

肝經 畏黄連 芷為使

主用 上止本經頭痛血虚頭痛之不可遺散肝經諸風頭面旋風之不可缺中風入腦頭痛一切正偏俱效上行頭目下行血海治一切血破癥結宿血而養新血及鼻紅吐血溺血婦人血閉無娠治一切氣欝心腹結氣諸般積氣倂脇痛痰氣疝氣中惡卒痛氣塊兼理外科長肉排膿消瘀專除外感温中燥濕除寒

鑑 得牡蠣治頭風旋暈吐逆得細辛治金瘡作痛難脹同地黄酒煎治崩漏不止同陳艾調服試胎孕有無[illegible]

垣云頭痛必用川芎須加引經藥太陽羗活陽明白芷少陽柴胡太陰蒼朮厥陰吳茱火陰細辛【性用】氣味辛散不宜久服單服能走泄真氣令人暴亡與虛火上炎嘔吐咳逆者切忌如痘疹不起不發者雖用之然亦不可多用恐其上升發越太過也製法水洗暴乾去油或蒸用如生用治痺皮風按川芎辛溫故能上行頭角助清陽之氣而止痛東垣云上行頭目下行血海為肝經血中之氣藥也敬齋曰久服令人暴亡以其歸肺肺勝則肝病久即偏絕若

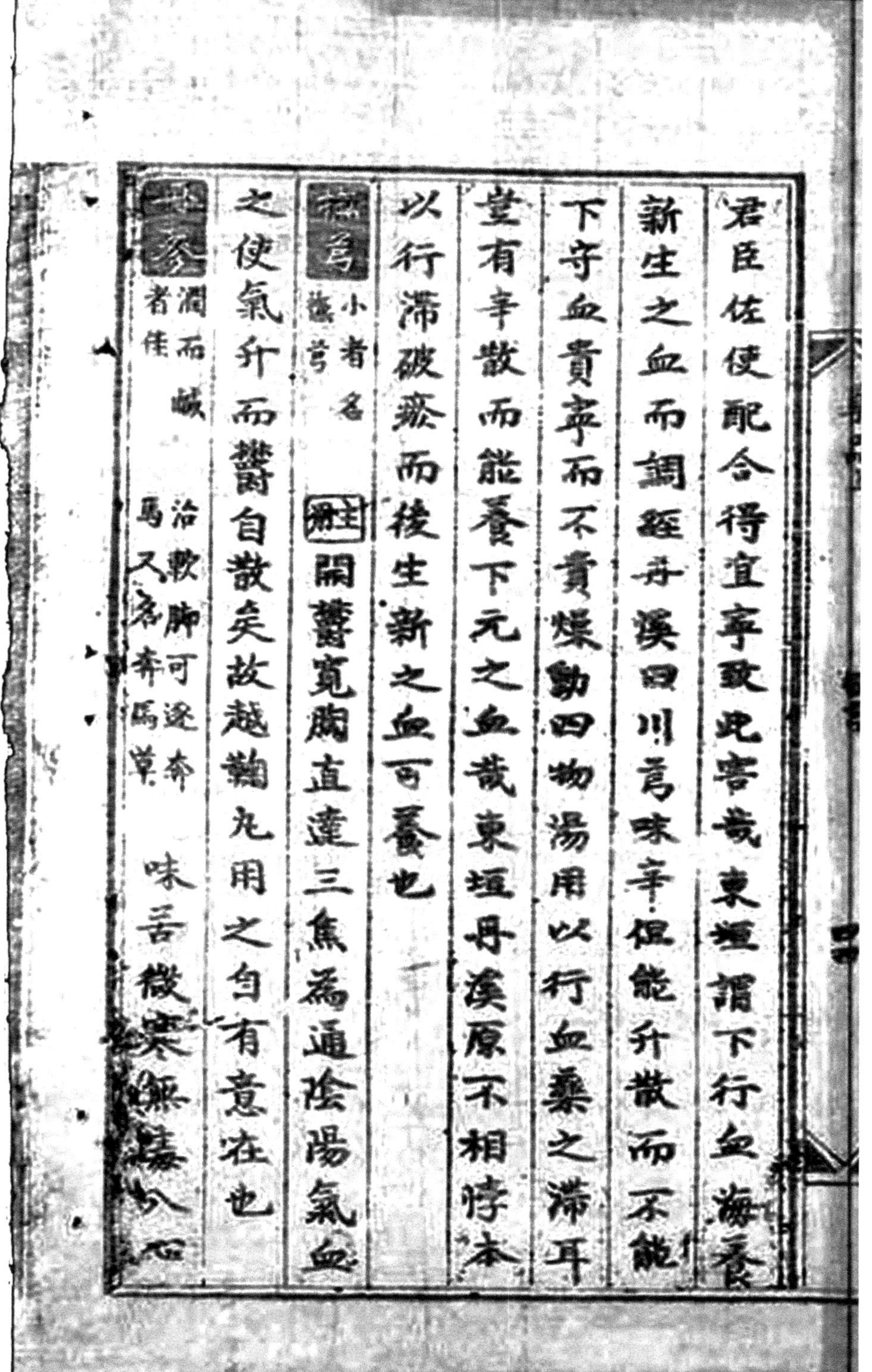

君臣佐使配合得宜豈致此害哉東垣謂下行血海養新生之血而調經丹溪曰川芎味辛但能升散而不能下守血貴辛而不貴燥動四物湯用以行血藥之滯耳豈有辛散而能養下元之血哉東垣丹溪原不相悖本以行滯破瘀而後生新之血可養也

撫芎 小者名撫芎 【主】開鬱寬胸直達三焦為通陰陽氣血之使氣升而鬱自散矣故越鞠丸用之自有意在也

苦參 潤而堿者佳 治歎脚可遂奔馬又名奔馬草 味苦微寒無毒入心

肝心胞絡三經　【主用】安神散結益氣養陰通調諸脉去瘀血而生新血安生胎而落死胎理帶下血崩瘀胎前產后脚痺軟能健眼赤腫可消散癭贅癥瘕排膿生肉辟鬼祟精魅養正驅邪治風邪留熱狂悶及勞熱心腹痼疾頭項痛骨節痛腰脊強四肢不遂　【禁用】若胃氣虚寒者堪酌投之姙娠無故者勿用。按丹參赤色合南方離火獨入心家專主血症古人稱丹參一味兼四物之功嘉其補陰也功雖多於補血然更長於行血識爲

肝火之主藥製法清心除熱生用養心血止心痛宜豬心血拌炒和心陰調心氣蒸酒炒用

牡丹皮白者補赤者利味苦微辛性寒無毒陰中微陽入肝經畏貝母大黃免絲子忌蒜胡荽【主用】養真血而和血生血産后一切症有逐瘀之功清相火而凉血行血女人一切血與癥瘕之疾主無汗之骨蒸骨皮主有汗之骨蒸補神志之不足神屬心志屬腎八味用之以補心腎療癰腫排膿住痛除冷氣散諸結痛及中風瘈瘲驚癇邪氣與頭痛腰痛五癆癲疾此皆固真氣而散結鬱氣之力也然不特去血中之伏熱而又有凉相

火之神功（丹皮能瀉陰中之火）【禁用】凡胃弱食少者不宜用雖在八味亦减之胃氣虚寒經行過期不净者勿服婦人經漏不止者及孕婦無故者禁之【製法】酒蒸三和晒乾用弄帶酒浸晒乾用。按丹皮清東方之雷火是其本功北方龍火因而下伏此乙癸同源之治也古人惟以此治相火故六味凡用之後人專用黄栢不知丹皮其功更勝也余載秘奥人所罕知蓋能瀉陰中之伏火使火退而陰生所以佐滋陰之用若黄栢不過苦寒而燥既可

傷胃久則敗陽若燥之性徒存補陰之功何在與丹皮之力不啻霄壤之殊矣

防風 堅潤者佳去蘆及頭尾用 味辛甘性溫無毒浮而升陽也入肝經 惡乾姜芫花藜蘆白蘞畏萆薢殺附子毒 【主】治風通用散濕亦宜身去身半以上風邪稍去身半以下風疾散滯氣通關脉瀉肺寔搜肝氣凡大風惡風周身風痺頭面遊風四肢拘攣最為風藥中之潤劑與癰疽盜汗眩暈顛閉目盲眼赤多淚總為上焦風症之要藥 【合用】 職居卒伍卑賤之流聽命即行隨引更至得澤瀉藁本治風得芍藥當

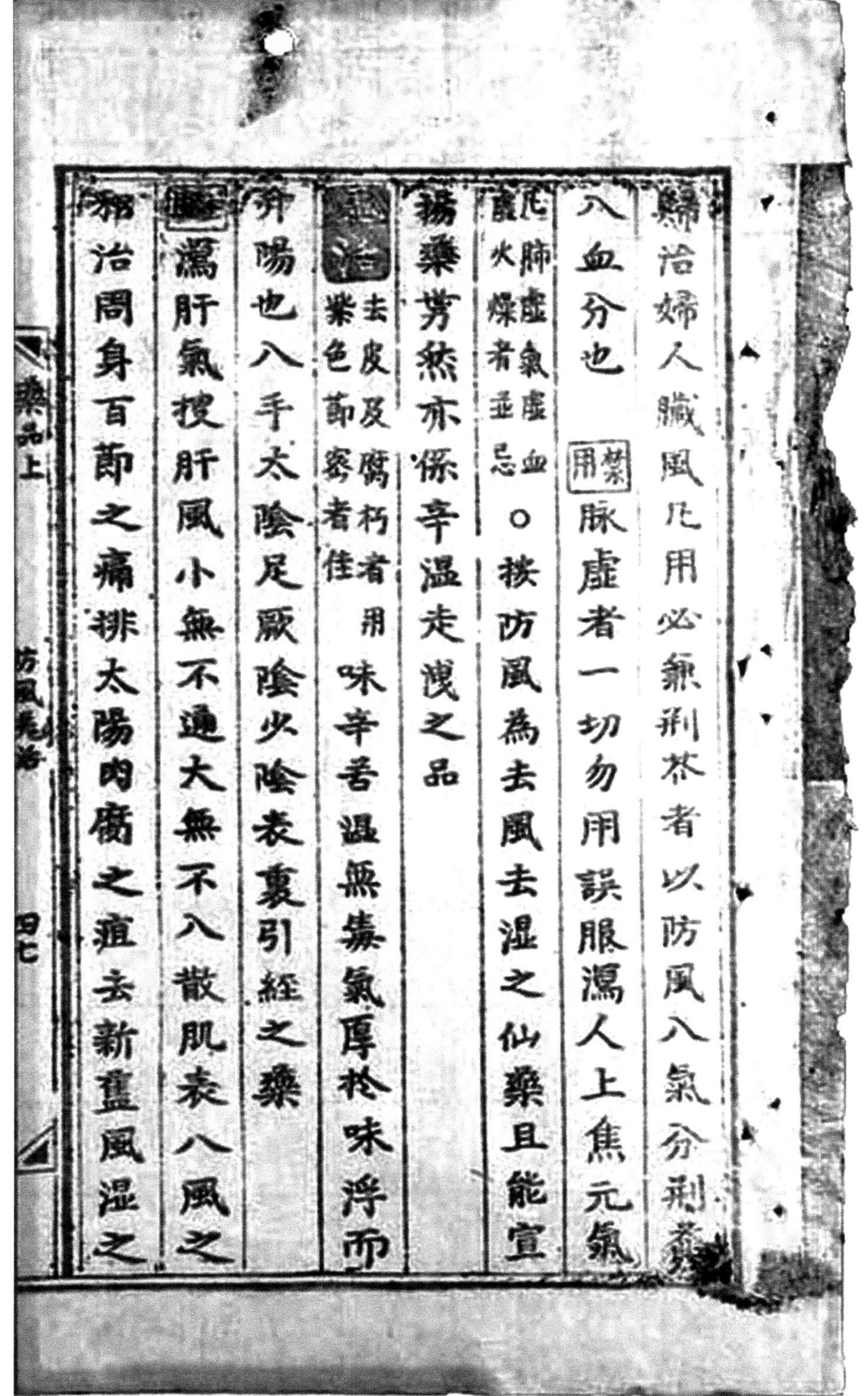

歸治婦人臟風凡用必兼荊芥者以防風入氣分荊芥入血分也【禁用】脉虛者一切勿用誤服瀉人上焦元氣凡肺虛氣虛血虛火燥者並忌○按防風為去風去湿之仙藥且能宣揚藥勞然亦係辛温走洩之品

【製治】去皮及腐朽者用紫色節密者佳味辛苦温無毒氣厚於味浮而升陽也入手太陰足厥陰少陰表裏引經之藥

【主治】瀉肝氣搜肝風小無不通大無不入散肌表入風之邪治周身百節之痛排太陽肉腐之痘去新舊風湿之

癱凡太陽頭痛風濕相搏風寒濕痺筋骨攣疼頭旋掉眩頸項難伸皆為要藥與和痰傳染賊風失音皮痒血癩手足不遂口眼喎斜産後中風亦所必用［合用］得川芎立止本經頭痛○按羌活乃手足太陽表裏引經之藥以理遊風入足少陰厥陰氣分非比柔懦之主誠撥亂反正大有作為者也然治肢節痛因於風者宜之若血氣虛而痛者誤用反致增劇

獨活　黄色佳塊者是得風不搖無風自動故名獨搖草　味甘辛苦性温無毒氣

宗優菌淨而升陽也足少陰引經氣分藥[主用]頸項難伸骨節疼痛皮膚搔痒金瘡奔逐女子疝瘕風湿痿痺透利關節之要藥也故兩足湿痺不能動履非此莫痊風毒齒痛頭眩目暈有此堪治雖治伏風又資燥湿[合用]細辛治少陰頭風與足少陰伏風搜獨活入足少陰表裡引經專治頸項與少陰伏風而不治太陽經也古分羌獨二活者以羌氣雄能治水湿遂風獨氣細而低其性下行治水湿伏風故足痺尤驗羌氣清行氣散榮衛之邪獨氣濁行

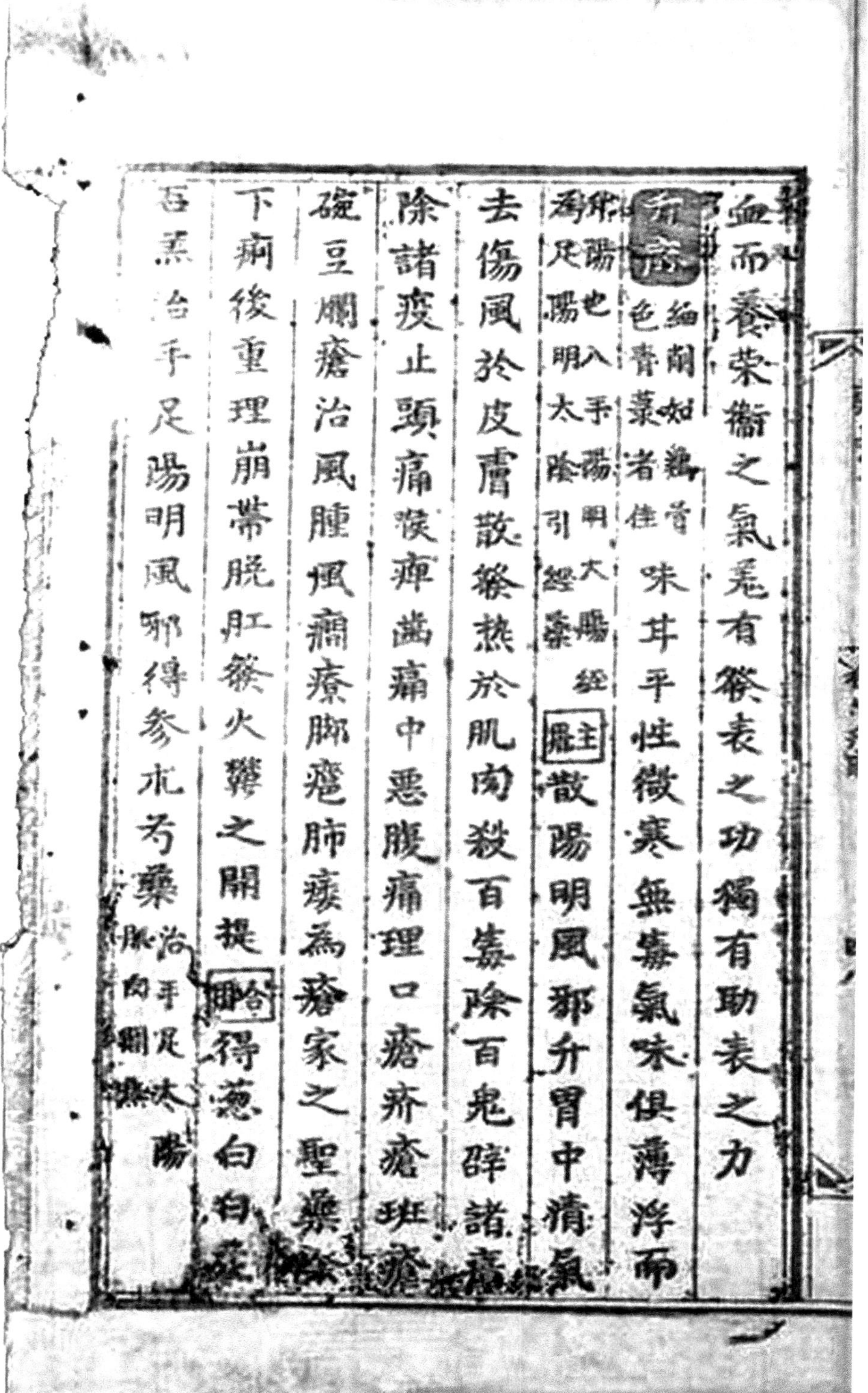

血而養榮衛之氣兼有發表之功獨有助表之力

升麻 細削如雞骨色青纍者佳 味苦平性微寒無毒氣味俱薄浮而升陽也入手陽明太陽經爲足陽明太陰引經藥 主散陽明風邪升胃中清氣

去傷風於皮膚散發熱於肌肉殺百毒除百鬼辟諸瘟

除諸瘧止頭痛喉痺齒痛中惡腹痛理口瘡疥瘡斑瘡

碇豆斑瘡治風腫風癎療脚氣肺痿爲瘡家之聖藥除

下痢後重理崩帶脫肛發火鬱之開提 合 得葱白白芷

石羔治手足陽明風邪得參朮爲藥治手足太陰脈

【禁用】忌太陽症忌服否則猶引賊破家與氣逆嘔吐上盛下虛者切勿輕投及陰虛火動陽脫火浮者所當禁絕

【製法】清熱發表生用補中酒炒止嗽汗蜜炒入升提散斂藥醋炒用

按升麻稟極清之氣升於九天故元氣不足者用此於陰中升陽蓋虛人之氣升少降多經曰陰精上奉其人壽陽精下降其人夭東垣補中湯獨窺其微矣用升麻引足陽明清氣右旋上行用柴胡引足少陽清氣左旋上行助參芪歸朮以補脾胃中之元氣

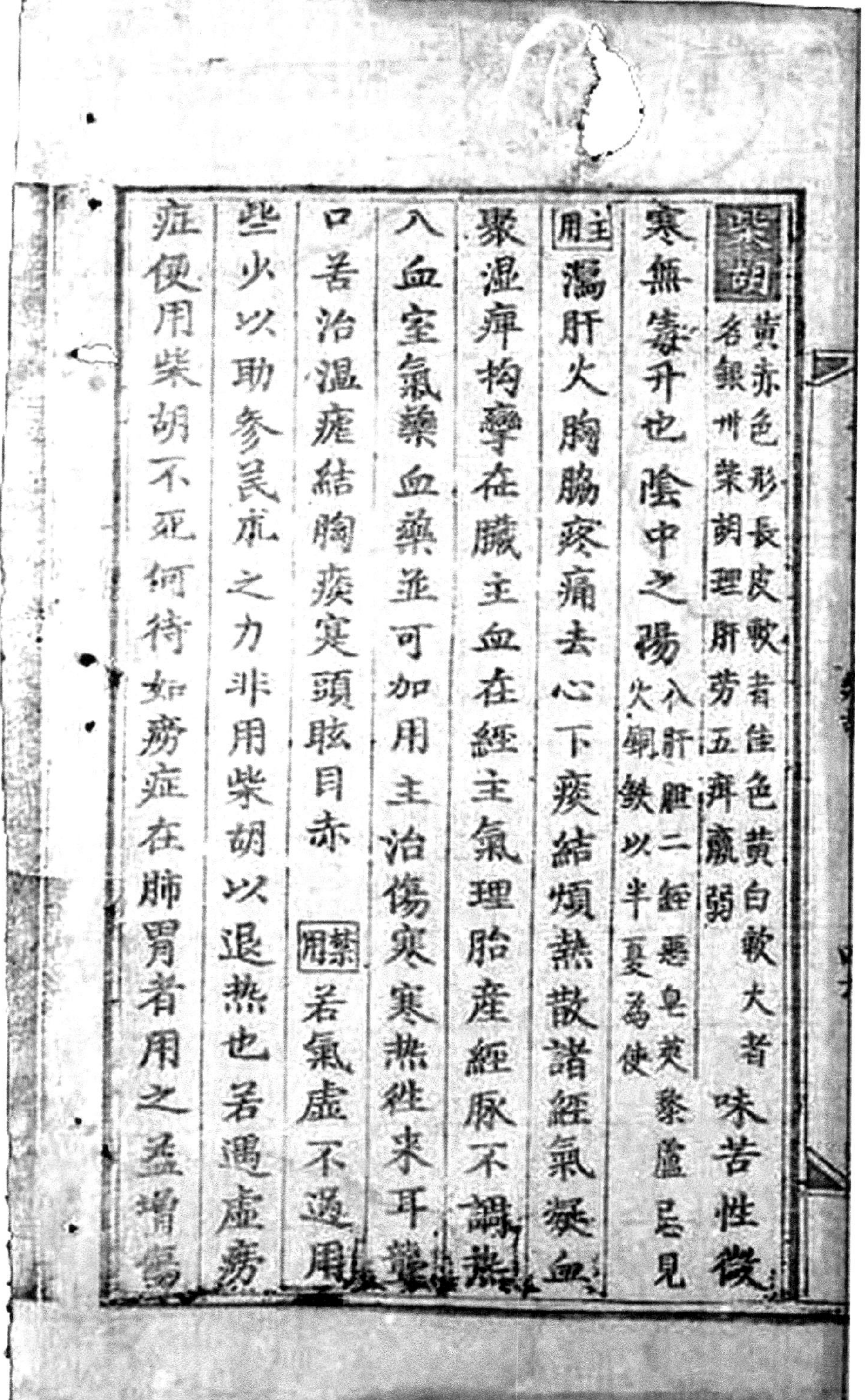

柴胡 黄赤色形長皮軟者佳色黄白軟大者名銀州柴胡理肝勞五痔羸弱 味苦性微寒無毒升也陰中之陽 入肝膽二經惡皂莢藜蘆畏見火銅鐵以半夏爲使

主用 瀉肝火胸脇疼痛去心下痰結煩熱散諸經氣凝血聚濕痹拘攣在臟主血在經主氣理胎産經脉不調熱入血室氣藥血藥並可加用主治傷寒寒熱往来耳聾口苦治温瘧結胸痰實頭眩目赤 **禁用** 若氣虚不遇用些少以助參芪朮之力非用柴胡以退熱也若遇虚勞症便用柴胡不死何待如勞症在肺胃者用之益增傷

陽耗陰之患矣若病在太陽者服之太早則引賊入門與病在陰經者復用柴胡則重傷其表世俗不明柴胡之用每遇傷寒傳經未能辨別以柴胡湯可以藏[illegible]輒混用之重傷其表殺人多矣若元氣內虛症見溏泄者及陰火多汗者誤服即死【製法】外感生用內傷升氣酒炒三遍有咳汗家水炒欲上行者用根欲下行者用梢

按柴胡乃少陽經半表半裏之藥症有熱[illegible]如火形瘦骨立者此名癆症熱從髓出加以剛劑氣血愈衰矣非柴胡莫能愈也如早晨潮熱心中煩熱熱入血室必用

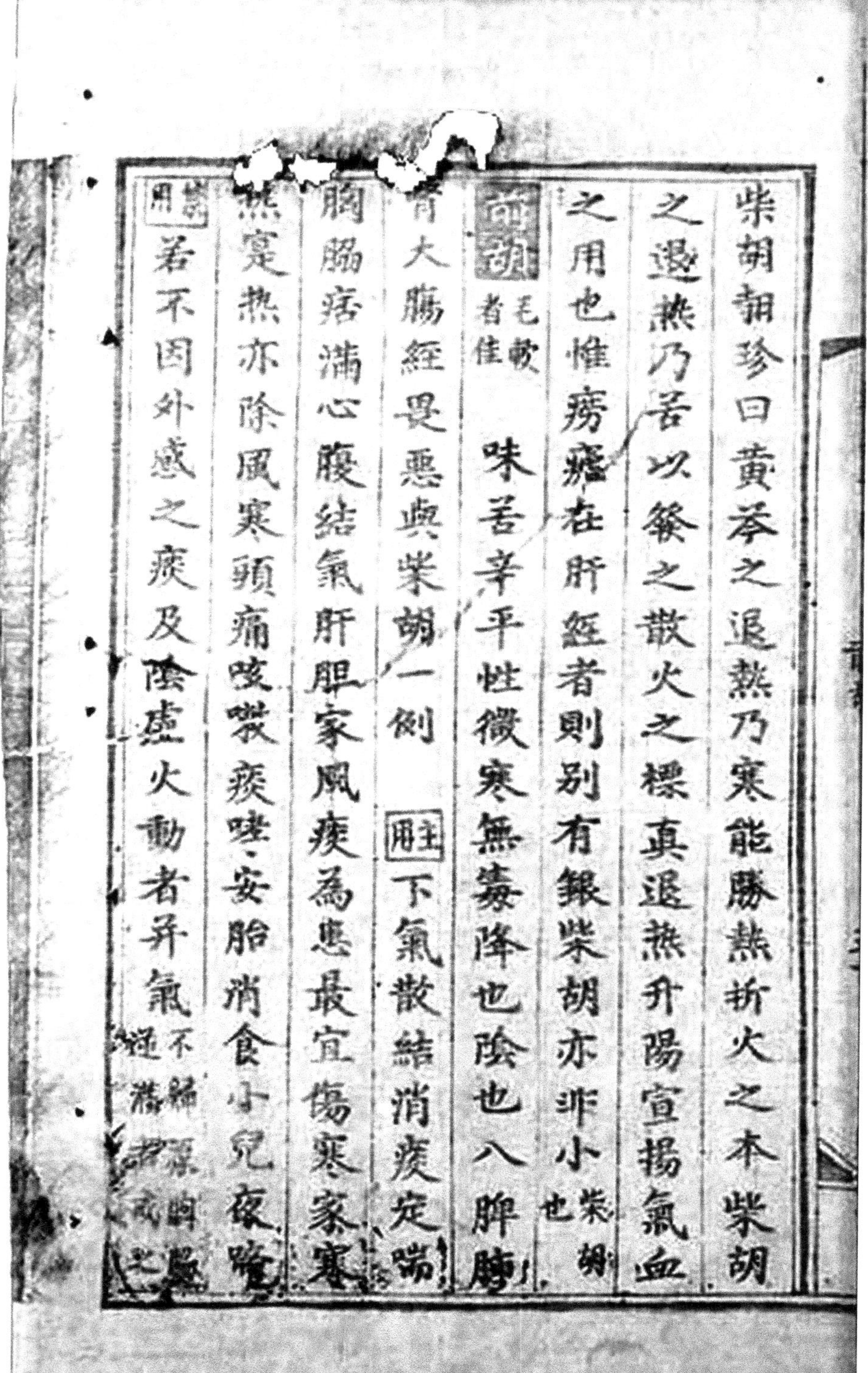

柴胡謝珍曰黃芩之退熱乃寒能勝熱折火之本柴胡之退熱乃苦以發之散火之標真退熱升陽宣揚氣血之用也惟痨瘵在肝經者則别有銀柴胡亦非小柴胡也

前胡 毛軟者佳 味苦辛平性微寒無毒降也陰也入脾膀胃大腸經畏惡與柴胡一例 主用 下氣散結消痰定喘胸脇痞滿心腹結氣肝膽家風痰爲患最宜傷寒家寒熱寔熱亦除風寒頭痛咳嗽痰嗽·安胎消食小兒夜啼 禁用 若不因外感之痰及陰虚火動者并氣不歸源胸膈逆滿者戒之

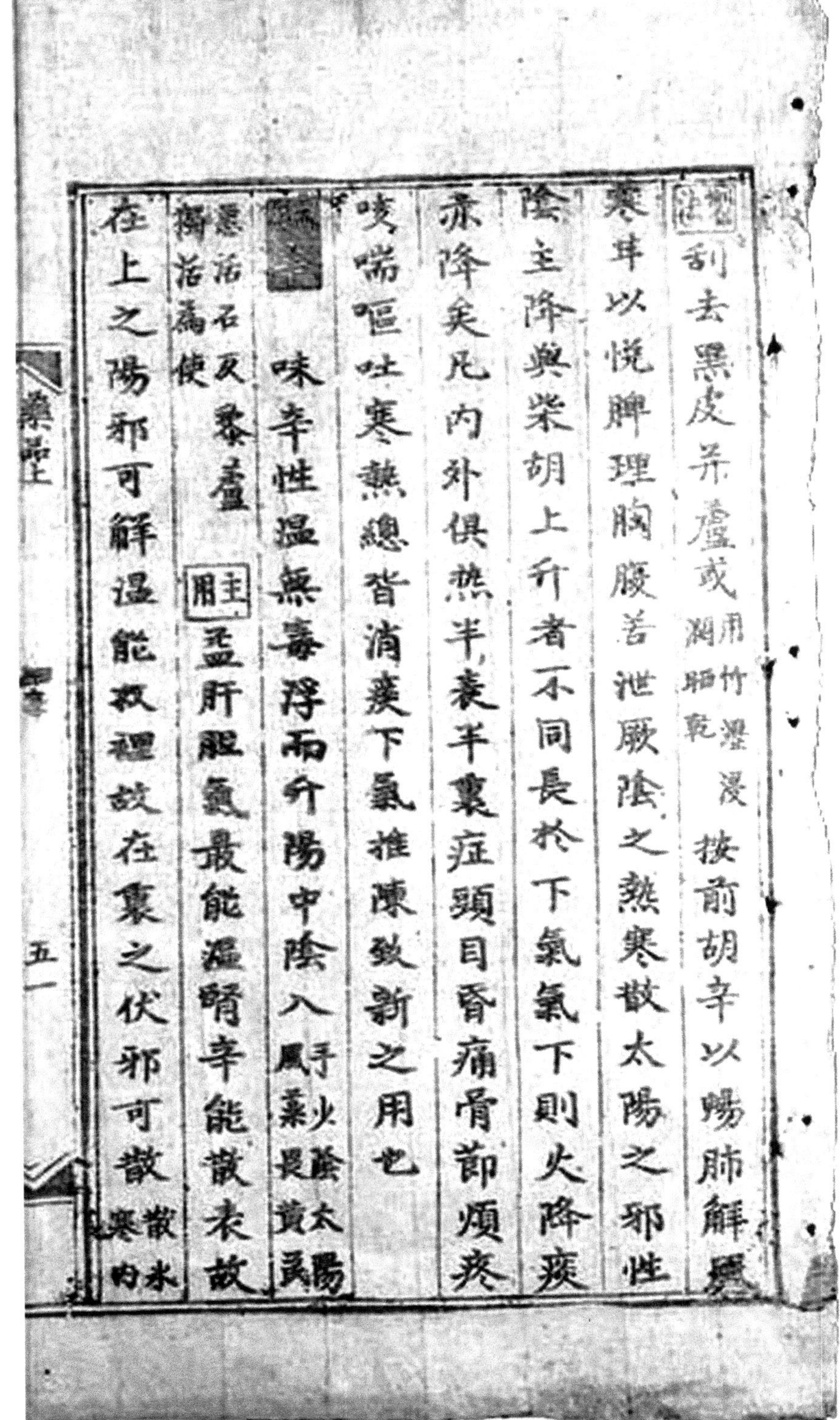

修治 刮去黑皮并蘆或用竹瀝浸潤晒乾 按前胡辛以暢肺解風寒甘以悅脾理胸腹苦泄厥陰之熱寒散太陽之邪性陰主降與柴胡上升者不同長於下氣氣下則火降痰亦降矣凡內外俱熱半表半裏症頭目昏痛骨節煩疼咳喘嘔吐寒熱總皆消痰下氣推陳致新之用也

獨活 味辛性溫無毒浮而升陽中陰入手少陰太陽風藥長貢 惡活石及藜蘆獨活爲使 主用 益肝腑氣最能溫腎辛能散表故在上之陽邪可解溫能救裏故在裏之伏邪可散散寒內

參也主風寒溼痺能下氣破痃利九竅可開胸中滯通百節理頭面旋風止火陰合病之頭痛殺三陽數變之風邪眼風淚下齒疼鼻瘡消瘡肉死肌與通經下乳

【合用】得獨活止本經頭痛如神得石決明青魚胆青羊胆止風淚目疼得當歸川芎白芷牡丹藁本甘草治婦人血虧

【禁用】專稟升陽之氣辛香開竅單服至一刀令人悶絕則其燥烈可知不可常用若血虛頭痛者尤宜戒之

【製法】水洗去土及蘆葉頭節用

白芷　味辛性温無毒升多於降陽也入手足陽明足太陰惡旋覆花

主治　陽明頭痛頭風目淚齒痛眉疼風痒搔痒蛇傷金瘡腸癰水膿一切乳癰鼻淵腸風痔瘻赤白帶下為祛風燥温之要能治經閉陰腫瘀血心痛胸脇刺痛乃去蓋生新之要藥單方治腸有癰帶下膿血不已白芷一兩紅葵二兩枯礬白芍五錢為末蠟丸梧子大每十丸空心米飲下候膿盡以荷葉補之凡癰疽潰後宜亦減用凡諸瘡宜用以為佐以性香祛風能食膿濕

葛根　有一種野葛蔓胎殺人　味甘性平無毒浮而微降陽中陰入足陽明經

主治　療傷寒及温瘧往来散鬱火治身前大

熱除胃熱而生津止胃虛之乾渴（脾胃虛弱作渴泄者非此不除）解肌發表煩悶欬狂頭痛嘔吐開胃下食解諸毒化酒毒治諸風平痓痺（蓋胃陽升而邪自散）通小便利血痢療腸痛散瘡疹能排膿破血止血奄箭毒傳蛇咬

【禁用】若太陽初病未入陽明而頭痛者不可便服是猶引賊入陽明也

【採法】五月採入土深者（去皮曬乾生用蜜貽）。按葛根蘇蘇治燚祇在陽明一經東垣曰葛根鼓舞胃氣治虛瀉之聖藥夫風藥多燥葛根獨止渴以其升胃家下陷上輸肺金以

生水耳麻黄乃太陽經藥入肺經肺主皮毛葛根乃陽明經藥脾主肌肉發散雖同所入迥異

秦艽羅文者佳去土水洗用　味苦辛，性微温，可升可降，陰中微陽，入手足陽明經。畏牛乳菖蒲為使

主用　袪風活絡，養血舒筋，除五痺風癬，百節痛。為風藥中之潤藥，為散藥中之補劑。風藥多燥惟有能潤故養血有功風藥中恒用之者以治風先治血血行風自滅之意也　利小便，治骨蒸黄疸。黄疸便赤者濕熱也此入胃而除濕熱故能治之　解酒毒，止腸風下血。此能解熱經為養血榮筋之藥故腸風下血者用之　除頭風，去傳屍，治口瘡，安牙痛。

禁用　若下部虛寒，小便不禁者勿服。

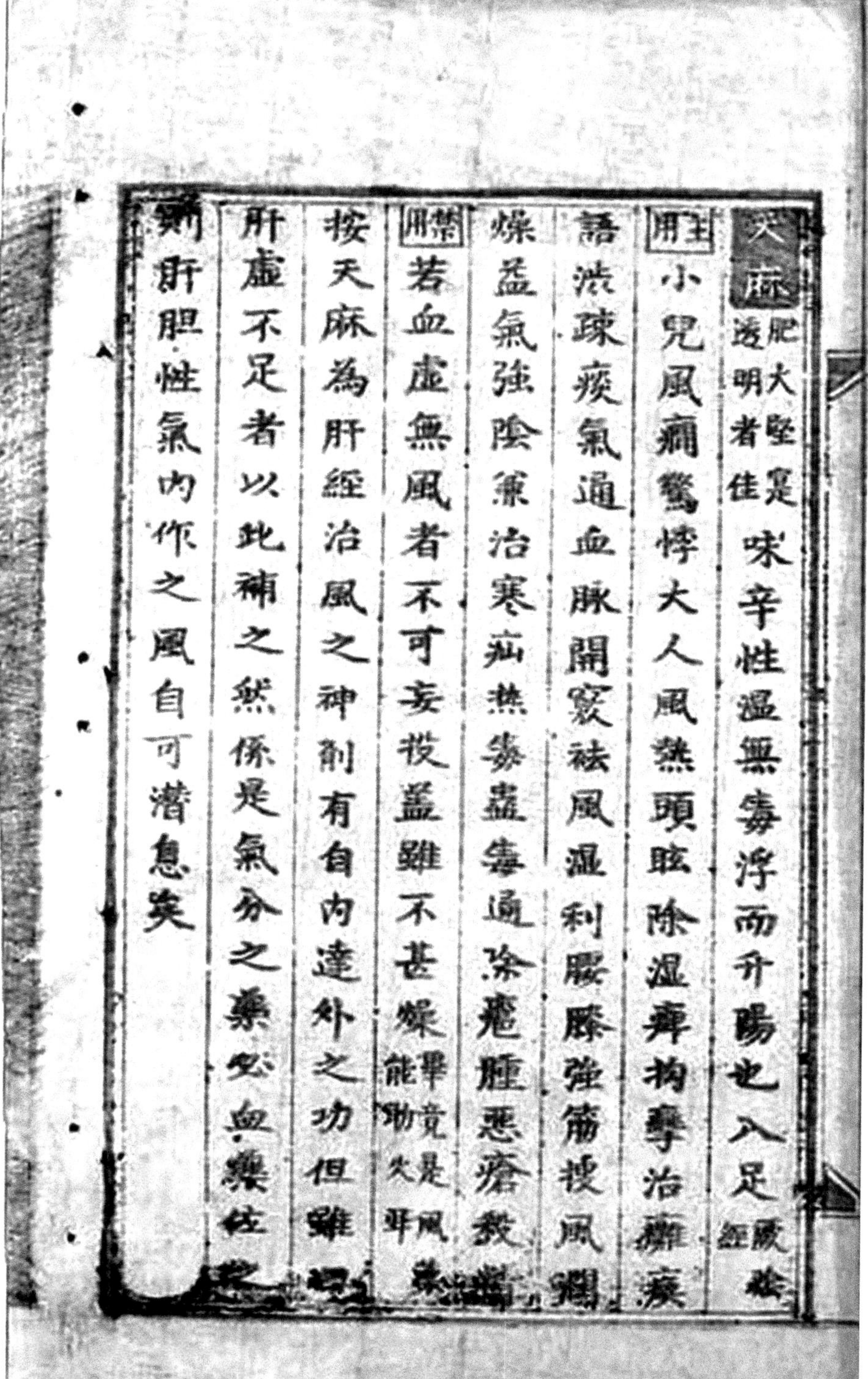

天麻 肥大堅實透明者佳 味辛性温無毒浮而升陽也入足厥陰經

主用 小兒風癇驚悸大人風熱頭眩除濕痺拘攣治癱瘓語澁踈痰氣通血脉開竅祛風濕利腰膝強筋搜風濁燥益氣強陰兼治寒疝熱毒蠱毒通除癰腫惡瘡發[illegible]

禁用 若血虛無風者不可妄投蓋雖不甚燥畢竟是風藥能劫失耳

按天麻為肝經治風之神劑有自內達外之功但雖[illegible]肝虛不足者以此補之然係是氣分之藥必血藥佐之判肝胆性氣內作之風自可潛息矣

【製】揀圓圖肥大者酒浸一日夜溼粗紙裹煨

【鉤藤】味甘微苦性微寒無毒入足厥陰經【主用】舒筋除眩下氣寬中寒熱驚癇手足瘈瘲胎風客忤口眼㖞抽【[illegible]】大人無熱者不宜多服【製】去梗純用嫩勾其功十倍但久煎無力俟他藥煎就後投入一二沸即取起頗得力

按鉤藤祛風而不燥誠為中和之品為手少陰足厥陰經藥少陰主火厥陰主風風火相搏則為寒熱驚癇此氣味甘寒直走二經風靖火息則肝心寧寒熱自除矣

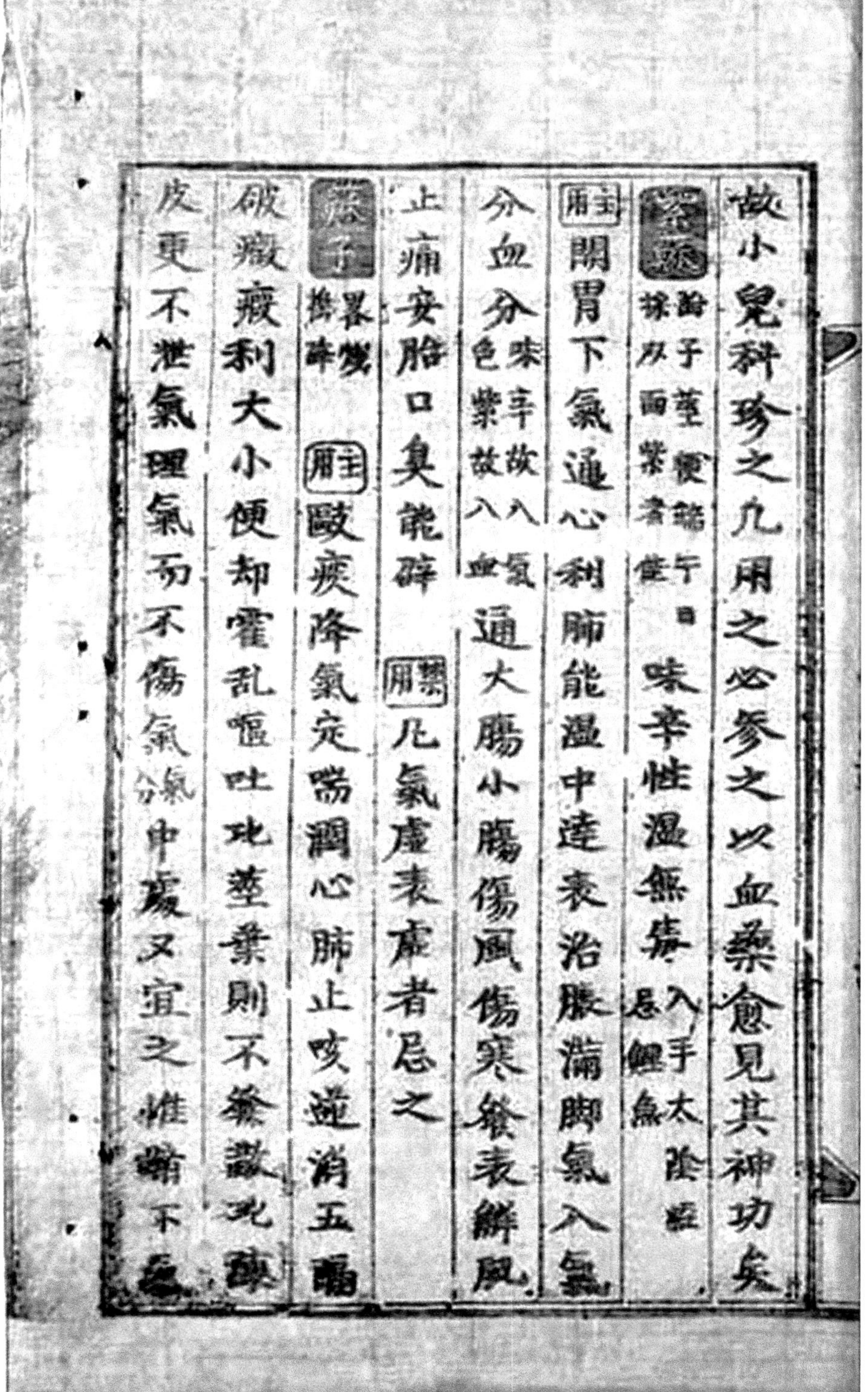

故小兒科疹之九用之必參之以血藥愈見其神功矣

紫蘇 蘇子莖梗節下同揀取面紫者佳 味辛性溫無毒忌鯉魚入手太陰經

主用 開胃下氣通心利肺能溫中達表治脹滿脚氣入氣分血分味辛故入氣分色紫故入血分通大腸小腸傷風傷寒發表解風上痛安胎口臭能辟

禁用 凡氣虛表虛者忌之

蘇子 略炒搗碎 主用 毆痰降氣定喘潤心肺止咳逆消五膈破癥瘕利大小便却霍乱嘔吐比莖葉則不發散攻醇

皮更不泄氣理氣而不傷氣氣分中處又宜之惟嫩下氣

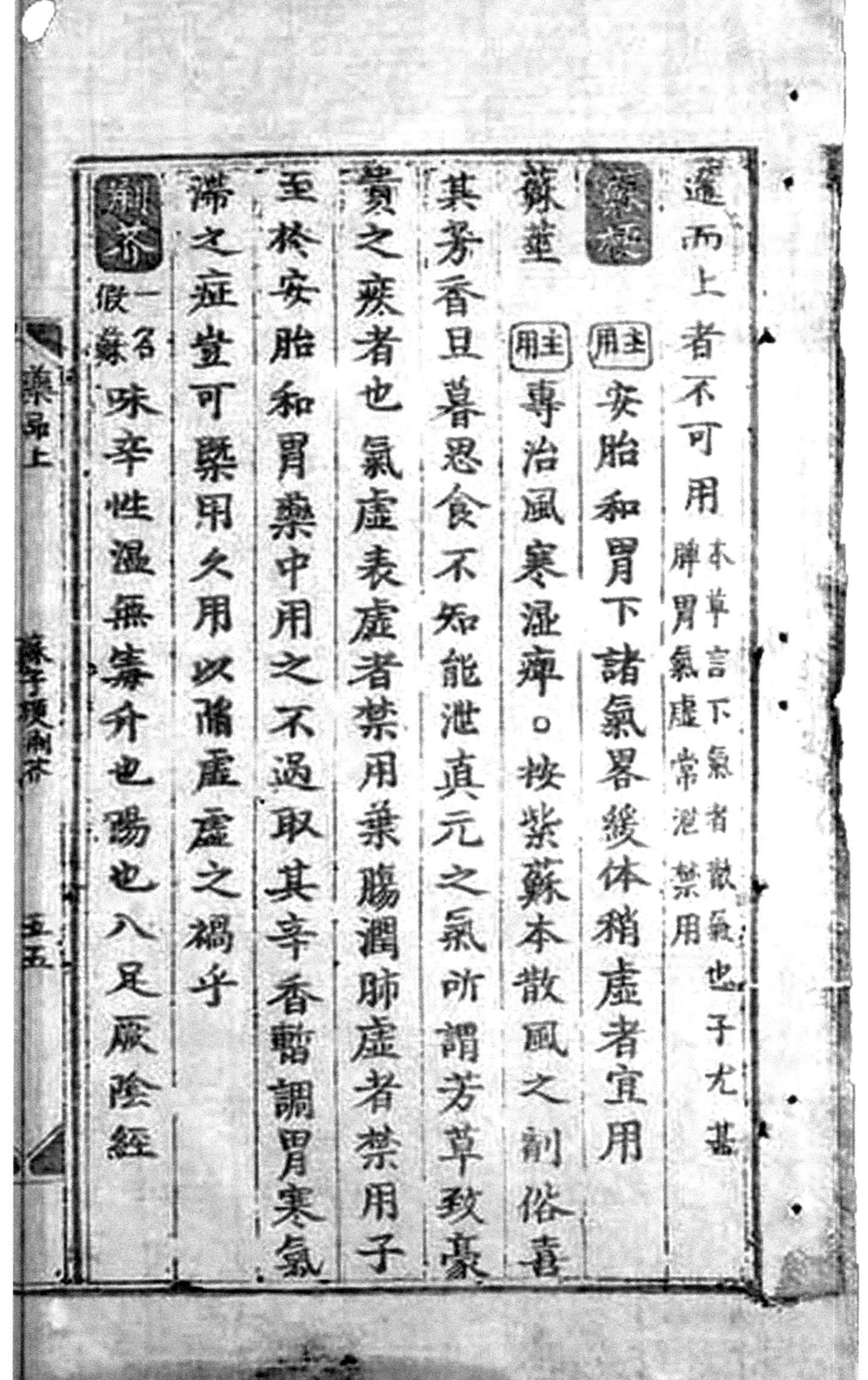

遂而上者不可用本草言下氣者散氣也子尤甚脾胃氣虛常泄禁用

蘇梗 主用 安胎和胃下諸氣暑緩体稍虛者宜用

蘇葉 主用 專治風寒溼痺。按紫蘇本散風之劑俗喜其芳香且暑思食不知能泄真元之氣所謂芳草致豪貴之疾者也氣虛表虛者禁用葉腸潤肺虛者禁用子至於安胎和胃藥中用之不過取其辛香醒調胃寒氣滯之症豈可槩用久用以啗虛虛之禍乎

荊芥 一名假蘇 味辛性溫無毒升也陽也入足厥陰經

[肝]入肝經氣分又兼行血分發汗解風熱肌清頭目利咽喉治瘡疥瘰濕痹痰結氣治瘰癧瘡疹理風毒疔腫單方荊芥為末和醋塗治疔毒兼祛腸風瘀血痢與吐血衄血更下痳血通血脉又凉血上血產後血暈之聖藥單方荊芥為末童便調令雜服產後中風之仙丹荊芥為末酒調服[製法]取花成穗日乾用入藥宜用陳入疎散藥宜生用入血分藥宜用穗炒黑按荊芥治風賈相國稱為再注丹許學士謂有神聖功戴院使命為產後要藥華存敬呼為一捻金臨豈無證

兩藥此陰攣哉雖然用者須審察的當今人但遇風痱輒用荆防此流氣散之相沿耳不知風在皮裏膜外者荆芥主之非若防風之入人骨肉也

指南 水流去土 用梗葉 味辛微香性溫無毒 浮而升陽也入手太陰足厥陰經忌火

主用 皮膚風熱骨蒸勞熱小兒風誕驚風壯熱破血止痢消食下氣除驚癇定霍亂清頭目通關竅凡猫咬蛇傷蜂螫與傷寒香胎並和密擦之 **禁用** 凡多服則損心肝久用多用走洩心氣耗陰損陽與病新瘥者忌服恐虛汗亡

陽內傷表虛陰虛並禁又大病後而食出虛汗不止

按薄荷辛香善疎結滯之氣蓋辛能解凉能清披肝氣以抑肺盛消風熱以清頭目小兒驚風壯熱尤為要藥且性好上升能發汗引諸藥入榮衛

竹葉 竹有多數惟取大而味苦者為勝生長一年嫩而有力取用尤佳 味苦性寒無毒可升可降陽中陰入足陽明手少陰經 [主用] 逐上氣咳逆喘促退虛熱煩燥能清心滌熱理胸中痰熱除陽明客熱發渴清肺氣利水消痰 [禁用] 但有走無守不能益人

藥婦惡服古人以竹笋爲刮腸篦

竹茹 刮去青皮用向裏黄皮爲竹茹雖與竹葉同本然得土氣居多 味甘微寒入足陽明經

主用 除逆氣嘔噦止消渴嘔吐血熱吐衄崩中淋閉消痰膈理風痰利小水治五痔舒筋急治喉痺治虛煩不眠止肺痿唾血及傷寒勞傷陰莖腫痛腹痛胎驚心痛能安胎前惡阻神效小兒驚癇口噤体熱發小兒蚤除累熱

竹瀝 以火逼之自然汁每竹瀝一杯加姜汁一匕至於荊瀝性味相似但竹瀝寒多用荊瀝氣虛多熱

竹瀝 荊瀝 味甘姜汁爲使

主用 治中風痰涎壅盛神氣昏冒

風痰在皮裏膜外及經絡四肢者非此不能達與婦人胎產悶暈胎前不損子產后不礙虛兼治陽虛発熱小兒天吊驚癇熱汗癲喝陰虛痰火如開鎖開鬱但久服滑腸脾虛泄瀉者勿用若寒痰濕痰與食積生痰並非竹瀝所能

按竹瀝極能補陰長於清火性滑流利走竅逐痰爲中風之要藥凡痰症莫不由於陰虛火旺煎熬津液成痰壅塞氣道故仗此流利以宣通世人以為大寒非也將火煅出又佐姜汁又何寒乎

澤蘭 卷二 草 味辛苦性微溫無毒入足厥陰太陰經

通九竅利關脈破宿血養新血理胎產百病經絡痛

身面四肢浮腫與吐血衄血面黃及癮疹頭風目痛治

毒瘡排膿生肌消朴損瘀血長肉

婁澤蘭能行血和血定育行中帶補之功益補而不滯

行而不峻為婦人科之要藥

味苦辛性微溫無毒氣香氣能醫之尊入足太陰厥陰少陰經辛潤香散為使

溫胃行氣調營調經調和氣血崩漏帶下煖子宮使

早孕安生胎治死胎上血痢痙腸風袪寒濕治尖眼礙

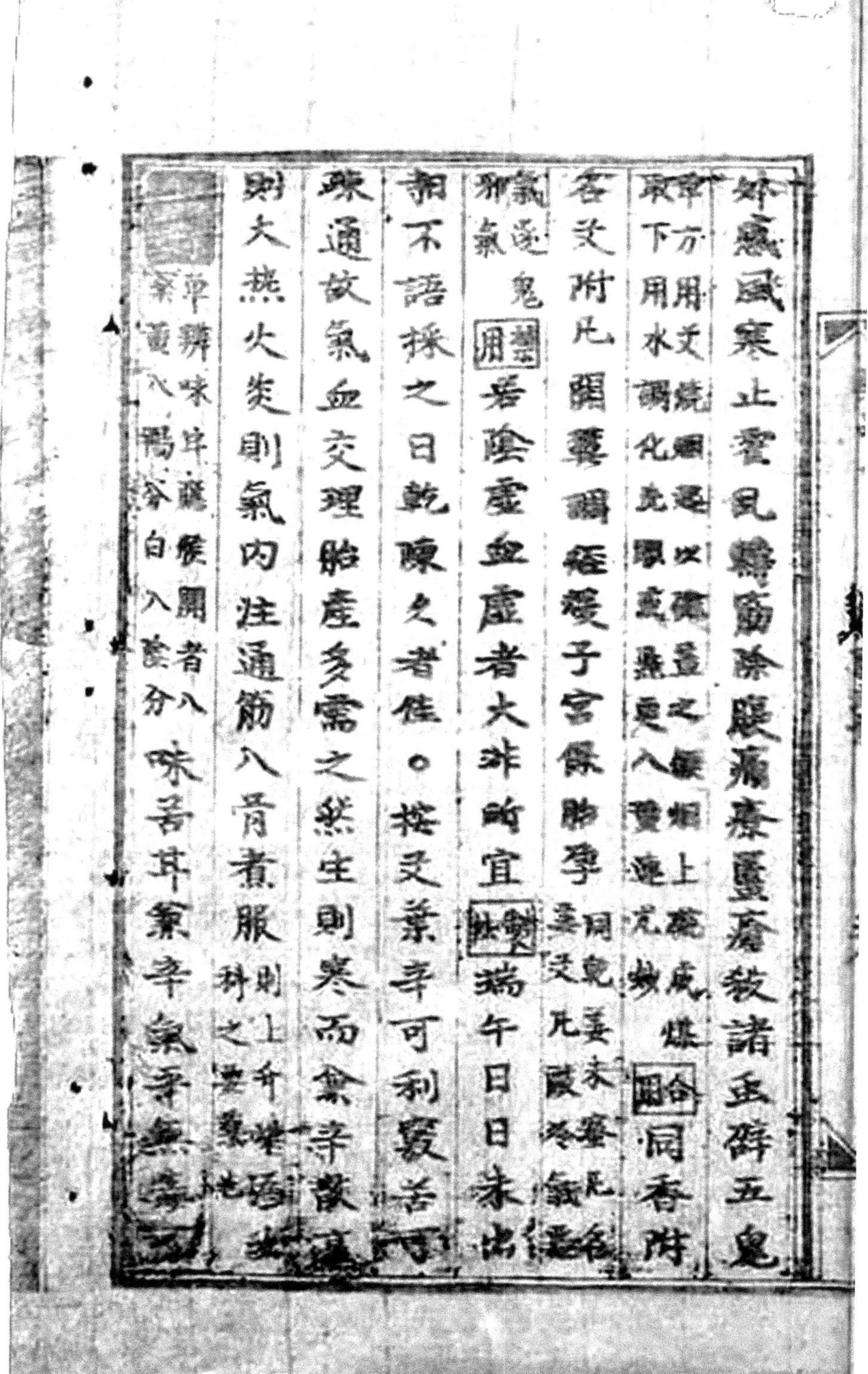
婦人感風寒止霍亂轉筋除腰痛療崩漏殺諸蟲辟五鬼草方用艾燒烟逐以備量之症烟上蒸虛焦取下用水調化克服煮熟更入薑汁更妙【合圖】同香附

香艾附丸調經種子宮保胎孕同乾姜末名姜艾丸最能溫氣逐鬼邪氣【禁用】若陰虛血虛者大非所宜【製法】端午日日未出

時不語採之日乾陳久者佳。按艾葉辛可利竅苦可疎通故氣血交理胎產多需之然生則寒而熟辛散或熟大熱火炎則氣内注通筋入骨煮服則上升燥煙升之妙象性

萆薢味苦藥性鍼開者入氣厚入陽分白入陰分味苦其氣辛氣寒無毒

升可降陰中陽入手太陰足太陰經 枸杞桑白皮為使

[illegible]清頭面痛眩逐四肢逆風利一身氣血明目止眵淚

療腰痛去來久服安腸胃補陰氣治諸熱黑髮延年去

死胎理通身風濕濕痺 其青葉治諸疔危急者用之即愈以葉搗爛入酒絞汁飲之其渣敷

[illegible]上 【製法】凡採須陰乾入補養藥去心蒂密酒拌蒸晒

用若入去風熱制中生用 單方疔腫取根葉搗絞汁內服外敷

甘菊稟春夏秋三時得天地之清芳稟金精之正氣

能平肝生水降火明目也誠為收目淚之第一方藥

服末之無忌者且性氣輕揚故主用多在上部同枸杞便能助腎矣可藥可餌可釀可梳本經列為上品

益母 一名充蔚[illegible]子 味辛苦性微寒微溫無毒入手足厥陰經

主用 補而能行辛而能潤總調胎產諸症去死胎安生胎行瘀血生新血主殺產胎滯而不行療新產血滯而不利行血活血而不傷已產未產之良劑通為治血之要更有調氣之義治小兒瘡瘍敷疔腫乳癰汁滴耳中治停耳聤調細末堪敷馬齒制硫礦解蛇毒多脹消腫

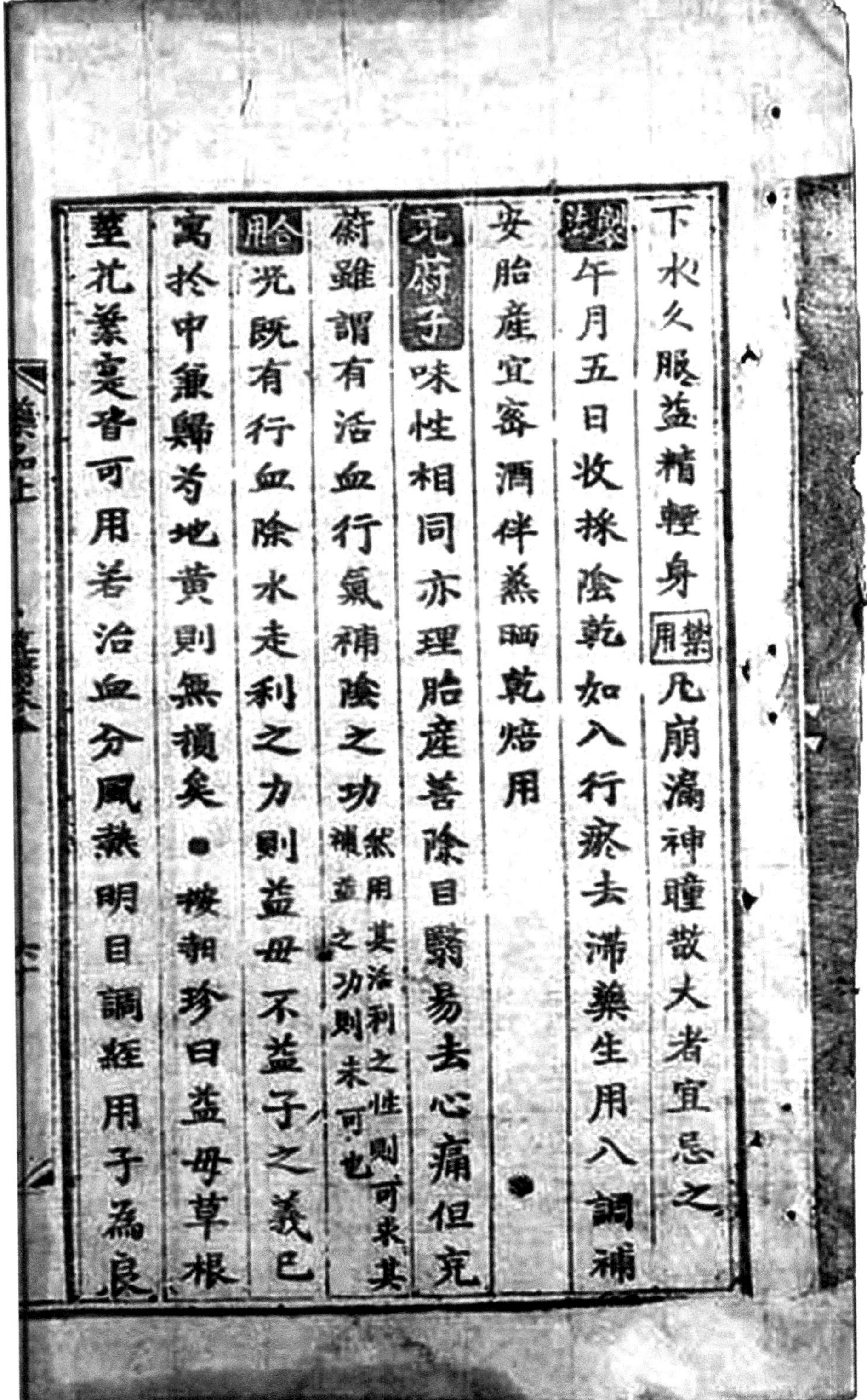

下水久服益精輕身【禁用】凡崩漏神瞳散大者宜忌之

【製法】午月五日收採陰乾如入行瘀去滯藥生用入調補安胎産宜醋酒伴蒸曬乾焙用●

【茺蔚子】味性相同亦理胎産善除目翳易去心痛但茺蔚雖謂有活血行氣補陰之功然用其活利之性則可求其補益之功則未可也

【合用】茺既有行血除水走利之力則益母不益子之義已寓於中兼歸芎地黃則無損矣●按胡珍曰益母草根莖花葉實皆可用若治血分風熱明目調經用子爲良

若胎産瘡腫消水行血則可並用蓋根莖花葉專於行子則行中有補也

木瓜 味酸氣温無毒入足太陰陽明厥陰經忌犯鐵器

胜 氣脱能固氣滞能和平胃滋脾益肺去湿除霍亂轉筋脚氣奔豚上冲痢疾兼治冷熱痢筋急能舒筋緩能利湿痺能攻暑瀉能止水腫腹痛止渴降痰消食下氣觧酒毒調榮衛書云醒筋骨之湿者莫如木瓜合筋骨之離者莫如杜仲

禁 足痺由於精血不足吐瀉由於倍食傷胃並禁用與单服損齒及骨以伐其肝故也經云陰之所生本在五味陰之所營傷在五味五味太過則有增勝

[illegible]以銅刀削去皮子用黃牛乳汁拌三朝日乾，接木瓜稟東方之酸故專入肝治筋凡轉筋朝但呼其名及書作木瓜字樣於其處則愈可見神於治筋者也

防己 有二種出漢中文如車輻黃實而香者勝名漢防己出華州清白虛軟者名木防己次之古通用之

味辛苦性寒無毒 惡細辛畏萆薢女菀鹵鹹殺雄黃毒

主用 凡自臍以下至足濕熱腫痛脚氣及利大小便退膀胱積熱消癰散腫則非漢不能成功若療肺氣喘嗽膈間支滿并除中風攣急風寒濕瘧熱邪此又全仗木者

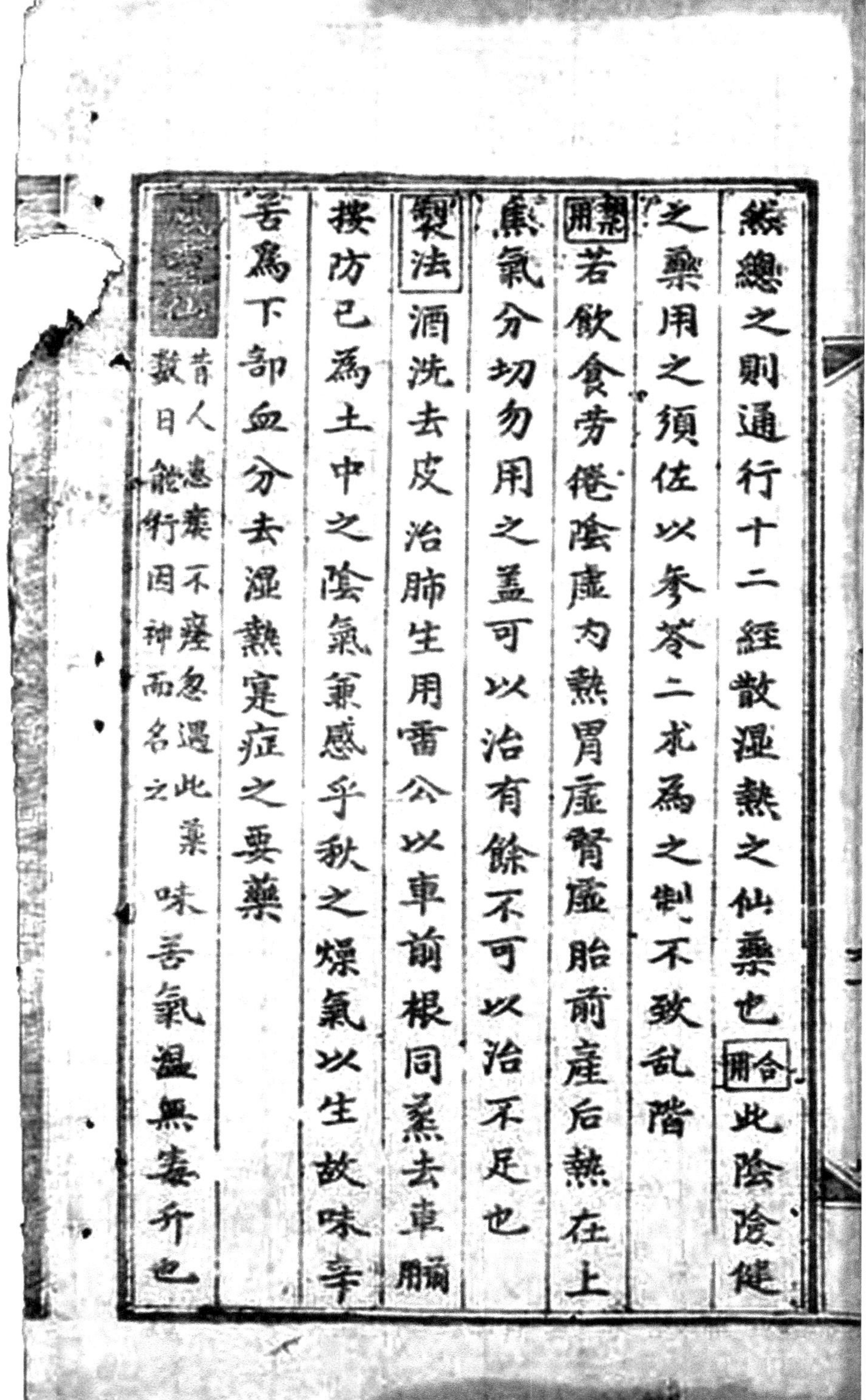

絡總之則通行十二經散濕熱之仙藥也【合用】此陰陰健之藥用之須佐以參苓二朮爲之制不致乱階【禁用】若飲食勞倦陰虛內熱胃虛腎虛胎前産后熱在上焦氣分切勿用之蓋可以治有餘不可以治不足也【製法】酒洗去皮治肺生用雷公以車前根同蒸去車前

撲防已爲土中之陰氣兼感乎秋之燥氣以生故味辛苦爲下部血分去濕熱寒症之要藥

威靈仙 昔人患藥不瘥忽遇此藥數日能行因神而名之 味苦氣溫無毒升也

陰也入足太陽經為風藥之宣導性升而燥善走不守

【主治】偏中久積痰涎神功頓奏除腰痛痃癖氣塊奇效

堪誇膀胱宿膿心膈痰水腳氣入腹脹悶喘急腎臟風

溼腰膝沉重風痺溼痺並堪主治散爪甲皮膚風白癜癢瘡

頭旋之疾痺痛利腰膊膝肘溼滲冷疼蓋因好走亦可橫行

之效也且辛能散邪故主諸風鹹能泄水故主諸溼能通十二經

為諸風溼之要藥也冷痛【禁用】多服則疏人真氣虛者禁用【製法】酒洗用忌茗及麪

按靈仙內驅痰溼之冷積外治骨膝之痛風走達經絡

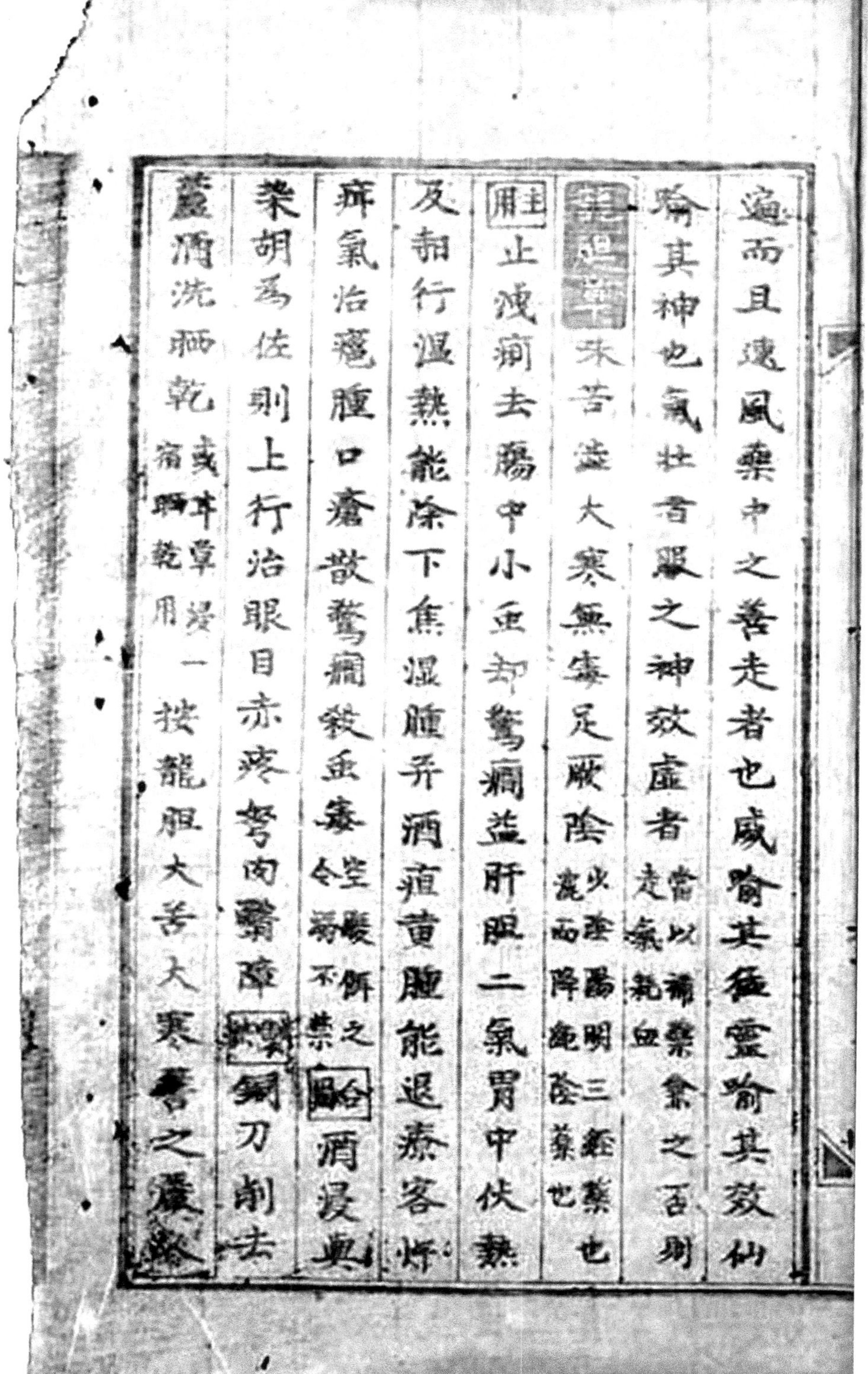

遍而且速風藥中之善走者也威喻其靈喻其效仙喻其神也氣壯者服之神效虛者當以補藥兼之否則走氣耗血

龍膽草 味苦澁大寒無毒足厥陰少陰陽明三經藥也氣厚而降陰中陰藥也

主用 止瀉痢去腸中小蟲却驚癇益肝膽二氣胃中伏熱及時行溫熱能除下焦濕腫弄酒疸黃腫能退赤客忤痹氣治癰腫口瘡散驚癇殺蟲毒空腹餌之令人溺不禁

合 酒浸與柴胡為佐則上行治眼目赤疼勞肉翳障

製 銅刀削去蘆酒洗晒乾或甘草湯一宿晒乾用

按龍膽大苦大寒譬之蕭殺

慈溪滲沓萬卉彫殘先哲謂苦寒伐標宜暫不宜久如聖世不廢刑罰所以佐德意之無窮尚非氣壯寔熱者率爾輕投其敗必矣

麻黃 味苦性温氣味俱薄輕清而浮升也陽也無毒手太陰之藥入足太陽經兼走手少陰陽明經畏細辛惡石以常山厚朴為使

主用 主中風傷寒頭痛瘟瘧皮肉不仁發汗解表冬月正傷寒如神春初真瘟疫並妙泄衛熱黑斑赤疹去榮寒頭疼身熱能破積聚癥堅更胡亥逐痿痺痰哮氣喘並奏神功凡寒邪深入非麻黃不能逐書云麻黃治衛寔之藥桂枝治衛虛之藥

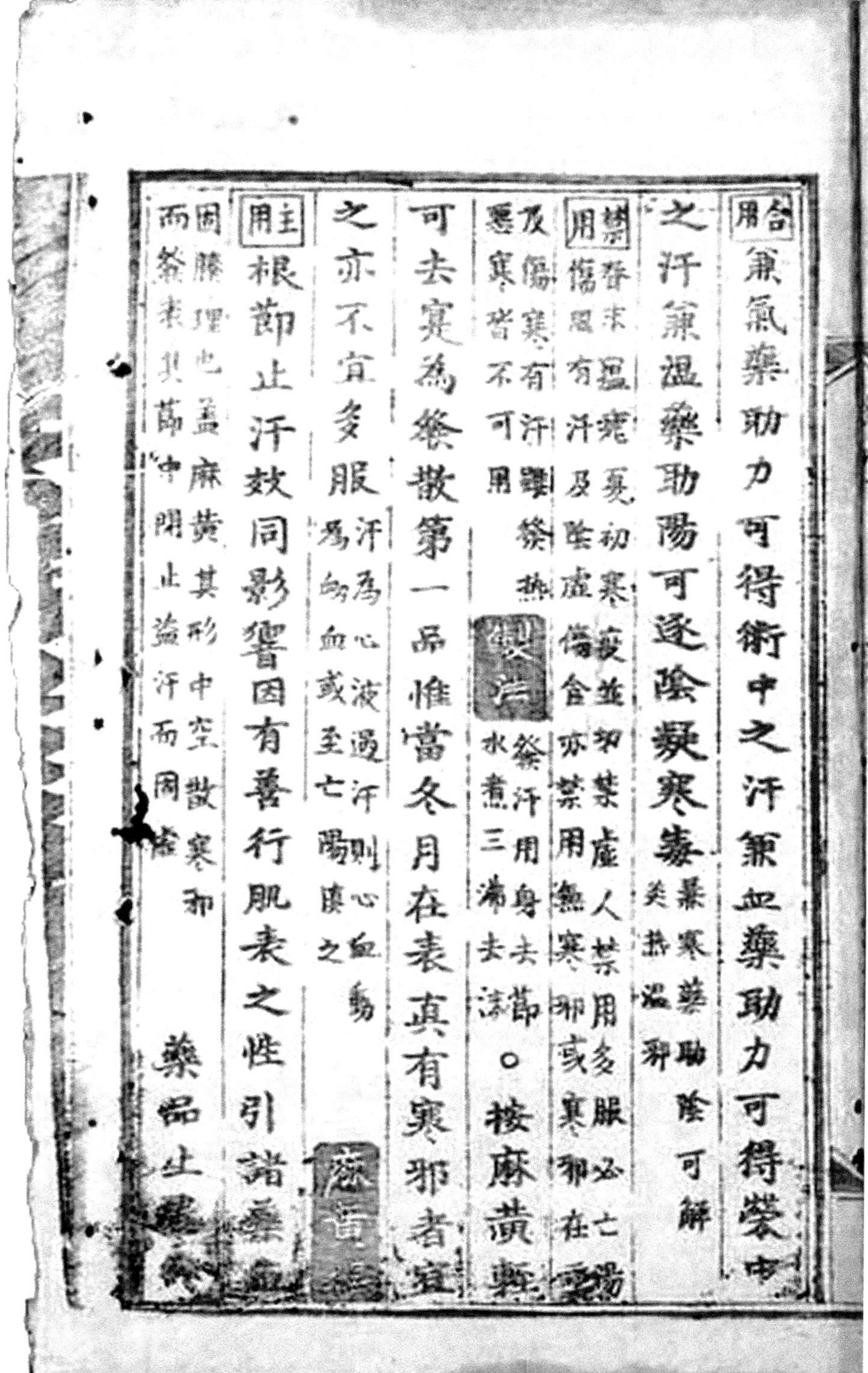

合用 兼氣藥助力可得衛中之汗兼血藥助力可得營中之汗兼溫藥助陽可逐陰凝寒毒兼寒藥助陰可解表熱溫邪

禁用 春末溫病夏初寒疫並禁虛人禁用多服必亡陽傷風有汗及陰虛傷食亦禁用無寒邪或寒邪在裏及傷寒有汗禁發熱惡寒皆不可用

製法 發汗用身去節水煮三沸去沫。按麻黃輿可去寒爲發散第一品惟當冬月在表真有寒邪者宜之亦不宜多服汗爲心液過汗則心血動爲衄血或至亡陽慎之

[illegible]

主用 根節止汗效同影響因有善行肌表之性引諸藥固腠理也蓋麻黃其形中空散寒邪而發表其節中閉止盜汗而固陰

藥品上類

R.1131

新鐫海上醫宗心領全帙卷之十一

藥品彙要下　土部

白朮 浙朮即名雲朮由糞力滋既肥大易油歙朮名狗頭朮瘦小燥白得土氣甚完又勝雲朮之力也

味苷而辛苦氣芳烈無毒 可升可降陽也入手太陽少陰足陽明太陰經防風地榆爲使

主用 煖脾益津除濕益燥健脾進食消穀補中除胃虛停飲理心下急痛補勞倦内傷袪周身濕痺敺胃脘食積痰涎皮毛間風腰臍間血手足懶舉貪眠在氣主氣在血主血中氣不足脾胃諸虛之聖藥也 又退胃熱除寒熱利小便除泄

瀉止霍亂嘔逆消水腫脹滿有汗能止無汗能發産后中風口噤及大風痿痺足脛毒瘡皆效

【合用】與二陳同用則健脾消食化痰除湿與芎藥當歸枳
寔生地之類同用則補脾而清脾湿熱再加乾姜去脾
家寒湿東垣云佐黄芩有安胎之功君枳寔有消痞之效

【禁用】喘症哮症傷寒動氣脇間有動氣禁禁及陰虛煩渴便淋者忌之

【製法】宜圇圇米泔一宿切片晒乾炒深黄如入滋陰藥
人乳伴炒如入止瀉藥東壁黄土炒如入膨脹藥麩皮伴炒

按白朮甘温得土中之冲氣補脾胃之第一品也朮贊

云味重金漿芳蹄玉液百邪外禦六腑内充察草木之勝速益於已者並不及朮之多功也每遇暴病大虛中氣欲脱之症用此馨香冲氣之味托住中氣直奏奇功不亞人參之功以其火偏於燥性也久服寧能免偏勝之虞試思古人理中朮附二湯咸仗為君補虛續絶諸方必兼佐用蓋用之為何如耳

白茯苓　味甘淡性平無毒入手足少陰手太陽足太陰陽明經陽中之陰也馬刀為使惡白歛畏牡蒙地榆雄黄秦艽龜甲忌醋物

主治胸脇逆氣膈中痰水憂恚驚恐寒熱煩滿心下

結痛咳逆口乾水腫淋結五勞七傷安胎氣煖腰膝生
津液健脾敺痰火益肺利血滲湿安魂却驚開胃厚腸
上以滲脾肺之湿下以伐肝腎之邪故爲利水燥湿之
要藥小便澁能利多能止大便結能通多能止一切脾
胃不和水穀不分寒熱無定嘔逆不止上有痰火下有湿熱須用之

【合用】八四君則佐參朮以滲脾家之湿入六味則使澤左
以行腎邪之餘又云佐以人參苓補劑下行亦能固腎一云得甘草防風芍藥紫石英麥門共療五藏

【禁用】膀胱不約下焦虚者乃火投於水水泉不藏必

肢冷脉遲當用温熱非茯苓可治故曰陰虚禁用

【製法】入補脾藥中宜生用方得滲痰之功入補陰藥中宜人乳浸晒以減滲淡之勞又法去粗皮杵末水𣾰浮去赤膜晒乾用免致損目

按茯苓假土之精氣松之餘氣而成無中生有坤厚之精爲脾家之要藥凡利水之藥皆上行而後下降故潔古謂其上升東垣謂其下降所謂便多能止此肺氣盛寔熱也宜伏苓以滲其熱故能止

【赤茯苓】入心脾小腸專功瀉熱利水白者兼補赤者專瀉白者入壬癸赤者走丙丁破結血結氣味淡入足太陰手少陽少陰苛經

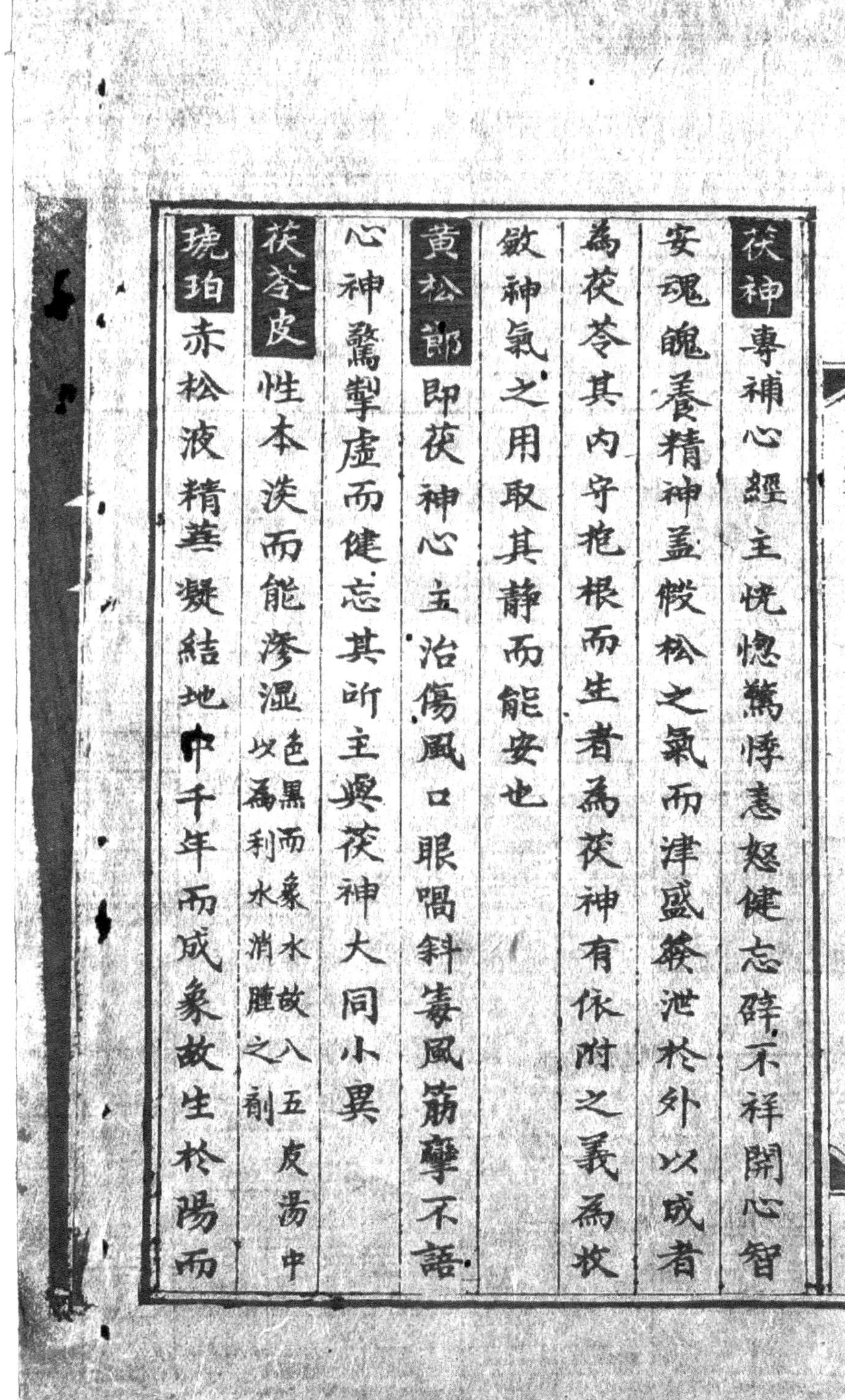

茯神 專補心經，主恍惚驚悸，恚怒健忘，辟不祥，開心智，安魂魄，養精神。蓋假松之氣而津盛發泄於外以成者爲茯苓，其内守抱根而生者爲茯神，有依附之義，爲收歛神氣之用，取其靜而能安也。

黄松節 即茯神心，主治傷風口眼喎斜，毒風筋攣，不語，心神驚掣，虚而健忘，其所主與茯神大同小異。

茯苓皮 性本淡而能滲濕，色黑而象水，故八五皮湯中以爲利水消腫之劑。

琥珀 赤松液精華凝結地中，千年而成象，故生於陽而

成於陰也屬陽與金色赤味甘肝心脾小腸血分之藥本性燥而滲濕故亦利水辛溫而色赤故能消瘀膏稟斂色故能長肌成於坤靜故能定魄

甘草 一名國老一稱爲九土之精 味甘氣平無毒入脾經可升可降陰中之陽也 又入足三陰經白朮苦參爲使惡遠志反巴大戟芫花甘遂海藻忌松菜猪肉

主用 解諸毒利咽痛健脾胃補三焦止瀉渴煩和調藥性却腈腹急疼臟腑邪熱熱藥用之緩其熱寒藥用之緩其寒補脾而和中潤肺而解熱梢止莖中作痛節療腫

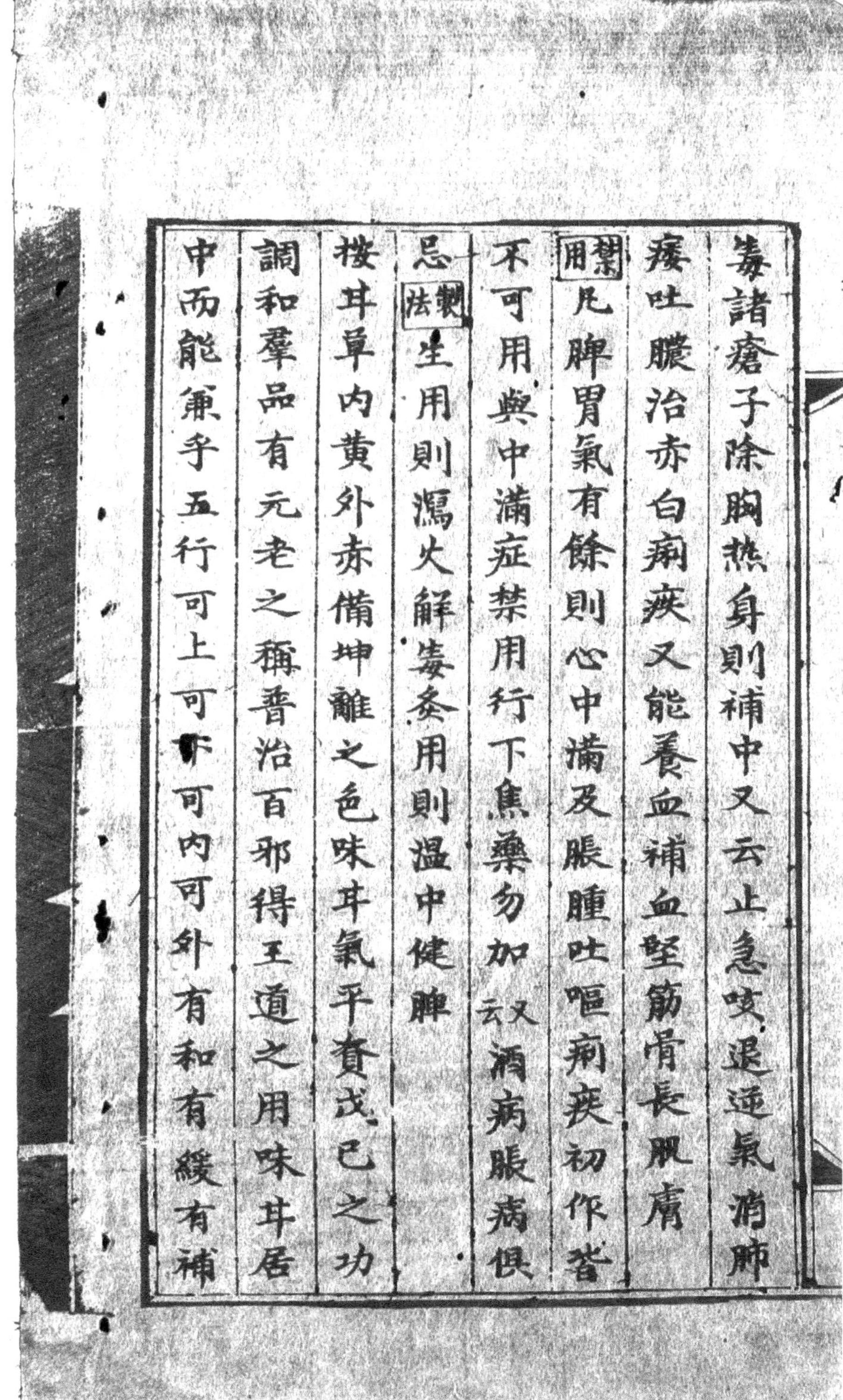

毒諸瘡子除胸熱身則補中又云止急咳退逆氣消肺痿吐膿治赤白痢疾又能養血補血堅筋骨長肌膚

【禁用】凡脾胃氣有餘則心中滿及脹腫吐嘔痢疾初作皆不可用與中滿症禁用行下焦藥勿加又云酒病脹病俱忌

【製法】生用則瀉火解毒炙用則温中健脾

按甘草內黃外赤備坤離之色味甘氣平貫戊己之功調和羣品有元老之稱普治百邪得王道之用味甘居中而能兼乎五行可上可下可內可外有和有緩有補

有瀉益陰除熱 有裨金宮故咳嗽咽痛肺痿兼治其緩 中和專滋脾土故瀉痢虛熱肌肉必需

人中黃 神治一切熱毒疫毒

其造法用竹一段刮去青皮一頭開一小孔將甘草納入填滿油灰封固其孔立冬日投於通衢無女人到厠中至春日取起清水洗淨置有風無日處陰乾半日後開開取出晒乾用之

山藥 一名薯蕷 味甘兼鹹溫平無毒 專入心脾腎三經二門冬紫芝為使惡甘遂

主用 補諸虛百損五勞七傷益氣力潤澤皮膚長肌肉堅彊筋骨除寒熱邪氣煩熱兼除却頭面遊風風眩補羸瘦消腫硬開心孔聰明益精管遺滑理脾傷止瀉

【合用】與參苓白朮散能補脾止泄瀉與六味地黃丸能補腎止腰痛

【製法】滋陰藥中宜生用健脾藥中宜炒用入養胃培元藥中飯上透蒸切片晒乾炒黃慶淮者佳蒸則滯氣濕則滑淮乾是者入藥與麵同食不能益人。按山藥得土之冲氣稟春之和氣化之金王君子無性不宜但性緩非多用不效大虛危症投之难求近功因性和平寬緩耳

【龍眼】本經一名益智味甘平無毒入足太陰手少陰經

【主用】取肉入藥甘先入脾益脾之所藏補心虛而長智悅胃氣以培脾除健忘與怔忡能安神而熟寐不熱不寒

和平可貴養肌肉美容顏多服強志聰明久服輕身不老
歸脾湯中共人參並奏功脾得補則中氣充足化源
不竭五臟更安百邪俱癈又其能養血補心而強神

禁用　腸滑泄瀉中腹滿者並忌之。按方外服龍眼法則氣和心靜且潄津納咽是取坎填離之法務症者能勤服一月無不愈也方士秘之
服龍眼法五更不見水吃
竜眼一枚以舌在齒上取
肉去核即是舌攪華池之法細又嚼至渣細成膏連口
中津洇又然嚥下如嚥甚硬物畢又如前法食第二枚
共服九枚約有一觔許服畢方起辰巳二觔又服
九枚申未二觔又服九枚臨卧又服九枚一日內四次

蓮肉

一名藕寔　味甘氣平無毒入足太陰陽明手少陰經

【主用】補中養神清心禁精泄清火通血脉通耳目健脾胃止瀉痢禁崩帶心腎相交精固神悅去熱安心止渴除煩久服輕身耐老延年不飢【合用】同人參蓮一兩人參五錢黃連五錢治禁口痢同免絲五味山茱山藥車前肉豆蔻砂仁橘紅芡實人參補骨脂巴戟治脾腎俱虛五更溏瀉同龍骨益智等分爲散飲湯治白濁遺精同炙草蓮六兩草一兩爲末燈心湯治心虛赤濁【製法】去皮心蒸焙用不去心令人作吐。按蓮花出汚泥而不染生又不息節又含藏中含白肉内隱青心得天地清芳之氣稟土冲和之味土爲萬物之母後天之元氣母氣既和則血氣生神得所養疾病無由来矣故根鬚花果葉節皮心皆爲良藥氣香味井合稼穡之象爲脾之藥脾爲中黄所以交媾水火會合木金者也使土旺則歸藏皆安蓮之功大矣

石蓮 醫學云即鮮蓮經秋就蓬中乾而皮黑沉水者 最能清心 又石蓮者乃老家蓮子也

荷鼻 即蒂也 安胎甚良療血逐好血留兼驅血痢

蓮房 即蓬也 燒灰止血甚捷生用煎酒推胎孕下胎衣

荷葉 助脾進食止血固精安胎止濁破血止渴雷頭風

劑亦加婦人良方並載生火陽經清氣仰盂象震之体食藥感此氣化胃氣何由不升

花蕋 鎮心輕身駐顏忌共蒜地黄同用

蓮鬚 益腎澁遺精固精氣烏鬚髮止吐血止滑泄味甘澁氣溫而平入足少陰經亦通手少陰經

藕 稟土氣以生故其味甘生寒熟溫入心脾胃二經生者甘寒能凉血止血除熱清胃故主消散瘀血吐血口鼻出血產後血悶產后忌生冷物惟藕不同生冷為其能破血故也署金瘡折傷及止熱渴霍乱煩悶解酒毒熟者甘溫能健脾開胃

益血補心故能補五臟寔下焦消食止泄生肌久服令人心歡止怒又能解蟹毒和蜜膏服腹臟不生諸虫煮熟啖寔下焦大開胃脘消食而变化精微兼治淋及病後乾渴

節同地黄搗汁亦治口鼻血紅入酒童便取效更易

大棗 味甘氣温無毒入足太陰陽明經降也陰也

主用 善和百藥補助諸經味厚甘温專走脾經血分為補中益氣之所必需也滋脾土潤心肺調榮衛緩陰血悦顔色通九竅調和脾胃具生津止渴之功潤養肺經操助

脉強神之用一切心腹邪氣更療心懸大驚煩悶止嗽凡補五臓薬用肉搗凡紅棗功用相倣但力差不及耳【禁用】凡中滿病嘔吐病與齒病者忌之不宜多食動風又不宜合生葱食生棗助濕熱不宜多食令人氣滿寒熱注泄與羸瘦者勿食按夫棗純得土之冲氣兼感天之微陽以生經云棗不足者以甘補之形不足者温之以氣甘能補中温能益氣故甘温能補脾胃生津液則十二經脉自通九竅利四肢和正氣足則神自安

薏苡又名米仁味甘淡微寒無毒陽中之陰降也入脾肺二經

【主用】祛風濕而療濕痺保燥金而治痿癰筋急拘攣屈伸不便咳嗽涕唾膿血弃来除筋骨邪入作疼消皮膚水溢發腫利腸胃止消渴開胃進食健脾保肺久服益氣令人能食然性緩不姤凡用須倍於他藥【禁用】性主下行虚而下陷者忌之姙娠忌之【製法】咬之粘牙者真水洗畧炒或和糯米畧炒去米

按米仁屬土本是脾藥虚則補母故肺病用之筋骨之病亦以陽明為本故筋病用之土能制水故泄瀉水腫用之

【生姜】味辛氣温大熱無毒稟陽氣浮而升秦椒為使惡黄芩黄連殺半夏良姜厚朴毒

【主用】性寬而不收，散風寒、溼痺痰壅、鼻塞頭疼、外感皮膚間結氣，通神明，辟惡氣，霍乱脹滿，一切中悪諸毒瘧症痰症，和榮衛而行脾之津液，入肺開胃口，凡脾胃諸病皆取重焉，止嘔吐翻胃之聖藥也，產后用之必能破血逐瘀。人但知為胃藥而不知其通心肺，心氣通則一身之氣正而邪氣不容。毋溪云：留皮則冷，去皮則熱，非皮之性本冷，若留皮則行表而去熱，去皮則中守而熱存矣。

薑皮 消浮腫脹腫

【合用】入發散藥用生姜，入辛涼藥用姜皮，入温中藥用炮姜係乾姜水洗火炙鬆黃，入補血止血及引火下趨藥用黑姜係乾

姜切塊炒紅以罨悶息為炭用之取其焦黑能斂而降也入脾胃止瀉藥用煨姜老以

生姜去皮湿紙裹煨熟【禁用】允陰虛火盛汗門血門心氣耗散火熱

腹痛亟切忌之又多服損心火智如入九月食姜至春患眼損壽減筋力如平人夜食姜令人

氣閉。按生姜辛温謂其能除壯熱何也盖壯熱之源非外

感風邪即内傷飲食以能發散又能消導也東垣云生

姜為嘔家聖藥潤而不燥盖嘔乃氣逆不散故辛以散

之也夜勿食姜者夜則主斂反開發之違天道矣秋勿

食姜亦同此義然有病則不論也夫辛能入肺肺旺則

一身之氣皆爲吾用中焦之元氣克而定脾胃出納之令壯而行邪氣不能容矣凡中風中暑中氣中毒中酒食厥痰厥尸厥冷厥霍乱昏暈一切暴病得之立救早行含姜不犯霧露之氣及山嵐不正之邪皆以其能開提中正神明之氣而辟穢惡不正之邪藥中之神聖也

煨姜 專治溏泄水瀉能温中

乾姜 破血消痰腹痛胃翻均可服温中下氣癥瘕積脹悉皆除開胃扶脾消食去滯生行則發汗有靈炮黑則止血頗驗

製法 於冬末春初取老姜

成絲者淹東流水七日取起洗浄入甑内蒸熟晒乾用之

酸棗　味酸而兼平氣平無毒入足少陽手少陰足厥陰太陰經惡防已

主用　寧心益肝斂汗止渴心胸寒熱邪結氣聚四肢痠疼溼痺心煩意乱不眠胆虚易驚悸脾虚不嗜食心虚易出汗安神魂寧志補中氣助陰堅筋骨安五臟久服令人肥健輕身延年能治多眠不眠須分生炒研用多眠胆寔有熱宜生不眠胆虚有寒宜炒丹溪云血不歸脾用此大補心脾則血歸脾而五臟安和夫胆虚不眠寒也然肝胆相依

得熱者以旺肝則木來尅土脾主四肢又主困倦故令人睡胆寔多睡熱也生研調服夫棗仁秋成者也生則全金氣以制肝脾不受侮而運行不睡矣

制法 多眠生用不眠炒用臨用研碎炒熟乃得芳香入脾也不可炒久减氣以其油臭不香也。按酸棗仁乃心肝胆三經氣分之藥雖能寧心更切益肝故若肝旺煩燥不寧者及心陰不足驚悸恍忽者必同滋陰和肝養心之血藥相佐而用其功乃見否則心氣無陰以斂肝氣得補而強益增煩燥矣乃古人未之發何也然性柔而潤滑瀉者禁之

縮砂仁 味辛性温無毒入足太陰陽明少陰厥陰亦入手太陰陽明厥陰可升可降升多於降陽也【主用】辛温香竄補肺益腎和胃醒脾快氣調中通行結滯霍乱悪心却腹痛安胎温脾胃下冷氣消宿食治冷瀉赤白及休息痢冷氣奔豚鬼疰邪疰轉筋吐瀉胃氣壅滯丹田虛寒能温脾胃困之能醒【合用】與檀香豆蔻為使則入肺與人參益智為使則入脾與黄柏茯苓為使則入腎與赤石脂為使則入大小腸【禁用】性本香燥走竄孕婦氣虛者多服反致難産若肺熱

咳嗽氣虛腫滿火熱腹痛血熱胎動並禁

【製法】和皮熳火炒令香熟去皮取仁搗碎用。按砂仁禀天地陽和之氣以生辛能散能潤温能和暢通達故治一切虛寒凝結氣滞嘔吐胃寒脹滿之症也

肉荳蔲·味辛氣温無毒入足太陰陽明經又入手陽明大腸經

【主用】温脾胃之虛冷止心腹之脹痛宿食不消滑瀉冷痢尤為要藥又能消酒毒除冷積下氣寬胸止霍乱吐沫寬大腸虛瀉兼治氣痢赤白痢小兒吐乳霍逆不食作

泄腹內虫痛日華云肉蔲下氣以脾得補而善運化而氣自下矣非若陳皮香附之快泄衍義云多服損氣恐不然

【禁用】若濕熱積滯方盛及滯下初起火熱暴注泄瀉者禁用

【製法】油色肥寔肉白者佳用湯調糯米粉或醋調麵包煨火中煨黃熟取出以紙搥去油淨勿令犯銅器

按肉荳蔲稟火土金之氣以生辛能散能消溫能和中通暢香先入脾煖能開胃故爲理脾開胃消食止瀉之聖藥

訶棃勒

俗名訶子　性苦濇溫無毒沉而降陰也【主用】治冷氣消

宿食去腹膨通津液破結氣止久痢逐腸風開胃澁腸又治肺氣因火傷極欝遏脹滿喘急咳嗽蓋味酸苦有收斂降火之功又能消痰除煩久瀉肛痛霍乱奔豚暍氣胎漏胎動崩中帶下瀉血並治

【合用】同人參能補肺同白朮能益脾同五味能斂肺同陳皮能下氣

【禁用】凡咳嗽脾有實熱泄痢未至虛寒與瀉病初起者並忌

【製法】六稜色黑肉厚者以水泡軟色熳蒸去核或用酒水蒸去核焙乾。按訶子味濇而能收性温而能通故既能破結除膨復能澁腸止咳然下氣太急虛人不可獨

用波斯國人遇大魚涎滑數里每不能行乃投訶子其滑化為水則化痰消涎之力可見矣

白扁豆味甘氣香性溫無毒入足太陽陽明經氣分藥

【主用】辟暑氣清溼熱醒脾元治霍乱和中下氣止瀉扶脾升濁降清通理三焦兼解諸毒治帶下解酒毒

【製法】去皮姜汁伴炒有黑白二種入藥惟以紫花豆白者為良黑豆不用

按扁豆以其形扁不圓補土中冲和之氣又食補五臟令人頭不白

益智味辛氣溫無毒入足太陰少陰經

【主用】主君相二火散脾胃寒邪和中禁小便遺溺止嘔攝涎唾逆潮調諸

氣安三焦斂攝脾腎之逆氣溫中開胃而進食藏納歸源為脾胃虛而且寒之要藥【合用】與諸香同用則入肺與補氣藥同用則入脾與滋補藥同用則入腎同食鹽煎服治夜多小便取二十四枚入鹽煎服最奇效【禁用】凡黑瘦之形陰虛燥熱者戒之若血燥多火及因熱而遺濁三焦火動者禁之【製法】去皮用入脾藥炒香

按益智行陽而退陰通心脾子母之藥三焦命門氣弱者及心虛脾弱者宜之心者脾之母故進食不止於和脾益使心藥入脾藥中使土中益火火能生土也

蒼朮　味苦辛甘氣溫無毒入足陽明太陰經浮而升陽也防風地榆爲使忌桃花李花雀鴿肉

主用　消痰結窠囊寬胸中窄狹治身面大風風眩頭痛辟山嵐瘴氣瘟疫和氣煖胃安胎寬中進食毆痰癖氣塊止心腹脹疼補脾燥濕之功共白朮同其功用但白朮補性居多且能斂汗蒼朮氣烈又能發汗白朮性稟冲和直固清陽中氣蒼朮性多燥悍功專除濕祛風又云能止霍乱吐瀉目病翳障陽虛人久服注顏壯筋明目潤肌烏鬚

合用　同黃栢牛膝石羔下行則治下焦濕疾入平胃散能

去中焦溼痰而平胃中有餘之氣入葱白麻黄之類則能散内分至皮表之邪【禁用】凡血虚怯弱及七情氣悶誤投則耗氣血燥津液虚火動而悶愈甚盖燥烈除溼之功則有餘補中扶脾之功則不足故陰虚便燥渴而火亢者切宜忌之

按蒼朮爲溼家痰家要藥辛温辟邪得天地之正氣者歟本經未嘗有蒼朮白朮之分至陶隱居别用而後貴白賤蒼善乎東垣云補中除溼力不及白寬中發汗功則過之當矣

【製法】米泔浸一夜去粗皮炒深黄色或童便浸亦好

厚樸 味苦辛氣溫無毒（入足太陰手足陽明經陰中陽 乾姜為使惡澤左硝石忌巴豆）

主用 消痰下氣寬中之必需而腹痛脹滿散結之要藥中風寒熱霍乱轉筋溫中平胃兼化食去水治破血療胃疼至於嘔逆吐酸瀉痢淋漏腸鳴死胎瀉膀胱定驚悸通月經調開節厚腸胃走積年之冷氣泄五臟之餘氣散溫除熱治氣血痺除去三蟲背（可用大要客寒犯胃 濕氣侵脾宜所必用）

合用 與枳殼大黄同用能泄實滿解熱脹（消痰下氣）與橘皮蒼朮同用能除濕滿而平胃氣（溫中下氣）與解利藥同用則治

傷寒頭疼與泄利藥同用則厚腸胃【禁用】凡胃弱氣虛者終不敢用以能散人元氣也孕婦少服以其辛熱恐損胎元耳

【製法】肉厚色紫者佳去粗皮入湯藥用生姜汁炒入風藥乃用醋炙或酥炙

按厚朴苦能下氣走而不守大損真氣故虛人孕婦服之雖一卸未見其害而清純冲和之氣潜傷默耗矣並宜忌之

【半夏】味辛平苦溫有毒入足太陰陽明少陽亦入手少陰經射干柴胡為使惡皂角畏雄黃生姜秦皮龜甲反烏頭忌海藻羊肉飴糖洗而降陽中陰也

【主用】治吐食反胃消腸腹冷痰散逆氣除嘔吐開結氣發

声音止脾濕斂心汗一切痰厥頭疼頭眩之聖藥及形寒飲冷肺傷而咳兼消癰腫瘿瘤與氣色虛黄加而用之又傷寒寒熱温瘧心下堅脹腸鳴皆可用【合】同芩連治火痰黒老痰膠同姜附治寒痰青濕痰白同南星皂角治痰飲脇痛同陳皮白朮治卒中風痰【禁用】凡諸血症汗症渇症陰虛痰症及孕婦並忌之（云一）虛症及孕婦惡阻用麵免致損血墜胎【製法】造麵法先將半夏湯泡九次晒乾爲末絞汁調末爲凡如彈子大用楮葉或紙包裹

以稲草上下奄七日生毛取出懸風煙之上愈久愈良

又法以皂角生姜同煮熹切片用又法以姜汁調半夏末作餅炙熹切片用之

按汪機曰脾胃濕熱涎化為痰非半夏曷可治乎若以貝母代之翹首待斃李瀕湖曰脾無留濕不生痰故脾為生痰之源肺為貯痰之器半夏治痰為其體滑辛温也涎滑能潤辛温能散亦能潤故行濕而通大便利竅而泄小便所謂辛走氣能化液辛以潤之是也丹溪謂半夏能使大便潤而小便長成無已謂半夏行水氣而

潤腎燥局方半硫丸治老人虛閉皆取其滑潤也俗以半夏為燥不知利水去湿而使土燥非性燥也但非濕熱之邪而用之是重亡津液誠非所宜若應犯而犯似乎無犯古人半夏有三禁血家渴家汗家也然其功止吐特為足陽明除痰為足太陰助柴胡主惡寒是又為足少陽也助黃芩（主去熱是又為足陽明也寒熱往來在半表半裏之間故用此有各半之意）

麥芽（或名麥蘖）味鹹氣溫無毒（荳蔻砂仁木瓜五味為使）【主用】化食消痰癥瘕冷氣胸膈脹滿下氣寬腸上焦滯血腸中雷鳴止

霍乱消宿食開胃補脾真溫中之快藥也王師古云麥芽神曲二藥脾胃氣虛人者宜服之以助戊己腐熟水穀以穀消穀有類從之義無推蕩之峻胃虛停穀食者宜之若以為健脾胃久服益人恐未必然也若上下之真火不旺何以施乾健之能豈有恃麥芽尅削之用而成補益之功哉

【禁用】孕婦勿食恐墜胎元虛者亦宜少用防消腎水立齋治婦人喪子乳房腫脹欲成癰者以麥芽一二兩炒熟煎服即消其破氣破血之烈可知故丹溪有消腎之戒是也

【製法】炒黃杵去皮用。按麥芽性粘滯水漬生芽氣雖少清性猶未化炒至黑色反有功力專化五穀之積與山查消肉積者異古人有消腎之說謂其伐胃故也經云胃為水穀氣血之海化榮衛而潤宗筋又曰陰陽總宗筋之會而陽明為之長故胃傷者即陽事衰也李知珍曰有積消弱無積消元氣前賢於攻伐之品如麥芽平善者猶諄又告戒况峻利如硝黃之屬其可嘗試乎惟有是病則病當之亦勿因循以致養成大患

山查 一名棠球子　味酸氣平無毒入足陽明太陰經

主用 消食積聚為兒科之要藥除兒枕痛誠產婦之良方至於消滞血理瘡瘍行結氣健脾胃袪彭脹消宿滞皆

宜用之（以味酸屬甲耳則屬己甲己化土所以入補脾藥助其運化也）又如消血塊化肉積亦為切用（以酸能入肝去其肝藏血積之滯也肉積者亦血液之化類乎）核主催生痳氣

合用 同參朮則能消積滯同芎歸則能散宿血

禁用 若脾虛不能運化者多服久服愈傷脾胃生生之氣益增其滯矣（蓋山查既非戡乱之能臣復非培元之良相正堪暫為佐助藥耳何近世小兒藥中動輒投之何也）

製法 陳久者良水洗蒸軟去核晒乾。按山查善去腥羶肉食之積與麥芽消穀積者不同仲景治傷寒一百十三方未嘗用山查麥芽何也謂其性緩非亂世之能臣

故但用大小承氣耳近世不問肉食積滯有無一槩用之以為穩當恐無益必有小害也識者其詳審之

【神麯】味甘辛氣温無毒入足陽明經【主用】下氣調中止瀉開胃消食消痰胸腹堅滿赤白痢疾婦人胎動産後回乳止霍乱泄瀉療傷寒傷食治小兒癇疾胎懸下血【禁用】孕婦宜少服既能破結便能落胎及脾陰不足胃火旺者勿用【製法】須陳久炒香熟用六月六日用白麪百升以象白虎蒼耳汁三升以象勾陳野蓼汁四升以象藤

蛇青蒿汁四升以象青龍杏仁去皮尖搗爛四升及比方河水以象玄武赤小豆煮爛三升以象朱雀六味和匀踏寔再加稀薟汁尤妙悉如造麯法罨黄懸風處經年用之（或用三伏上寅日造）○按古人所用即造麯酒之麯後人取六神聚會之日又取各色之藥以象六神之用故得神名其功更勝於酒麯蓋更有消食下氣煖胃之力也

藿香 味辛氣温無毒氣厚味薄（浮而升陽也入手足太陰亦入足陽明經）

主用 理霍乱止嘔吐開胃口進飲食治口臭難聞消風水

延腫以馨香之正氣能辟諸邪以性味之辛温通療諸嘔但胃熱胃弱作嘔者非其所宜若受寒受穢腹痛者寔為要藥又能發汗散寒濕除瘴氣止瘧進食陰虛火旺胃熱作吐者忌之【製法】水洗去枝梗用葉。按撈嚴經謂之兜婁婆香稟清和芳烈之氣為脾肺達氣要藥

大腹皮　即檳榔皮　味辛苦微温無毒入足陽明太陰經

【主用】下膈氣寔佳消浮腫甚捷定喘止霍乱調中健脾胃去冷熱氣攻心除大腸病熱壅寔為寬鬱脹去水氣之

之要藥也【禁用】凡諸虛症勿用雖止霍乱嘈心痰膈攻心腹大腸攤毒寔症相宜虛症亦忌【製法】凡用宜先洗去黒水復以酒洗後以大豆汁再洗晒乾用（以梹榔樹上鴉鳥多集焉）

按腹皮即梹榔皮也其氣味所主與梹榔畧同但梹榔性烈破氣最捷腹皮性緩下氣稍遲

大黃 味至苦氣大寒而無毒入足陽明太陰厥陰并入手陽明經陰中之陰降也（黃芩為使無所畏）【主用】欲速生使欲緩熟宜推陳致新蕩滌腸胃消瘀血瘀頑痰破積聚止痞

痛散熱毒癰腫消留飲宿食清痰實結熱性直走而不能守故瀉諸實熱不通可戡亂以致太平清心腹脹滿滑大便燥結號為將軍以其峻快也

【合用】與芎藥黄芩牡礪細辛茯苓能療驚怯恚怒與心下悸氣得硝石紫石英桃仁療女子血閉與黄芩黄連治心氣吐衄

【禁用】凡諸虛症並禁用火虛症亦忌若熱在血分有形之邪可下之熱在氣分者無形之邪不可攻之反傷元氣血枯血閉血虛血閉及無形虛症並忌

【製法】或酒洗或酒浸蒸或麵包煨熟或生用各隨虛實用

按大黄禀地之陰氣獨厚得乎天之寒氣亦深氣味俱厚王液云酒浸入太陽餘經不用盖酒浸良久稍薄其味藉酒力能上至高酒洗亦不峻下故大承氣湯俱酒浸惟小承氣生用是酒亦大黄之舟楫不獨桔梗能載而浮至胸中去湿熱結熱也古云生用熱去而患赤眼河間謂大黄未經酒製上熱不去故也

朴甫 味苦辛性大寒沉而降陰也 主用 化六腑積聚却天行疫痢潤燥糞推陳致新消癰腫排膿散毒破畄血閉藏

消贓痰作痞傷寒發狂大小便秘身黃顴黑喉痺口瘡
女勞傷尾熱眼凡諸寔熱症悉能瀉除
【禁用】諸虛病陰虛假熱病與孕婦忌之
【製法】青白者爲佳黃赤者勿服凡入湯藥先安盞內俟熱
藥乘攪服。按朴硝乃本体未化之義稟天地至陰極
寒之氣所生太陰之精也以消物爲性故能消五金八
石況五臟之積聚乎

芒硝

即朴硝取汁煉之˙ 𠛬半投於盆中經宿有稜如麥
爲芒硝又名盆硝

主用 可消痰積，能通月經，延發膝瘡，可敷難産，子胞可下，洗心肝而明目，滌腸胃而止疼。又云：盆硝有四五稜，白瑩如白石英者，謂之英硝，又謂之馬牙硝，潤軟堅破積，與朴硝一樣，但差緩耳。瘵五臟經脉，治五積淋疾，頭痛欲死，以末吹鼻，瘻蝕瘡，發背瘡腫，癮疹初起，及服丹石發熱發瘡並治。惡苦參、苦菜，畏女宛。

風化硝 即朴硝以沸湯浸化，用絹濾於瓦盆内，仍懸井中經宿，結成芽子瑩白可用，真得瑩白，取硝為末，置竹箕内，单羅掩之，置風處。輕而不降，治膏梁之家頑痰易化。又云：治一切痰火。

玄明粉 玄門中多用之。法以冬月取朴硝和羅蔔各一斤，同煮羅蔔熟為度，取出以紙濾過，露一宿結成

(青白塊子用)陰中有陽誠老弱人微毆虛熱妙劑停痰宿滞神丹潤燥推陳致新洗眼消腫明目心中煩燥頭昏目眩口苦咽乾腸風痔漏淋瀝疫痢腹脹便閉一切痰火熱毒風毒風瘡腫痛宿食而滞痰癥結中酒中膾(並治之)

巴豆(一名巴椒)味辛氣温得火熱剛猛之氣其性有大毒(一云生温熟寒非也)八手足陽明經(芫花為使惡蘘草畏大黄及牽牛又畏黄連蔡蘆忌蘆笋醤肉豉冷水)【主用】破癥瘕結聚留飲痰積大腸水脹瘟瘧寒熱蕩滌臟腑開通閉塞除鬼毒蠱疰殺虫療女人月閉爛胎

有滌蕩攻擊之能誠斬關奪門之將【禁用】胃中無寒積及虛症者忌之雖云生溫熟寒恐熟亦不甚寒也此蓋稟火性之急速兼辛溫之走散也【製法】若急治通水穀道生用去心膜紙搥去油緩治消堅磨積水煮五次或炒煙盡黑色研用可以通腸可以止瀉世所不知此雷公說也

按丹溪云巴豆能去胃中積寒若無者忌之總宜慎用與大黃同爲攻下之品但大黃性寒走血分腑病多熱者宜之巴豆性熱走氣分臟病多寒者宜之士材云蕩

五臟滌六腑幾於煎腸刮胃攻堅積破痰積直可斬關奪門氣血與食一攻而殆盡痰虫及水傾倒而無遺胎兒立墜疔毒全抽然欝滞雖開真陰隨損以火許著肌膚須臾發疱況腸胃柔薄之質被其爊灼能無潰爛之患乎苟不得已須炒熏去油入火許即止不得多用

茵陳 味苦平微寒無毒陰中微陽入足太陽経

主用 專治黄疸症之要藥總行滞氣解煩熱化痰利濕之必需散結利水之神剤又云治傷寒大熱頭熱頭風目痛

瘴瘧能去癥瘕伏結兼消遍身瘡疥若過用損傷元氣

【製法】去根土細剉焙乾用。按茵陳感天地苦寒之氣味兼得春之生氣以生者也故其味苦平無毒專爲湿熱發黄之聖藥

【常山】味苦辛寒無毒【主用】截温瘧吐痰沫水脹堪逐鬼蠱能消又治瘧母及腹中積聚邪氣痞結堅瘕項下瘿瘤鼠瘻若治久瘧須發散表邪提出陽分而後用之宜宿露飲勿熱服【禁用】瘧非因瘴氣老痰積飲者勿輕用之與老弱虚人及久病並忌之盖功不掩過也

【製法】細實黃色形如雞骨者佳生用令人大吐宜酒浸一日蒸熟或炒或醋浸煮熟則善化痞而不吐。按常山截瘧甚效蓋瘧必有黃涎聚於胸中故曰無痰不成瘧且弦脉主痰飲而瘧脉必弦常山善去老痰積飲故爲瘧家要藥則同參朮用則既可去病復可禦其猛烈之性矣古人治瘧多用蓋以嶺南山嵐瘴氣所感充於營衛皮膚之間秋去皮膚毛孔中障氣根本非常山不可也

【蜀漆】乃常山苗也散邪火錯逆破癥瘕瘧堅痞結積疑蠱毒鬼疰久瘧兼治欬逆亦調不可多服亦防惡吐

草菓味辛而熱氣猛而濁升散陽也【主用】消宿食除脹滿去邪氣且却冷痰辟山嵐障氣止霍乱又云悪心能治脾胃寒湿寒痰益真氣化瘧母解酒毒熏積解瘟病【合用】同砂仁能温中焦佐常山能除瘧氣【禁用】其氣猛濁若人元氣不克寔而邪氣未甚者不必用之無功有過【製法】去内外壳取仁炒或用麪褁煨熟○按草菓味甚辛烈氣甚酷馨其猛濁之性可見矣若症非体寔而乱投之以圖後功恐功不掩過也

梹榔 即腹皮子 味辛苦氣溫無毒八手足陽明經降也陰也又云陰中陽 **主用** 逐水穀除痰癖止心疼殺三虫破積滯碎癥瘕墜諸氣治後重專破滯氣下行泄胸中至高之氣善破有形之結滯辛能破滯苦能殺虫故主治如神耳又能止嘔吐惡心脚氣冲心治諸風諸積諸氣以其性沉有若鐵石之重又能墜降諸藥下行 **禁用** 善墜善破者必易傷元氣而暗伐真陰故即瘥痰膈癖非初起寔症者不可輕用又氣虛下陷似痢者尤禁之 **製法** 白者味辛多散氣赤者味苦澁多殺虫宜灰

汁煮熬焙乾用又云取鷄心正穩如錦紋者佳刀刮去皮切細急治生用經火則無力綫治暑炒或醋煮過。按檳榔下氣性如鈇石故破滯氣治後重如神巔表多食檳榔蠱瘴癘之作卒因食積此消食下氣也

金部 人參 味甘微寒無毒味氣均齊不厚不薄升多於降又云微溫言其功用也 又云微寒者言其所稟也浮而升陽也如欲補五臟當隨本臟藥為使升麻為引反藜蘆惡鹵鹹【主用】益五臟真元不足理肺金虛促短氣瀉心肺脾胃火邪治傷勞虛

天上逆健脉理中生津止渴開心益智滋補元陽却驚悸除憂邪腸胃中冷心腹鼓痛胸脇逆滿破堅積宣壅滯除健忘興陽道養精神安魂魄氣壯而胃自開胃和而食自化退虛火之聖藥也氣虛者固不可遺血虛者亦不可缺無陽則陰無以生而血脫者補氣氣為水母也誠能挽功垂絶使無形生出有形多服宣通少服壅滯

【合用】同苓术則燥湿同熟地則滋補同麥冬則清潤又云與黃芪同用則補表與白朮同用則補中與熟地同用而

佐以茯苓則助下焦而補腎【禁用】形如人形大如鷄腿去

蘆不令人吐和細辛密封千年不壞云一臨用切薄片銀

石器中慢火熬汁如入九散隔紙微火焙燥如欲久藏

和炒米伴勻同納屛中封固則久藏不壞且得穀氣之香澤也

拌人參得土中清陽之氣稟春升少陽之令而生味甘

合五行之正性溫得四氣之和狀類人形上應瑤光故

能回陽氣於垂絕却虛邪於俄頃功魁群草力奪珍丹

入脾肺二經諸虛皆調五臟勻補虛人服之如陽春一

至萬物發生猶飢之得食渴之得飲至於能解酒毒潰癰疽療目疾咸獲其效則補虛培元之功更可見矣若煉膏服功力更優韓彩霞曰人參煉膏能回元氣於無何有之鄉一切產後病後癰疽出膿後元氣未復皆爲聖藥

黃芪 味甘微溫無毒氣厚於味可升可降陽也入手陽明太陰經惡龜甲白鮮皮畏防風

主用 生治癰疽灸補虛損五勞七傷氣耗血虛益元陽瀉陰火溫肉分充皮膚密腠理固盜汗自汗能排膿托毒止痛長肉生肌外行皮毛中

補脾胃功專寔表性畏防風得之其功愈大一云治上焦虛喘氣短蓋瀉肺火也與久瀉痢腸風崩帶經病胎前產後小兒諸病大補三焦呼為羊肉逐惡血風癩疾五痔鼠瘻肺癰已潰表虛有邪汗之不出服之有汗故云有汗能止無汗能發兼止渴生津生血瀉陰火退虛火之聖藥也

【合用】與白朮同用則補中與人參同用則補氣與當歸同用則補血

【禁用】凡陽盛陰虛者與上焦熱甚下焦虛寒與肝氣不和病人多怒及肺脉洪大火浮于肺而咳陰火上冲而吐

血者並宜禁用【製法】軟綿色嫩者佳生用則托表排膿蜜灸則調補虛損下虛鹽水炒。按黃芪禀天之冲氣以生耳乃土之正味故能解毒陽能解表故能運毒走表耳能益血脾主肌肉故主久敗瘡瘍排膿止痛寔為補表之要藥若表邪方盛者亦宜忌之

沙參 一名白參　味苦耳微寒無毒惡防己反藜蘆一云為厥陰本藥

【主用】味淡体輕專補肺氣因而益脾與腎久嗽肺痿金受火克者宜之又主寒熱咳嗽胸痺頭痛定心内驚煩退

皮間邪熱又云主肌表間熱腹痛熱結疝氣絞痛惡瘡疥癬浮風身痒散血積有養肝之功可治眠驚有得神之力

【禁用】凡因寒邪客於肺中而咳嗽者忌之【製法】米泔浸晒乾用易老用代人參取味之苦耳瀉中兼補畧相類耳

按沙參氣輕力薄非量弘仁大之品也人參甘温体重專益肺氣補陽而生陰沙參甘寒体輕專清肺熱補陰而制陽一行春氣一行秋氣不相侔也故臟腑無寔熱及寒客肺經而咳嗽者勿用可也

麥門　味苦平微寒無毒入手太陰經地黄車前為使惡款冬花畏苦參陽中之陰能降也【主用】治肺家伏火之邪肺痿吐膿腥臭補心臟劳傷虛損心血錯經妄行益精強陽敺煩解渴心腹結氣能散無克伐太過之傷脾胃宿滞可消有寬抱舒懷之益和顏色悅肌膚清膈上之稠痰調四肢之經脉去心下支滿退虛熱客邪經枯乳汁不行堪資作引肺燥咳声連作須伏為君一云安心神清心熱及心下支滿蓋火去心清而水生益精氣心神及脉大痿蹷必用以心肺安血有統而客熱自散矣潤而血

自通【合用】同人參五味名生脈散專補元氣而生津液同地黃阿膠麻仁用能潤經益血復脈通心滋燥金以壯水源【禁用】但專泄而不專收中寒有濕者少服脾胃虛寒后產泄瀉者忌之【製法】如滋陰潤肺去心生用如同脾肺藥兼用宜伴米炒黃去米用去心不令人煩一云行經酒浸

按麥門冬禀秋令之微寒是以清心潤肺之功居多夫心火焦勞如盛暑得秋風一至炎蒸若失矣較之天冬耳味稍多寒性差減更勝一等火盛氣壯者多用生

用並宜氣弱胃寒者少用炒用爲妙

天門 一名顛棘 味苦甘平大寒無毒陰也降也入手太陰足少陰經 地黃貝母爲使畏青魚鯉魚以天門搽衣洗面最潔 主用 補虛損勞傷強精髓潤臟悅顏色養肌膚解渴除煩消痰住嗽保肺氣不被熱擾通腎氣能除熱淋止血熱妄行潤糞燥閉結肺癰肺痿能挽回垂絶吐血吐膿誠奪命再生善泄滯血并助真元寒退肺火三者寔天門之功焉 一云 潤肺之美藥肺潤而五臟皆潤凡精枯血燥者最宜 又云 能治諸

暴風湿偏痺熱毒疰風【合用】同人參黄芪煎飲定虚喘神
方和生姜白蔹熬膏破頑痰聖藥【禁用】性專泄而不收中
寒腸滑者禁用故曰虚熱人神妙虚寒人忌投
【製法】湯浸去皮心焙熱當風凉之如此二三次自乾不損藥力
按天門清金降火益水之源故能下通腎氣而滋補腎
主五液燥則凝而為痰得潤劑則肺不苦燥而痰自化
盖麥冬清心以保肺天冬滋水以滋金一以救上一以
滋下其保肺同也但上下寒熱有殊故湿土之痰半夏

主之燥火之疾天冬主之若脾胃虛寒久服單服必病腸滑而成痼疾

五味子北五味色黑皮肉酸耳核苦辛鹹南五味色黃辛耳稍重味酸苦微鹹氣溫味兼五而無毒陰中微陽入足少陰手太陰血分足少陰氣分蓯蓉為使惡葳蕤勝烏頭〔主用〕補虛損勞傷收瞳神散大味酸而斂肺氣耗散之金性補而滋腎經不足之水生津止渴益氣強陰濇精斂汗定喘固腸補虛明目除煩熱而補元陽解酒毒而壯筋骨誠納氣歸源收保肺腎之要藥也一云和中氣霍乱轉筋翻胃消食積痃癖

藥品下　五味　二三

奔豚冷氣水濕氣滿腹腫脹大此又和脾之功【合用】同乾姜煎治冬月咳嗽肺寒神效同黄芪人参麥門黄栢治夏季神力困乏殊功【禁用】咳而火氣盛不可驟用寒凉雖資此酸斂亦不宜多用反致閉遏敦氏謂其多食生虚熱此收補之驟也又若風邪在表痳疹初形一切停飲肺有實熱者皆當禁絶（有外邪束表者不可誤用）【製法】欲其收斂生用欲其五味全見研用欲多於補擊碎伴以蜜酒蒸之以補其耳之不足而火解其酸斂之峻驟也

按五味子內酸有餘而丼不足核中苦辛而鹹故名五味潔古云夏服五味使人精神頓加兩足筋力湧出蓋取五味酸輔人參能瀉丙火而補庚金收斂耗散之藥也東垣云瘧神散大乃火熱必用之藥有外邪者不可驟用丹溪云收肺補腎乃火咳必用之藥

紫菀 味苦辛溫無毒入手太陰兼入足陽明 款冬花為使 惡天雄 瞿麥雷丸遠志 畏因陳

【主用】咳逆痰喘肺痿吐膿消痰止渴癆咳吐紅屍注勞傷通利小腸能開喉痺小兒驚癇寒熱結

氣虛勞不足能去蠱毒痿蹷堪敺製法以清水洗去土切片蜜蒸炒

按紫菀苦温下氣辛温潤肺故吐血虛勞收為上品雖入至高之臟然又能下趨使氣化及於州都小便自利人所不知但性滑不宜久用且性辛温陰虛肺熱者不宜單用須地黄門冬共之庶可保其無弊矣

欵冬花 味辛甘温而無毒陰中含陽降也杏仁為之使惡皂角硝石玄參畏貝母辛夷麻黄黄芪黄芩黄連青葙子若得紫菀尤良主用治肺痿膿血腥臭止肺咳痰唾稠粘潤肺瀉火邪下氣定喘促却心

虛驚悸去邪熱驚癇補羸弱除煩洗肝邪明目更毆久

嗽奇方燒煙吸之亦妙【製法】花半開含英者良去枝土耳

草水浸一宿陰乾用一云去蒂蜜水浸微焙更得清潤之功。世多以枇杷花偽之

按賦云積雪懸崖氷凌成谷顱見欵冬花熇然花婿則

其純陽之禀可知所以主治皆辛温開豁之力妙在温而助火耳

【胡桃肉】味甘氣熱無毒【主用】頻食健身生髮兼補下元多

食動風生痰且助腎火經脉能通血脉能潤養血潤筋

斂肺止喘壯痿強陰治腰脚虛疼令肌膚光澤上以利

三焦之氣下以益命門之火【合用】燒灰合松脂治瘰癧同胡粉納白髮孔能變黑和醇酒熱服治打壓損傷和米煮粥食治石淋佐以補骨脂有水火相生之妙帶皮同人參煎服治婦人小兒氣喘和橘核酒服治酒皶鼻赤

【禁用】久食能脱人眉髮蓋熱極生風搖落之象也一云夏至後不堪食又相火盛之人勿服（製法湯泡去肉外薄皮研去油用）

按胡桃達命門之品夫三焦者元氣之别使命門者三焦之本源一源一委也命門在兩腎之間胡桃仁頗類

其狀外之皮汁皆黑故入北方通命門命門既通則三焦利故上通於肺昔幼兒瘵喘夜夢大士授方令以人參胡桃煎湯服之即愈次日復以胡桃去衣服之其喘復作仍以連皮服再效蓋人參定喘胡桃潤肺皮有斂肺之功也故每於空腹和連皮食七枚大能固精壯陽

桑白皮　味甘兼辛氣寒無毒入手太陰經續斷桂心麻子為使忌鐵與鉛

主用　甘助元氣而補勞怯虛羸辛瀉火邪而止喘嗽唾血利水消腫解渴歐瘀有以桑皮為肺中之氣藥紫菀為

肺中之血藥此取色以調劑也兼去寸白虫【禁用】大抵瀉有餘

此其長補不足此其短所以不宜多服肺虛而小便利

者尤忌之【製法】宜東行根土深者佳出土上者殺人入清

熱疎散宜生用入補肺藥宜客水佯炒用

按桑皮感桑之精氣而生故味苦其氣和平不寒不熱

無毒主治一本於桑因抽其精陰故力尤勝所以爲益

血和血除湿去風除痺安胎産後諸症之用也

【桑葉】經霜者洗眼去風淚殊勝鹽搗敷蛇虫咬毒蒸搗

罨仆損瘀凝煎代茶消水腫脚浮下氣令関節利研作散止霍乱吐瀉出汗除風痺疼

桑枝 煎常飲耳目通明去脚氣手足拘孪治風瘡皮膚枯槁陰骨通便眼睚退彙利喘嗽逆氣消瘀腫毒癰

桑椹 乃桑之精華所結味丼氣寒為益血除热養陰之藥收採晒乾瓷和凡散利関竅鎮神魄久又不飢聰明耳目黒椹絞汁熬膏加瓷解金石燥热染鬚髮皓白成烏

桑茸 又名桑蔺 醇酒煎嘗散血如神止血甚捷黒者主女人

癥瘕崩漏及乳腫暴来黄者治男子癖飲積聚腹疼金瘡初得若色黄熟陳白止洩補益元陽

桑寄生 散瘡瘍退風湿却背強腰痛篤疾安胎孕下乳汁止崩中漏血洗痾胎前内傷産後餘疾健筋骨充肌膚愈金鎗盃血脉長鬚髪堅牙歯乃風湿拘攣之聖藥

貝母 大者名土貝母 小者名川貝母 味苦辛微寒無毒入手太陰少陰經厚朴白薇為使 悪桃花畏秦艽 反烏頭 【主用】苦瀉心火辛散肺欝消膈上稠痰久咳嗽者立效散心中逆氣多愁欝

者殊功却疾黄疸疝瘕喉痺清氣化痰除熱解毒吐血咯血肺痿肺癰散癭通乳清心潤肺惡瘡諸毒並療乳癰瘰癧並用止消渴煩熱敷人面瘡最效為散結除熱解毒化痰之要藥產後胞衣不出並取研末酒服

【禁用】胃寒脾虛寒痰停飲痰厥頭痛惡心泄瀉者並忌之其中有根䕲不作两片無瓣者名丹竜精損人筋脉

【製法】選大而白者去心用胃寒粘米伴炒米熟為度或姜汁炒。按貝母功專入肺以治燥痰然久服非脾家所喜俗以半夏燥而有毒代以貝母不知貝母治肺金燥痰故宜潤半夏治脾土濕痰故宜燥一潤一燥劳寔天淵彼此誤投爲害不浅何可代哉且土貝母味大苦性寒其解毒化痰散鬱除熱之功居多川貝母味微苦則寒凉之性亦減其清熱解毒之功則不及而潤肺化痰之力尤優耳

木香 味辛氣温無毒可升可降陰中陽也【主用】氣劣氣不足能補氣氣脹氣脹塞能通和胃氣如神行肝氣最捷散滯氣於肺上膈破結氣於中下焦驅九種心疼逐積年冷氣

止霍乱吐瀉嘔逆反胃除痞積癥塊脂腹脹疼安胎健

脾誅癰散毒兼除疹寒之魔能行諸藥之精且肺氣調則金能制

木而肝平怒則肝逆而忤其元氣心有縱肝之情而不能制則肝独盛得木香則心暢而正氣亦暢肝氣何逆

之有哉寔心之非肝之自行也行肝又云消食積禦霧露辟疫邪殺蠱毒

合用和黃連治暴痢用失煨寔大腸破氣使檳榔和胃佐

姜桂得草菓蒼朮治溫瘧瘴瘧以檳榔為佐消癰腫毒

及膀胱冷痛疝氣佐以生姜肉豆蔻其效尤速以黃連

制之則不過於疏暢以知栢制之則不過於上升

【禁用】凡陰虛之症切忌之蓋以其辛香走泄也即平人久服亦非所宜【製法】行積化滯宜別磨冲服若佐以調氣宜和劑同煎若欲止瀉及治虛寒症候宜火煨用之形如枯骨油重者良

撲木香乃三焦氣分第一等藥也氣味純陽故能辟邪止痛以瀉停食脾疾也土喜溫燥得之即效氣欝氣逆肝疾也木香疏通得之即平胎前須順氣故得之則能安胎

【沉香】味辛而無毒氣厚味薄可升可降陽也入足陽明太陰少陰經上而至天下而至泉無所畏忌又云兼入手

少陰足厥陰經【主用】補腎順氣抑陰助陽治痢尤佳吐瀉兼療諸邪惡氣風水腫毒心腹疼痛霍乱中悪五臟能調鬼疰堪辟煖腰膝壯元陽破痃癖散鬱結凡冷氣鬱氣逆氣總調乃保和衛氣上品藥也香而沖和可調脾胃温而下洩可煖命門又能止轉筋及冷風麻痺骨節不任湿風膚痒【禁用】香燥走泄凡中氣虛而氣不歸源及陰虧火旺氣虛下陷並非所宜【製法】入湯藥宜磨服入丸散藥宜另研極細○按沈香禀陽氣以生兼雨露之精

氣以結故其氣芬芳所能治風毒水腫者風為陽邪襲於經絡遇火相窮則發出諸毒浣香得雨露之精氣故能解風火之毒水腫者脾湿也脾悪湿而喜燥辛香入脾而燥湿則水腫自消風邪悪氣之中必從口鼻而入口鼻為陽明之竅得芬芳清陽之氣則脾胃安而悪氣除其主心腹痛霍乱痃癖諸症皆調氣之力也

香附 又名沙草根 味苦其苦辛微温無毒入足厥陰氣分亦入手太陰經氣厚於味陽中之陰降也 又云陰中陽 忌鉄得烏藥良

【主用】快氣開鬱逐瘀調經霍亂吐逆疏肝運脾宿食可消泄瀉能固便製調血熱經瘀炒黑禁崩漏下血婦人氣血方中所當用者開鬱散滯之功（蓋婦人性偏多鬱）一云能克皮毛發去寒氣及皮膚病疹胸中虛熱乃氣病之總司也

【合用】得參朮則補氣得歸地則補血得木香則疏滯和中得檀香則理氣醒脾得沉香則升降諸氣得川芎蒼朮則總解諸鬱得梔子黃連則能降火熱得伏神則交濟心腎得茴香破故則引氣歸源得三稜莪朮則消磨積

塊得厚朴半夏則決壅消脹得紫蘇葱白則解散邪氣得艾葉則煖子宮【禁用】精血枯閉與月事先期血虛内熱者禁之【製法】生則上行胸膈外達皮膚熟則下走肝腎外徹腰足炒黑則止血童便浸炒則入血分而補虛鹽水浸炒則入血分而潤燥青鹽炒則補腎氣酒浸炒則行經絡醋浸炒則消積聚姜汁浸炒則消痰飲又法入凉血藥以童便浸炒黑入調氣血藥宜醋浸炒黑入消食去滯藥不製炒黃搗碎

按香附女科仗爲主藥者以婦人多鬱多滯耳然味辛

性燥多服則損氣血若調經藥中用之必童便浸炒火

差更兼當歸熟地同用方可保無虞也

枳殼味苦微寒無毒浮而升微降陰中陽也【主用】殼大性

緩治高主氣主風痒麻痺咳嗽風痰胸膈痞滿肺氣滞

結兩脇虚脹發疹肌表遍身苦痒更逐水飲停留関節

並利破痰癖積聚宿食亦能損至高之氣盖苦泄辛散

惟利肺氣之有餘寛大腸之壅滞故腸風症特用之

【合用】同甘草則能瘦胎和黄連則能治五痔【禁用】忌接迹服

則多虛怯勞傷尤禁凡氣血虛弱者切不可用【製法】水浸軟去穰麴炒香用。按枳殻枳寔古未嘗分别自東垣分枳殻治高枳寔治下海藏分枳殻主氣枳寔主血然究其功用皆利氣也氣利則痰消積化矣人之一身自飡門至魄門三焦相通一氣而已又何必分上與下氣與血乎但枳寔性急枳殻性緩爲確當耳然中氣壯寔偶因停食難消假此助脾克化財可若因中氣不足脾虛不能運化者則愈消而愈虛及氣弱痞滿誤投尅伐則無形之氣受傷不惟壅滯更甚而且變生他症矣至於瘦胎飲君以枳殼因以治湖陽公主難産得名蓋在奉養太過而難産且壯方氣寔者或有相宜否則損害真元胎子無力反致難産矣况脾胃乃化生之父母一身之墻壁能經幾番推倒乎上古傷於六淫者多或堪抵受近世稟受既虧七情交害虛痞虛脹比又皆然誤投尅削為害益甚可不慎歟

枳寔 味苦辛酸微寒無毒入足陽明太陰經浮而降純

陽也寔小性酷而速治下主血凡心腹痞滿脹悶宿食堅積稠痰積血有疏通破結之功倒壁冲墻之捷同白朮治虚痞然性暴力猛無宿滯堅積者勿輕用之以傷元氣一云海藏益氣佐以參朮乾姜破氣佐以牽牛硝黄

陳皮又名橘皮味辛苦氣温無毒味薄氣厚降多升少陽中之陰也入手足太陰足陽明經白朮為使主用陳皮治高青皮治低痰寔氣壅者服妙然留白則補胃和中而理脾去白則消痰利滯而理肺脾為元氣之母肺為攝氣之籥

故專調諸氣不離二經止脚氣冲心除膀胱留熱利水
道通五淋解酒毒去寸白消食消瘦開胃下氣霍乱吐
瀉能温能補能和功在諸藥之上〔用合〕與白术半夏同用
則滲湿而健脾胃與井草白术少則補脾胃多用獨用
乃損脾胃佐井草則補肺否則瀉肺同竹茹治因熱之
呃逆固乾姜治因寒之呃逆與蒼术厚朴同用去中脘
以上至胸膈之邪再加生姜葱白麻黄之類則能散肉
分至皮表有餘之邪盖同補氣藥則益氣同泄氣藥則

破氣同消痰藥則去痰同消食藥則化食各從其類也

【禁用】凡陰虛陽虛之症忌之陰陽將脱之候絶不可近

【製法】陳久者佳隔年者亦可用入下焦用鹽水浸肺燥者童便浸晒常用炒熟。按陳皮性頗猛鋭不宜多用如人年少壯未免燥暴及長大而爲橘皮如人至老年烈性漸减經久而爲陳皮則多歷寒暑而燥氣全消也

【橘核】主治腎氣腰痛膀胱疝痛之神丹也爲末酒服五刀

【橘皮】能行肝氣散乳癰脇癰之聖藥也絞汁飲之

青皮 味極苦而辛氣温無毒沈而降陰中陽也入足少陽經厥陰引經之藥主破滯氣利脾胃消飲食除積結膈氣止小腹脹痛又能瀉肝氣治脇痛疝氣及伏胆家動火驚症用二三分可也東垣云破滯氣愈低而愈效削堅積愈下而愈良氣虛弱者少用葢有滯氣則破滯氣無滯氣則損真氣氣短者全禁

骨碎補 一名胡孫姜又名猴姜 味苦辛氣温入足少陰經

主用 補骨節傷碎療風血積疼破血有功止血亦妙專入

腎經故治腎泄骨瘻耳聾牙疼諸骨腎症盖腎主二陰而司禁固久泄乃屬腎虛不可專歸於脾胃也又云治五勞六極右手不收上熱下冷及惡瘡蝕爛肉殺虫

製法 生於樹石上五月採根銅刀刮去黃赤毛細切蜜拌蒸晒乾用

接骨碎補好生陰處故得陰氣爲多唐明皇以其主折傷有功故名骨碎昔魏刺史久泄垂危諸藥不效以骨補入猪腎中煨熟食之即愈此腎泄之效也

桔梗 味辛苦甘平微温無毒入手少陰太陰兼入足陽

明經浮而升陰中陽也節皮為使畏白芨龍眼竜胆主用中惡蠱毒風熱喘促開胸膈利肺金除壅塞之氣於上焦清頭目解諸風散寒冷之邪於肌表毆脇下刺疼通鼻中窒塞咽喉腫痛施治如神逐肺热治咳嗽而下痰涎治肺癰排腐膿而養新血仍消恚怒尤却怔忡解利小兒驚癇開提男子氣血又與國老並行同為舟楫之劑載諸藥不至下墜引將軍可使上行譬如鉄石入江非舟楫不載也又云一切瘡節瘡疽在表寔症慨此引藥行上行表

【合用】與牡礪遠志同用療恚怒與石羔葱白同用能升氣於至陰之下與硝黃同用能引至胸中至高之上分利五臟腸胃【禁用】凡下虛之症及氣逆上升者勿用【製法】去頭及兩伴附枝米泔浸一宿焙乾用。按桔梗能引諸藥上行又能下氣者爲其入肺肺金得令則濁氣下行耳古人閑提氣血及痰火痢疾諸雜症中用之亦同此意若病不屬肺者用之無益

杏仁 味苦甘氣溫有毒入手太陰經沉而降陰也惡黃芩葛根黃芪畏蘘草解胡粉毒【主用】杏仁入肺爲利下之劑散肺經之風

寒下喘嗽之逆氣消心下之急滿潤大腸之氣秘解錫毒有效消狗肉如神逐獖豝殺蟲疽婦人陰蝕可納

【製法】湯泡去皮尖麩炒黄色去油有火有汗者童便浸三日又燒令煙未盡研用一云欲消痰潤肺去皮尖發散連皮尖用雙仁者殺人勿用

按杏仁稟春溫之氣兼火土之化有以杏仁瓜蔞並用不知杏仁味辛從腠理中發散以去痰故表虛者忌之瓜蔞性潤從腸胃中滑利以除痰故裏虛者忌之若痰熱表裏俱實者並行而有功也東垣云杏仁治氣桃仁

治血俱治年高大便秘燥當以氣血分用

葉 端午日採取煎湯洗眼止淚 **花** 味苦無毒主補不足治女子傷中寒熱痺厥逆

寔 味酸有毒食多傷筋骨 損神氣令人目盲小兒尤不可食多致瘡及瞞上熱

蘿蔔 一名萊菔 味辛無毒入手太陰經足太陰經 主用 却喘咳下氣功成倒壁冲墻水研服即吐風痰醋研敷立消腫毒入肺下氣而定喘入脾消食以寬膨生則能升可吐熟則能降可利 微炒研碎用 。按丹溪曰萊菔治痰有冲墻倒壁之功虛弱人服之氣浅難以布息昔胡僧入國中見人食麵驚曰食之安得不病及見食萊菔乃曰賴有此耳又洞微志云有因病狂憂中見紅衣女子引入殿中小姑歌云五雲樓閣曉玲瓏天府由來是此中惆悵悶懷言不盡一丸萊菔火吾宮一道士云此犯大麵毒也紅衣女子心神也小姑脾神也萊菔制麵毒故曰火吾宮也遂以藥入萊菔子治之果愈自是治麵積頗著神異

蘿蔔根　生者味辛性冷熟者味甘性平根喉可生藥散須煮制白麵豆腐二毒忌首烏地黃同餐倘誤犯之鬚

髮易白消穀食去痰癖止咳嗽解消渴搗生汁磨墨下咽止吐血下血甚捷衍義云散氣用生姜下氣用萊菔但煮服多者亦停膈間以成溢飲之症盖芥多辛火故耳

白芥子 味辛氣溫無毒

主用 消痰癖治皮裏膜外痰涎久瘧蒸成癖塊解肌發汗利氣疏痰溫中而消冷滯醋塗而散癰毒又云利胸膈痰止翻胃吐食中風不語面目色黃安五臟止夜多小便又治走注風毒疼痛

製法 微炒研碎用○按白芥子誠為利氣疏痰溫中去滯

風痰在皮裏膜外之要藥非此不能達也然大辛大散中痰即已久服耗傷真氣令人眩暈損目若肺燕陰虛者忌之

京三棱 味苦甘辛平無毒入足厥陰太陰經陰中陽也

主用 消癥瘕滯痛一切血塊乃血中之氣藥專通肝經積血滯氣又云治産后宿血腹痛及血暈氣滯乳汁不行兼治小兒癇熱撲損瘀血

禁用 真氣虛者勿用

製法 醋煮熏剉片焙乾或火泡用或醋浸炒。按三稜昔有患癖死者遺言開腹取之得塊如石文有五色削成刀柄後刈三稜忽化爲水乃知治療積塊如神蓬朮破氣中之血三稜破血中之氣主治頗同氣血稍别東垣用此二味皆用人參賛助故有成功而無偏害若專用尅伐胃氣愈虚不能運行積反增大矣

蓬莪茂又名莪朮味苦辛氣温無毒入足厥陰經氣分陽中陰降也【主用】攻削峻猛誠爲磨積之藥止心疼通月經消瘀血破積聚痃癖乃氣中之血藥也一云消水治中悪疰忤鬼氣霍乱吐酸開胃化食【禁用】凡諸虚症用之積未消

而元氣已潛消故虛者忌之【製法】欲先入氣火泡用之欲先入血則用醋炒得酒醋者良○按莪朮感夏末秋初之氣得火金之味故氣血凝滯作痛俱效乃峻削積滯之猛藥也但虛人服之積未退本元日虧兼以參朮方無損耳惟元氣壯盛者有病則病當之

【藁本】味辛苦氣溫無毒入足太陽經升也陽也（惡藺茹畏青箱子）

【主用】氣力雄壯風溫通用止頭痛巔頂上散（寒邪）巨陽經又能下行去濕故治婦人陰腫瘕疝又治瘡凡金瘡一切

頭面皮膚風痿及酒齇霧露清邪陰中寒腫【禁用】凡内熱頭痛及春夏温暑之病不宜進也。按稾本感天之陽氣得地之辛味故氣温而苦苦從火化故其氣雄能治至高之分故為巔頂頭痛者之要藥

【蔓荆子】味苦辛微温無毒氣味清薄浮而升陽也一云陽中陰太陽經藥又入足厥陰經兼入足陽明經惡烏頭石羔

【主用】治筋骨寒熱濕痺拘攣理本經頭痛淚出洗昏悶利關節止腦鳴通九竅去蟲毒散風淫明目齒動尤堅

【禁用】胃虛禁服否則依禍生痰血虛頭痛用之亦能反劇

按蔓荆子禀陽氣以生得金化而成苦辛溫散故所主風寒濕熱之邪及三經（足太陽陽明厥陰）所受之病也

石菖蒲　味苦辛氣大溫無毒（惡麻黃忌飴糖羊肉鐵器秦艽為使）

【主用】手足濕痺可使屈身貼發背疽能消腫毒下氣除煩悶殺蟲愈疥瘙消目翳去頭風開心肺出聲音通竅益智慧耳聾耳鳴尿遺尿數頭痛欲走者易效胎動欲產者能安鬼擊懭死難甦急擢生汁溫癰積熱不解宜浴

濃湯單味酒煎療血海敗并產後下血不止細末舖床卧治遍身毒及不痒發痛瘡瘍總陽氣開發故外克百骸辛能四達幸走竅散結爲通利心脾二經之要藥也一云補五臟久服延年高志（禁用）此之辛香太甚年壯心孔昏塞者宜用若心虛神耗者禁用（製法）生石澗一寸九節不露根者佳五月臘月採陰乾去毛○按芳香利竅能佐地黄天冬之屬資其宜導踈於太和然多用獨用耗爲氣血之殃

烏梅　味最酸入手太陰經可升可降陰也忌生葱

【主用】收斂肺氣生津止嗽觧渴除煩澁腸止瀉傷寒温瘧休息久痢便血止痢安蛇厥而止虫痛去黑痣而蝕惡肉又忒止吐酒消宿食酒毒【製法】五月採黄色梅寔用早稻稈燒灰和米飲拌之火燻乾為烏梅。按烏梅花發於冬成寔於夏得木氣之全故味最酸所謂曲直作酸甲木肝是也胆為為乙木舌下有四竅兩通胆液故食酸則生津液也

【白梅】以塩水晒乾藏密器中為白梅搗敷惡毒治婦人乳癰最效痰厥僵仆擦牙関緊閉即開兼煮汁服久痢亦除

【鬱金】味苦辛氣寒無毒氣味俱薄陰也降也入手少陰足厥陰陽明三經【主用】凉心經而下氣消陽毒以生肌止小便尿血除尿管血淋敺血氣作痛破瘀積惡血療吐血上升仍散積血歸經因性輕揚專治鬱遏殊效云治金瘡生肌甚速兼治馬熱病婦人小兒方多用之【禁用】凡真陰虛極火炎搏血妄行而非氣分拂逆肝氣不平以致吐血者不用【製法】色赤似姜黄中空如蟬腹錯水洗焙乾或醋煮用。按鬱金能開肺金之鬱故名鬱金

性本峻厲況肆中常以籌黄代之攻削峻驟徒有過而
無功虚人尤宜慎之
瞿麥 味苦辛寒無毒陽中微陰丹皮爲使惡螵蛸 主治 以爲
君則利小便作佐使決腫癰去目翳逐胎下閉血出刺本草
云養腎氣止霍乱長毛髮亦爲湿熱者言耳 禁用 凡腎氣
虚無大熱者水腫蠱脹脾虚者胎前産後一切虚人小
便不利並禁用叔小腸虚者禁用 製法 不用莖葉只用定
殻以竹瀝浸一䇲晒乾用◎按瞿麥瞿然而高大尺餘葉

尖色青根紫色黑五月開紫紅花似暎山紅七月結寔作穗似麥故名瞿麥處處又有之

香薷 味辛氣微温無毒入足陽明太陰手少陰經

主用 治霍乱中脘絞痛除傷暑小便澁難散水腫有徹上徹下之功肺得之清化令行而熱自下去口臭有扒濁回清之妙脾得之鬱火自降而氣不上解熱除煩調中温胃㕡止鼻衄及舌上忽出血者霍乱轉筋腹痛之要藥

禁用 其辛温走散元氣虚者不可過投中熱者尤所禁用

製法　去梗姜汁炒且味辛性温宜凉飲不宜熱服

按香需爲夏月發散陰寒之劑如納凉飲冷過度陽氣爲陰邪所遏以至頭痛發熱煩燥口乾吐瀉霍乱宜用之以發越陽氣散水和脾則愈若劳役受熱用之重虚其表反助其熱益耗真陰害人不淺

土部終

水部

生地黄　味甘苦大寒無毒入手少陰足太陰經沉而降陰也 惡貝母畏蕪荑忌鈇銅器犯之消腎白髮男傷荣女傷衛　主用　主劳傷通二便養

陰退陽凉心火血熱骨蒸勞熱五心煩熱吐衂血症眼瘡婦人經月枯閉姙娠下血漏胎崩中下血凡肺脉洪多熱者皆用一云補五臟而益氣力【合用】同麥門冬入心兼腎又云解酒最良同姜汁炒不泥胸中不滞稠痰【禁用】凡脾胃有寒者宜少用中虚而寒者禁用多用之恐倒脾胃【製法】水試浮者爲天黄半沉者爲人黄俱不用沉重者爲地黄生用大寒日乾者微寒火乾者微温姜汁伴炒免致泥膈痰切片酒浸炒乾方能入補脾藥如白朮之類逐隊共剳成功

按生地稟仲冬之氣以生兼稟地之和氣以長黄者土之正色也并能入脾善能入心故專爲心脾之用丹溪云生地較之熟地更宣通不滯凡勞倦傷脾者以寔脾藥中一二分用之以固脾氣

熟地黄味甘微温無毒足少陰經主藥洩而降陰也一云入手足少陰厥陰經畏忌同生地黄【主用】大補血衰滋培腎水填骨髓益真陰專補腎中元氣兼療藏血之經折跌絶筋傷中五勞七傷血痺五臟内傷補絶續斷通血脉益氣

力聰　耳目烏鬚髮退虛熱而潤燥補精血而調經傷寒
後脛股最痛者殊功新產後脂腹急痛者立效濁中濁
者堅強筋骨内傷之病肝筋腎骨受之之所必用【合用】尺
脉微者佐以桂附尺脉旺者佐以知栢【禁用】獨用則泥
膈中滿痰盛者慎用中寒有痞易泄者全禁【製法】宜酒水
各半煮透連汁晒乾再蒸再晒九次為度如入脾虛劑
中宜炒乾用有痰者姜汁伴炒。按熟地黄為補腎要
藥養陰上品六味凡以之為君天一所生之本也四物

以之為君乙癸同源之義也世人一煮便以為熟誤矣蓋禀北方純陰之性而生非太陽烈火交煉則不熟也所以固本膏雖經日煎熬必生熟各半而用之觀此可以見矣若一煮用則寒凉之性未除心腎之經各別以心經寒凉之藥為君主以腎經溫煖之藥為臣佐豈徒無益既損真陽復傷胃氣虛熱者暫堪抵受虛寒者立見泥痾陰受其累而莫知覺惜哉所以地黄凡最宜用慎

鹿茸 味耳氣溫入手厥陰少陰足厥陰少陰經麻勃為使

【主用】補元陽精血更捷主小便數利泄精溺血腰腎虚冷
脚膝無力夜夢鬼交精溢自出填精血壯元陽益氣滋
金大補羸瘦强志堅齒腰膝痠疼及虚勞洒洒如瘧女
人漏血崩中且鹿性最淫故專能壯陽補腎不足也又云
治赤白帶下散石淋癰腫骨中熱疽痒治寒熱驚癇乃
血家去舊生新之要藥【製法】形小如小茄者佳或長四五
寸分岐如馬鞍形亦好去毛骨酥塗勻微炙用
按鹿性淫而不衰其角不兩月長大一二十觔生長神

奇無過於此蓋其性熱生生不已氣化臟竅故補腎之力其功偉哉

鹿角主惡瘡癰腫逐邪惡氣留血在陰中除小腹血急痛腰脊冷痛產後血暈血瘀折傷惡血生用行血蒸用補虛醋炙碎剉為末或磨用。月令云鹿至六十年必懷瓊於角下角有痕瘢紫黑蓋鹿載玉而角斑

鹿角膠一名白膠　味甘氣溫無毒入足厥陰少陰手少陰經

主用　傷中勞絕腰痛羸瘦補中益氣婦人血閉無子止痛安胎療吐血下血崩中不止四肢痠疼多汗淋瀝折跌傷損久服輕身延年益髓長肌悅顏肥健凡腫毒已潰

未潰者以白膠一片漬軟粘之頭上開孔有膿即出無膿即消誠藥品之最珍者也

鹿角霜 味鹹温無毒治五勞七傷羸瘦補腎益氣固精壯陽強骨髓止夢遺

麋茸 味甘氣温一云氣熱入手足少陰足太陰經

主用 骨軟可健莖痿能扶壯元陽精血之品而風寒濕痺筋攣亦可用要之功能與鹿茸相倣但差減耳 製法 去毛酥炙用。按月令冬至一陽生麋角解夏至一陰生鹿角解故麋茸補陽鹿茸補陰此說非也鹿是山獸好群而相比爲陽之類故夏至感陰氣而解角此陰生陽退之象也麋是澤獸多慾而善迷爲陰之類故冬至感陽氣而角解此陽生陰退之象也陰陽相反如此故鹿茸稟純陽之質含發生之氣一牡常御百牝是腎氣之有餘而足於精者也故有助陽扶陰之妙鹿補陽右腎精氣不足麋補陰左血液不足然雖有陰陽功用之殊總不外乎填精髓強筋骨長氣血爲肝腎滋補之要藥也

麋膠 味苦氣温無毒 主用 與鹿角相做但有補陰補陽之差別耳書曰鹿茸補陽麋茸補陰角亦如之煮以成膏則衆力相聚即猛虎不如群豝乃膠之功也何讓茸乎

何首烏 一名野苗二名交藤三名野合四名地精五名首烏 味苦澁微温無毒入足厥陰火陰經升也陽也得牛必則下行茯苓爲使 忌諸血蘿蔔鐵器無鱗魚一云忌與天雄烏頭附子仙茅姜桂諸燥藥同用盖以首烏有养荣益血之功也 主用 治瘰癧癰疽却頭面風疹長筋骨悅顏色益血氣止心疼補真陰理虛劳久服添精令人有子消五痔黑髮

鬢強精益髓婦人帶下總功能調和血氣久瘧久痢氣血失和諸病用此以見神功肝腎二経之藥甘温祛風益血收濇又能斂陰年深大者收採精製久服延年令人不老至於外敷熨皮裏作痛可驗養血活血之極功矣不問何處但用何首烏為米姜汁調成膏塗之以綿裹住炙鞋底熨之【製法】有雌雄二種雄者茵色黄白雌者茵色黄赤以竹刀切片或杵碎以米泔浸経宿曝乾用黑豆伴蒸九蒸九晒用。○按何首烏補陰而不滯不寒強陽而不燥不熱禀冲和之性得天地之純氣者

也昔有老人何姓見藤夜交掘而服之鬚髮盡黑故名
首烏後陽事大舉晏生男子改名能嗣則其養陰益腎
可見矣但熹地首烏雖俱補陰然地黄禀仲冬之氣以
生蒸晒至黑則專入腎而滋天一之真水矣其兼補肝
者因滋腎而旁及也首烏禀春氣以生而為風木之化
通於肝為陰中之陽藥故專入肝経以為益血袪風之
用其兼補腎者亦因補肝而旁及也一為峻補先天真
陰之藥故其功可立救孤陽亢烈之危一係調補後天

榮血之需以為常服長養精神却病調元之餌先天後天之陰不同奏功之緩急輕重亦大有異也況名夜合復名紶嗣則補血之中復有補陽之力豈若地黄專功滋水氣薄味厚而為濁中濁者堅強筋骨之用乎此先師馮氏心得之見乃古哲未為縷析今人混用補陰不分亦誤之甚乎

山茱 味酸微温無毒入足厥陰少陰經蓼寔為使惡桔梗防風防巳

主用 温肝補腎益髓固精煖腰膝興陽道長陰莖肝腎之藥安五臟通九竅縮小便明目腸胃風邪寒熱疝瘕頭

風風氣去来小便淋瀝遺溺鼻塞目黄耳聾面皰温中下氣出汗強陰溢精可為去脱遺滑之要藥也又云治面瘡與女子月水不足【製法】去核核能滑精故去之酒潤蒸晒乾用

按山茱味厚固精味酸滋肝性温而潤故於水大多功夫温煖之劑方有益於元陽故四胡之令春生而秋殺萬物之性喜煖而悪寒肝腎居至陰之地非陽和之氣則陰何以生乎山茱正入二經氣温而主補味酸而主斂故精氣益而腰膝強也惟小便不利強陽不痿者勿用

枸杞子 又名枸棘 味苦平氣寒無毒入足厥陰少陰經

【主用】五内邪氣熱中消渴周痺風湿内傷大勞下胸脇氣客熱頭痛利大小腸固精髓明目健筋骨興陽補藥風藥皆用老人陽虛人尤宜功專補腎滋肝益精強陰不熱不燥久服輕身能耐寒暑【禁用】少年有火症者勿用脾弱泄瀉者必兼苓朮為佐方可用之【製法】去蒂酒浸晒乾用煎膏與地黄汁酒煉久服筋骨堅強輕身不老

按枸杞感天令春寒之氣以生兼得乎地之冲氣其味

甘平故其功專於補益肝腎真陰之要藥陶氏云去家千里勿食枸杞蓋指其強陽之力耳

地骨皮 味甘淡性洸而大寒專退有汗骨蒸勞熱腎肺伏火補益肝氣凉血凉骨五内邪氣熱中消渴及去肌熱利大小便與丹皮治骨蒸同功但丹皮解無汗者骨皮解有汗者較之知栢苦寒何如骨皮甘寒無傷胃氣書云腸滑者禁枸杞子中寒者禁地骨皮

肉蓯蓉 味甘酸鹹微温性從容和緩無毒 [主用] 補益勞

傷資助相火舒緩腰膝堅強筋骨男子絕陽不興泄精尿血遺瀝女子絕陰不產血崩帶下陰寒又治下痢止莖中寒熱痛膀胱邪氣婦人癥瘕【禁用】凡腸滑泄瀉并腎中有熱強陽易興而精不固者忌之以其性滑而潤耳丹溪云雖能峻補精血驟用反致大便滑【製法】擇軟而肥厚大如臂者良酒洗去鱗甲及中心白膜火焙乾用淑酒浸一宿或酒蒸或酥塗炙。按蓯蓉乃馬精落地所生得地之陰氣天之陽氣以成屬土有水與火入

腎心胞絡命門補精補血能益水中之火滋腎補精之首藥溫而不熱補而不驟故有從容之意氣本微溫相傳以爲熱誤也

鎖陽 味甘鹹性溫無毒入腎經強陰補精壯陽潤腸養筋壯骨凡氣餘而大便燥結者煮粥食之不燥者勿用入藥炙用輟耕錄云蛟龍遺精入地久之則發起如筍上豐下儉絕類男陽功與蓯蓉相近禁忌亦同

兔絲子 味辛甘平無毒爲脾腎肝三經氣分要藥

主用 益氣強力補髓添精虛寒膝冷腰疼鬼交夢遺精滑

肥健肌膚堅强筋骨續絶傷強陰莖溺有餘瀝寒精自出五癆七傷口苦燥渴尿血頑麻治肝虚風明目與痘瘡痒塌與痔痛益脾胃進飲食去寒血爲積久服延年輕身有子【用藥】凡腎家多失強陽不痿者大便燥結者並忌之【製法】揀去雜子洒净去土晒乾炒燥另磨細末即入藥勿使泄氣則功力大見如久浸爲餅則酸臭不堪用按兔絲子稟冲和之性凝正陽之氣無根假氣以成形故能續補先天元氣尊專治腎臟敗傷寒精自出溺有

澀温而不燥補而不滯又能補土之母故進食止瀉並效稀痘丹用之亦培補先天不足之義也然單服則偏補人之術氣故古人用以同熹地名雙補凡同元參名玄兒丹即此意也

補骨脂 一名破固只 味辛氣大温無毒陽中微陰降多升少入手厥陰心胞絡命門足太陰脾經 惡甘草忌手肉

主用 治男子劳傷療婦人血氣腰膝酸疼神效骨髓傷敗殊功除囊湿而縮小便固精滑以興陽道却諸風湿痺

去四肢冷疼煖丹田止腎瀉加杜仲青塩名青娥凡總皆脾腎二經之要藥壯火補土之靈丹又云兼明耳目

【禁用】若水衰火旺者非其所宜姙婦禁用以其大温而辛故能消物墮胎耳其性過於燥陰虚火動大便秘結者戒之

【製法】酒浸一宿漉出用水浸三宿蒸三朝久日乾緊急緻炒止泄麪炒又法常用塩水浸炒。按補骨脂色黑稟北方之正氣味辛煖水臟之陽故能達命門興陽事固精氣理腰疼止腎泄乃壯火益土之要劑也

牛膝 味苦酸平無毒味厚氣薄專入肝腎二經惡龜甲白前忌牛肉

主用 理一身虛羸助十二經絡壯筋骨利腰膝足痿筋攣陰痿失溺散惡血而治心腹諸痛催難產而理膏血諸淋癰腫惡瘡傷折手足寒濕痿痺大筋拘攣膀胱氣化便難小水短少補中續絶補陰壯陽塡髓除腰膝冷疼單煎治老瘧不愈女人血瘕血瘕月水行遲產婦血暈血虛兒枕痛甚若濁陰不降腦中作痛喉痺齒痛虛火上浮咳嗽不寧並宜

禁用 性能降而不能升凡元氣下陷血

崩遺滑法當禁絶又夢遺病誤用其病益增【製法】長大肥潤者佳若入引火下趨藥宜生用若入補藥中宜酒伴蒸晒乾用。按牛膝性專走下而滑竅故能引諸藥下走如奔凡病在腰腿下部所必用走而能補强陰益精肝腎之要藥且能引火下行真降濁澄清之品也

杜仲 味辛甘氣平無毒入足少陰兼入足厥陰經（忌蛇蛻玄參）

【主用】益腎添精治腰脊疼痛難伸補中强志治夢遺小便餘瀝助肝腎堅筋骨除陰癢去囊湿痿痺癱軟必需脚

痛不能踐地立效補腎氣潤肝燥牛膝主下部血分杜仲主下部氣分故每相須爲用東垣云杜仲能使筋骨相着兼治婦人胎臟不安産後諸疾【製法】專用補腎鹽酒伴炒同調補筋骨藥則生用或酒炒同祛除湿痺藥以香酒伴炒削去粗皮以絲厚者佳○按杜仲性温而不助火可以久服同滋補藥則益筋骨之氣血同祛風藥則去筋骨之風濕總而主不離筋骨也故功專肝腎直走下部經絡血分熟地滋補腎肝筋骨精髓之以續斷調補筋骨

曲節氣血之間故数味每相須為用以為筋骨氣血之需互相佐使以成功也

續斷 味苦丼辛微溫無毒地黄為使惡雷凡 主用 續斷使熟地續筋骨主傷中補不足調血脉專療跌僕折傷消腫毒生肌肉善理金瘡癰毒能止痛生肌乳癰瘰癧𤺥功腸風痔漏立效縮小便頻数固精滑夢遺煖子宮使姙孕堪久服增氣力為血崩血痢之要藥又云與陽道與胎前胎動滴血産後血𭜋寒熱难禁嘅々氣欲絶单煎一

刃温服即卧製法入血崩金鎗藥宜生用同熏地芬補藥宜炒用又云皮黄皺

節節斷皮有煙塵起者佳　按續斷得土金之氣兼

稟乎天之陽氣以生故為開節緩急血分損傷之要藥

益因止痛生肌續筋骨故名續斷與桑寄生同功

乳汁 味甘鹹氣平無毒入心入腎入脾入肺主用培益元

陽潤長肌肉駐顔明目安養神魄五臟均補腸胃滋潤

退虚熱潤噎膈補虚劳祛目赤止淚流久服令人氣血冲

和肥白潤澤又治中風癱瘓手足疼痛不能動履此以

人治人之法也又云治老人虛熱口瘡不食療婦人血枯經閉又云益壽延年之聖藥【合用】八四君湯大補元氣同四物湯能滋陰血【禁用】此功專補陰若陽虛胃熱脾寒作瀉者禁之【製法】用銀堝內煎成用大磁盆盛於日中晒之以水浸於盆下不然乳不乾晒製成粉名乳金丹○按乳從血化生於脾胃攝於冲任未孕則下為月水既孕則留而養胎產后則变亦為白轉降為升此造化玄微之妙却病延年之藥也○世俗多以乳能滑腸果耳則天下無不

瀉之嬰兒矣特與食混進誠能纔瀉故於夜半甫進前後背與食遠爲良（服乳歇曰）仙家酒仙家酒兩个葫蘆盛一斗五行釀出真醍醐不離人間處又有丹田若是乾涸甫咽下重樓潤枯朽清晨能飲一升餘反老還童天地久

阿膠 味淡性平氣味俱陰入手太陰足少陰厥陰經山藥爲使（畏大黃得火良）〔主用〕主心腹內崩勞極洒又如瘧狀腰腹痛四肢痠疼養血安胎陰氣不足脚痠不能久立久咳膿血血崩帶下羸瘦勞傷咳嗽喘急吐血衄血血淋

承血腸風血痢肺痿肺癰潤燥養肝化痰清肺更主女人下血凡血痛血枯調經崩中胎産諸疾皆妙久服輕身益氣補血和血之聖藥【合用】得黄連黄臘爲佐治赤白久痢最妙【禁用】丹溪云久嗽久痢虚勞失血者宜用若邪勝初發用之強閉其邪而生他症【製法】凡用當擇光如漆帶油緑者爲真貴者折之即斷体堅而脆味淡不臭夏月不濕軟不粘紙者爲佳宜切塊蛤粉拌炒成珠或酒化成膏又云凡使先於猪脂内浸一宿剉碎以蚌粉炒成珠

按阿井乃濟水之眼內經以濟水爲天地之肝故入肝多功烏驢皮合北方水色順而健行之物故入腎多功木克則火自制火熄則風不生故木旺風搖火盛金衰之症莫不應手取效又云阿膠真者難得寧用黃明牛膠但牛皮不如法自製者爲妙凡煎劑必用鹿角一片不尓則不成也

牛皮膠又名曰水膠 潤燥利大小腸爲外科活血止痛要藥兼治一切男婦血症諸膠皆養血補虛而阿膠又黑驢皮阿井水所熬即濟水所溺其色正綠性急下趨清而且重其性純陰與諸水大別所以尤能潤肺養肝滋腎也

玄參

味苦鹹微寒無毒惡乾姜黄芪大棗茱萸及藜蘆極忌銅鐵

【主用】治骨蒸散浮遊之火滋陰補腎清利咽喉消痰住嗽兼能明目治傷寒身熱支滿忽不知人瘧温瘧寒熱往来洒洒抑常發顫女人産后餘痰男子骨蒸傳尸逐腸內血瘕堅癥散頸下痰核癰腫管領上下諸氣肅清而不致濁散空中氤氳之氣腎經無根之火惟此為最也

【禁用】如血火血昏停飲寒熱血虚腹痛脾虚泄瀉並忌之雖蒸晒稍減寒性亦不可久用【製法】八凡藥宜蒸過晒乾

瓦器中焙燥常用酒蒸○按玄參黑色味鹹故走腎經古人多用以治上焦火症者正謂水不勝火亢而僭上壯水之主以制陽光然性本寒滑暫治有餘之火則可若欲固本滋水則重用熟地而不及此也

知母味苦微辛氣寒而無毒入手太陰足少陰經洗而降陽中陰也忌鐵器【主用】補腎水瀉無根火邪消浮腫爲利小便佐使初痢臍下痛者能卻久瘧煩熱甚者堪除治有汗骨蒸熱勞瘵往來傳屍疰病潤燥解渴止咳消

痰上清肺金而瀉火下潤腎燥而滋陰為二經氣分藥又云止驚悸能下氣瀉胃火療殺瘧與妊娠腹痛産后蓐勞知血之母故曰知母【禁用】不宜多服令人作瀉又云多服令人氣泄凡肺中寒嗽腎氣虛脫無火症而右尺脈微弱者禁用【製法】入清熱藥宜生用入滋腎藥宜鹽酒拌炒又云上行酒炒

按知母瀉腎經有餘之火惟陽亢甚者宜之若腎虛而瀉之則愈虛而虛火愈甚況寒能傷胃潤能滑腸其害人也隱而深譬諸小人陰柔巽順深受其禍莫覺其非也

黄柏 味苦性寒無毒乃足少陰経薬又手厥陰本経薬足太陰引經藥泥而降陰也 惡乾漆 【主用】使下焦湿熱散行瀉陰伏龍火除骨蒸煩熱補腎強陰洗肝明目五臟腸胃中結熱黄疸腸痔泄痢瀉相火有餘救腎水不足口瘡垂疥丞甚敷治腸風連下血者殊功熱痢先見血神效膀胱絨熱女人帯漏陰傷食瘡與鼻皺喉痺及癰疽發背乳癰臍瘡亦用東垣有云瀉下焦隱伏之龍火安上焦虚熾之蛇虫 男子莖瘡為末敷之頬舌瘡蜜炙為末傅之 【合用】得知母滋

陰降火爲治痨之需得蒼朮除湿清热爲治痿之要
【禁用】凡實火可治虚火可補人非此火不能有生用此以
瀉火者是傷其生氣也惟湿熱寒熱暫用之若腎虚脾
薄之人所當痛絶也丹溪謂两尺脉微或左尺脉旺背不宜用
【製法】入剤宜蜜浸炙黄若入腎経藥宜塩酒浸透炒褐色
若入口瘡敷藥晒燥不見火【又法】銅刀削去粗皮生蜜水
浸半日取出炙乾再塗蜜漫火炙之每用盡生蜜六錢
如火盛者童○按黄栢性寒行隆冬肅殺之令故獨入少
便浸蒸用

陰濕有餘之相火必尺中洪大按之有力可炒黑暫用昔人稱其補陰者非其能也蓋熱去則陰不受傷而陰長寔無補也利於寔熱而不利於虛熱也何粗醫不問虛寔竟以為去熱治痨之要藥而不知陰寒之性能損人氣減人食命門真元之火一見而消亡脾胃運行之職一見而阻喪元氣既虛又用苦寒遏絶生機莫此為甚

猪苓 一名朱苓 味甘淡兼苦氣平無毒入足太陽少陰經升而微降陽中陰也 主用 入膀胱腎通淋利小便除濕消腫

滲行水之功多主痰癃者亦以其能利暑湿之氣也利水諸劑無若此駛然又云婦人子淋子腫傷寒瘟疫大熱發汗解毒盡止泄精【禁用】此能燥亡津液無湿症者忌用久嘗損腎昏目又云有湿症而腎虛者亦忌【製法】銅刀削去黑皮微焙乾用

按猪苓稟戊午土之陽氣得風木之陰氣而楓根之餘氣以成本得滲淡之性為利水除湿之需以其形如猪糞故名猪苓與茯苓同義

澤瀉 味丼鹹寒無毒入足太陽少陰經沉而降陽中陰也畏海蛤文蛤【主用】去陰汗大利小便瀉伏水微養新水豕

血洩精瀉痢腫脹除湿止渴聖藥通淋利水仙丹（又云）下乳雖催生補女人血海令人有子皆調湿熱凝滯病也

禁用 凡病本無湿腎虛精滑目虛不明者禁之（扁鵲云多服病眼以其利水瀉腎也）

製法 入脾胃利水藥中宜生用入滋陰利水藥中宜塩水伴炒用入八味温補藥中宜塩酒伴炒用

按澤瀉禀地之燥氣天之冬氣以生性能瀉水五苓散用之取其行湿八味凡用之引入腎經地黄補藥中必兼澤瀉以瀉腎者却瀉腎中湿火則補得力故古人凡

用補藥必兼瀉邪此開合之妙若有補無瀉即有偏勝之害惟在虛脱之症則峻補之力無容一少緩也

車前子 味甘鹹寒無毒入肝腎膀胱三經之要藥【主用】清肺肝風熱滲膀胱濕熱通尿管淋瀝澁痛不走精氣為奇毆風熱腫目赤疼旋去翳膜誠妙導湿氣除煩熱清炎暑止瀉痢湿痺能却生産能催益精強陰令人有子

【禁用】久服亦難免滲瀉之害若陽氣下陷腎氣虛脱者勿用

【製法】取子葉根完全者力全用葉尾上烘乾用子畧炒去葉用子

按車前子禀土之中氣兼得天之冬氣以生喜生車𩢰牛跡中故[illegible]熱利水而復能益精明目令人有子者蓋陰中各有二竅一竅通水一竅通精二竅不常開水竅開則精竅閉服此則膀胱水利竅命門精竅愈固而能生子濁陰去而真陰愈密熱去而目明明翳雜録云服固精藥日久須服此行房即有子其意可知也

木通 一名通草 味辛甘而淡氣平味薄寒也降也陽中陰也入足少陰太陽亦入手太陽少陰

主用 甘淡輕虛上通

心胞降心火清肺熱瀉小腸火鬱不散利膀胱水閉不行消癰疽作腫療脾疽嗜眼解煩懣開耳聾出声音通鼻塞行經下乳催産墮胎開關格導湿熱利關節血脉通九竅五淋[一云]與琥珀同功[禁用]性寒通利凡精滑氣虛內無湿熱並虛症孕婦皆忌之[製法]擇肥白者去皮節[生用]

按木通古名通草稟清秋之氣兼得土之甘淡能助西方秋氣下降故利小便專瀉氣滯乃心胞小腸膀胱三經之藥凡肺受熱邪則氣化之源絶而寒水斷流宜此

甘淡以瀉之若君火爲邪宜用木通相火爲邪宜用澤瀉

滑石 味甘淡氣寒無毒入手太陽膀胱經兼入足陽明手少陰太陽陽明沉重而降陰也石韋爲使惡曾青

主用 利六腑之積滯宜九竅之秘結解煩渴分水道降火清肺和胃消暑散結通乳汁汉燥脾濕降胃火泄上氣令下行蕩胃中積聚瘀血食毒而泄澼自止滑女子難産通姙婦轉脬

禁用 如有濕而便澁者宜淡滲之無濕者惟宜滋潤之不可利也且滑胎滑精並宜知戒製法白色

者佳餘色有毒或以牡丹水煮曬乾凡用必以甘草和之

按潔古云滑則利竅不與滲泄藥同擷珍曰滑否利竅不獨小便也上能利毛竅之竅下能利精溺之竅多服使人小便多精竅滑脾虛下陷者忌之

五加皮 味辛微苦微溫無毒入足少陰厥陰經遠志為使惡蛇退玄參

［主用］逐多年瘀血在皮筋中毆常痛風痺纏脚裏風弱五緩痿躄腰脊疼痛虛痿心腹疝痛風寒濕邪並祛小兒骨軟行遲下部惡瘡膿癩堅筋健步強志益精去女人

陰囊雖當扶男子陽痿不舉小便遺瀝可止陰蝕疽瘡能除輕身延年長生不老真仙藥也【製法】忌鐵生用或酒浸微焙莖青節白花赤皮而黄根黑具五行之色。按五加皮在天得少陽之氣爲五星之精在地得金火之位秉生五出辛順氣而化痰苦堅骨而益精滲祛風而勝濕逐皮膚之瘀血療筋骨之拘攣故曰寧得一把五加不用金銀滿車然肝腎真陰不足者必兼滋補藥用之可也

【龍骨】味甘平氣微寒無毒内應乎乾入足少陰厥陰少

晹兼入手少陰陽明經畏石羔殺石乾漆蜀椒得人參牛黃良

【主用】治咳逆洩痢療心腹鬼疰涩腸止瀉收斂浮越正氣止腸風來紅生肌斂瘡及婦人帶下崩中癥瘕堅結小兒熱氣驚癇心腹煩滿四肢枯瘦夜卧自驚恚怒伏氣不得喘息腸癰內疽陰蝕小便溺血泄精養精神定魂魄安五臟縮小便固虛汗止夢遺【禁用】總是去脫固氣澁腸之物久服反致涸精燥熱之端【製法】酒浸一宿焙乾研粉水彩三度用如急用以酒煯焙乾用之或曰凡

入藥須水彩晒乾每斤用黑豆一斗煑一伏時晒乾用舌則著人腸胃晩年多熱也又云得脊䏭作白地錦文舐著舌者佳青白者次黑者下火煅研碎用。按龍骨稟陽氣以生而伏於陰為東方之神乃陰中之陽鱗虫之長神靈之物也書云生晋地川谷及太山岩穴中死龍處得之李肇國史云春水時魚登龍門脱其骨也

龍齒 專主安魂理狂熱并殺蠱毒治心下結氣不得喘息諸痓骨間寒熱諸症蓋龍骨入心腎腸胃龍齒單入

心肝故兼有止瀉澀精之用齒惟有鎮驚安魂魄而已

虎骨 味辛微熱無毒 【主用】虎脛骨治風痺健腰膝辟邪惡除鬼疰止驚悸健忘愈惡瘡犬咬歷節痛風筋骨諸病驚癇癲疾脚膝拘攣癱瘓痠痛。又治鼠瘻温瘧滑利

【製法】酥灸搗碎用中毒箭必有微黒有毒損人不宜用。又雄而色黄者佳酒灸研用。○按虎骨者山獸之君西方之獸故通於金氣風從虎虎嘯而風生風木也虎金也木受金制安得不從故可入骨搜風強筋壯骨然虎之

強勇皆在於前脛以其性雖死而脛猶屹立不仆故脛骨勝他骨百倍借其氣有餘補其不足也味辛微熱既禀勇猛之氣復有辛散之功故為辟邪去悪驚癇癲疾走筋達骨之用若腰脊痛者當用脊骨虎肚治反胃有功取生者存穢勿洗新瓦火煆存性為末入平胃散一月每服三匁治反胃症神妙虎爪主辟邪殺鬼牙主男子陰痒磨乳汁治犬咬

龜甲 味鹹而平氣平有毒乃陰中主陰之物入足少陰經悪沙参蜚蠊且畏狗胆之甚

主用 專補陰衰善滋腎損主五痔陰蝕濕痺頭瘡驚恚氣心

腹痛骨中寒熱不可久立漏下崩帶癥瘕痎瘧傷寒勞復肌体寒熱欲死腰背疼疼手足重弱推舉小兒顖門不合女子濕痒陰瘡逐瘀血積疑續筋骨斷絶以性靈於物用補心益智至陰柔順之氣能衰亢烈之火寒以養精至靜而制群動也性與鱉甲相類但鱉甲色青應木走肝益血以除熱龜甲色黑應水通心入腎又治產前後痢

【禁用】性本至陰大寒多用必傷脾土龜甲非千年自死者則有毒不可用妊婦不宜服病人虛而無熱者不宜服

（十二月食龜肉殺人）【製法】凡入藥須研至極細勿令中濕不爾留滯腸胃能變癥瘕病（又云酥炙或豬脂酒皆可）（陽龜殼圓板白陰龜殼長板黃陰人用陽陽人用陰）○按龜稟北方之至陰其華在甲取其補心補血補腎皆以養陰也格物志云天有先天之雷山多自死之龜龜咱雷音則（口中）所含以蟄者便吐而昂首俯令尚早無虫可食多致饑死血肉腐爛滲入中甲此真敗龜板（云一介虫三百六十而龜為之長（其性神靈而能變化）

【鱉甲】味鹹平無毒入厥陰肝經（忌莧）【主用】勞瘦骨蒸濕

癰往来寒熱痃癖癥瘕息肉陰蝕痔疽退伏熱於骨中長陰氣於肝腎小兒脇下堅婦人産後勞去瘖化積血瘕腰痛愈膓癰消腫下瘀血墜胎又療女子經閉與漏下五色治石淋

製法 用九肋多裙重七両者生刺去肉取甲釀醋炙黄色去勞熱用小便煮一日夜

按鱉甲全得天地至陰之氣龜甲以自敗者為佳鱉甲以不經湯煟者方勝若肝腎無熱者切宜忌之

豨薟草 味苦寒無毒專入肝腎二經 **主用** 治肝腎風氣

四肢麻痺筋骨冷痛風湿瘡瘍暴中風邪口眼喎斜專
滲湿痺腰脚痠疼長眉髮烏鬚髮追風逐湿除蠶痺門
之聖藥又治跌墜失音

製法

味苦氣寒而蕕臭必蒸
晒九次加以酒蜜則苦寒之陰濁尽去而清香之美味
見矣不然濁陰尚在不能透骨驅風而却病也
豨薟草感少陽之氣以生其草節葉相對五月五日
六月六日九月九日採來温水洗去泥土摘其葉及枝
頭花蒂寘瓷酒潤遍九蒸九晒不必太燥但取蒸足数為度仍蒸搗煉蜜凡梧子大專治中風口眼喎斜之症早晨空心以温酒

下服至四千丸必得全愈至五千丸精力加倍甚益元氣唐成訥米張詠並表進于朝極言其效

紫河車 味甘鹹氣溫無毒 **主治** 專滋肝腎補虛損勞傷癆瘵傳尸体瘦髮枯骨蒸盜汗腰脊瘦疼足膝痿軟驚悸羸乏等症又益婦人俾育胎孕 **製法** 男用男胎女用女胎須首生者佳如無用次生壯寔婦人亦可仍用米泔洗四五次擾動筋膜去草屑以竹器盛長流水浸一刻以取生氣用瓦盆盛放木甑內或堝內亦可自卯

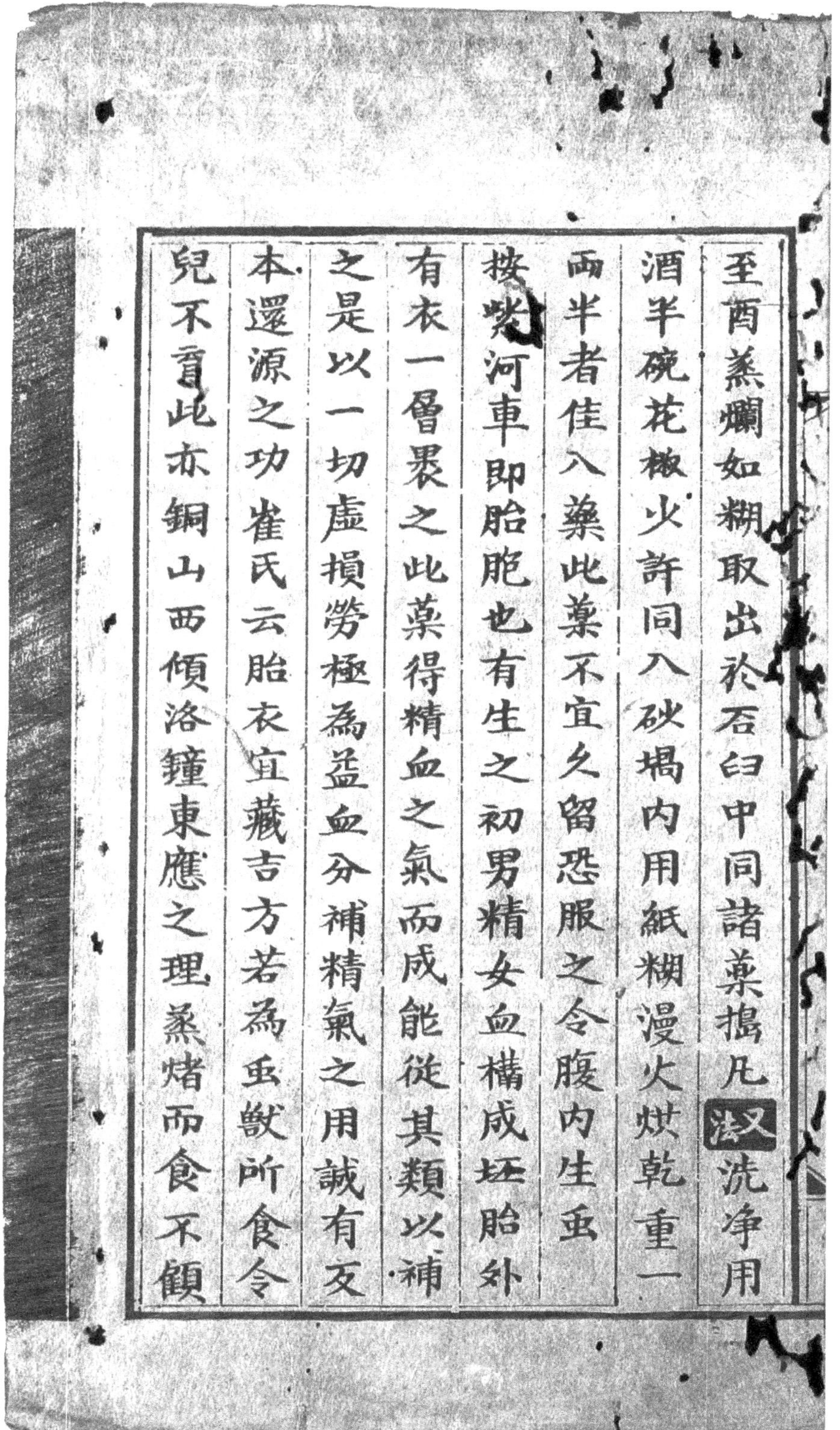

至酉蒸爛如糊取出於石臼中同諸藥搗凡又法洗净用
酒半碗花椒火許同入砂堝内用紙糊漫火烘乾重一
兩半者佳入藥此藥不宜久留恐服之令腹内生蟲
按紫河車即胎胞也有生之初男精女血構成坯胎外
有衣一疊裹之此藥得精血之氣而成能從其類以補
之是以一切虚損勞極爲益血分補精氣之用誠有反
本還源之功崔氏云胎衣宜藏吉方若爲蟲獸所食令
兒不育此亦銅山西傾洛鐘東應之理蒸煮而食不顧

損人長壽仁厚者豈忍為乎

胞衣水 即罐貯胞衣久埋地下年久成水是也 味辛氣寒無毒得土氣既深濁氣既化陰氣獨存故走足陽明胃經能解天行疫狂熱及小兒無辜髮豎丹毒并血熱痘瘡以代金汁清而帶補功力更倍

藥品下卷終

海陽監臨官續助貳拾兩

海陽臬判裴惟誠助五拾兩

河內提學丁嘉臻助拾兩

（此頁據中國國家圖書館藏本配補）

寧江太守范有用助五拾貫仝衙助拾貫

金城縣尹阮叔直助叁拾貫

先明縣尹陳月綿助拾五貫

錦江縣尹阮文誘助拾貫

四岐縣尹阮琳助拾陸貫

陸岸縣尹鄧武惿助貳拾貫

泉司玖品阮德宏助拾貫

嘉平衙門共助拾貫

（此頁據中國國家圖書館藏本配補）